D1328432

PERDONAR
LO IMPERDONABLE

CLAUDIA PALACIOS

PERDONAR LO IMPERDONABLE

CRÓNICAS DE UNA PAZ POSIBLE

Planeta

Calle 73 N.º 7-60, Bogotá
Diseño de cubierta:
Departamento de diseño Grupo Planeta
Imagen de cubierta:
Shutterstock

Primera edición:
octubre de 2015
ISBN 13: 978-958-42-4693-6
ISBN 10: 958-42-4693-3
Impreso por:
Editorial Delfín Ltda.

Dedico este, mi segundo libro, a los colombianos que han sido víctimas y que han sacrificado verdad, justicia y reparación, en pro de tener garantías de no repetición. Gracias porque así han detenido los ciclos de venganza, y han contribuido al bienestar de miles de compatriotas, a costa de renunciar a sus legítimos derechos.

También van estas páginas para los que fueron victimarios y hoy llevan vidas ejemplares. Gracias por aprovechar la segunda oportunidad, y así procurar que los incrédulos recuperen esperanza.

CONTENIDO

Prólogo

Empezaré con una conclusión: para hacer la paz no es imprescindible firmar un acuerdo de paz. De hecho, Colombia ha firmado al menos cinco en los últimos treinta años y aún el país no está en paz. El año y medio que duré haciendo este libro, visitando muchas ciudades, municipios y veredas de Colombia, conversando con ciento veintiséis personas, entre exvíctimas, exvictimarios, expresidentes, excomisionados de paz, exnegociadores de paz, académicos, empresarios, filántropos, voluntarios, y ciudadanos del común, entre otros, me enseñó que la paz más firme, la menos vulnerable, es la que se fundamenta en la convicción personal de que cada individuo en sí mismo es un constructor o un destructor de paz. Por eso, y porque en medio de un proceso de paz, la palabra *paz* es significado de polarización política, me veo en la necesidad de dejar claro, desde un comienzo, que este libro no es un trabajo para apoyar o no el actual proceso de paz con la guerrilla de las Farc en La Habana, o el que surja con el ELN. De la ruta que hice para reunir las historias que leerán en estas páginas aprendí que todos tienen razón, los que piden no parar la negociación de paz sin importar cuántos atentados y muertos deje negociar en medio del conflicto; como quienes piden terminar con lo que consideran un espectáculo de rendición del Estado ante una minoría que lo ha violentado por décadas. Esa es la otra conclusión: todos tienen razón. Y son razones tan legítimas y poderosas que quizá es por eso que a las partes enfrentadas les cuesta ver el bosque de la historia, y solo ven el árbol de la coyuntura, por demás afilada y vuelta a afilar en los medios de comunicación. Sé que lo que voy a decir es simplista, pero no obstante en esencia es real; las razones por las que hoy en día se ataca o se apoya un proceso de paz son las mismas que en procesos de paz anteriores. Los militares, porque su función es cumplir la Constitución, que les manda defender la soberanía nacional; los empresarios, porque se vulnera la libertad de desarrollo económico; los políticos, porque la democracia plantea mecanismos de participación por la vía de las urnas y no de las armas; los ciudadanos del común, porque están hastiados de los violentos. Y del lado contrario, otros políticos, otros empresarios, otros militares y otros ciudadanos apoyan la vía negociada, con todo y bemoles, porque están convencidos de que hay que quitarle la marca registrada a los grupos violentos y de que hay cambios de fondo por hacer en el funcionamiento del Estado. Pasados los años, a la luz de la historia, unos y otros dicen y dirán que las condiciones del momento no daban para pensar u obrar de manera diferente; y entonces habremos escrito otro capítulo de paz fallido. Por eso, si comprendemos que los resultados de ese pensar y obrar no fueron los mejores, debemos estar de acuerdo en que hay que pensar y obrar diferente para conseguir resultados diferentes.

Las historias contenidas en los primeros nueve capítulos de este libro muestran que mientras líderes de este país han intentado paces, unas imperfectas, otras frustradas, otros miles de compatriotas han hecho a nivel personal, familiar, comunitario y laboral unos muy exitosos procesos de paz. El deseo de superación, el arte, el deporte, la fe y el amor han sido herramientas de enorme valor para quienes han sido víctimas o victimarios y en un momento de sus vidas decidieron dejar de serlo. Pero estas personas no lograron eso solas, otros miles de ciudadanos que no estuvieron en uno de los bandos de la guerra fueron fundamentales para que historias de tragedia y dolor se convirtieran en unas de superación, alegría e inspiración. Por eso la invitación a usted, que tiene este libro en sus manos, y quizá es uno de esos cuarenta millones de colombianos que no ha sido víctima directa del conflicto, es a que encuentre su rol en la construcción de la paz de nuestro país. El convulsionado acontecer de esta tierra durante los últimos sesenta años nos ha llevado a desarrollar un nivel de resiliencia que marca el empuje y la pasión de los colombianos, pero que también nos ha hecho indiferentes. Tal vez esa es la razón por la que no nos damos cuenta de que Colombia es más grande que el pequeño universo que cada quien vive, ya sea desde la comodidad de Bogotá y de las ciudades donde ya se siente lo que se considera un posconflicto, o desde los pueblos, corregimientos y barrios donde aún los padres sienten el temor de que un grupo armado les reclute o les mate un hijo. Cuando esos dos universos se reconocen, se valoran e interactúan se producen historias llenas de creatividad, pragmatismo y dignidad que salvan del abismo a los afectados y que enriquecen y dan sentido a la vida de aquellos que creían haber hecho todo bien porque cumplían con trabajar honradamente. Buscar ese universo contrapuesto al que cada quien vive, y que puede estar a tan solo unas casas de distancia, es el primer paso para encontrar un rol que desempeñar en el camino a tener un país en paz, diferenciando entre lo que significa dar y lo que es dar*se*. Lo primero en ocasiones es una "lavada de manos" que ayuda a tener la conciencia tranquila a través de una donación en dinero o en especie a una causa noble; lo segundo es entregar el talento, la inteligencia y el tiempo a la transformación de las realidades que nos fastidian o criticamos. No todos pueden dar, pero sin duda todos podemos dar*nos*.

En el capítulo diez, veintidós protagonistas de anteriores procesos de paz reflexionan sobre las razones por las que estos no funcionaron, y algunos reconocen errores que en su momento cometieron creyendo que eran aciertos. No están todos los que son, algunos fueron consultados pero por falta de compatibilidad en las agendas nunca pudimos concretar las citas para entrevistas, y otros no fueron convocados porque sería necesario tener el espacio de una enciclopedia para contar las historias de todos los que han participado en procesos de paz. Hubo dos con los que si bien tuve extensas conversaciones, decidí no incluirlos porque hacen parte del grupo de actuales negociadores, uno del Gobierno y otro de las Farc, y consideré que por la exposición mediática del proceso, sus reflexiones ya son ampliamente conocidas. No obstante, con quienes han compartido sus anécdotas y pensamientos para este libro se arma el rompecabezas de los esfuerzos de paz. Cada una de estas personas tuvo la oportunidad de revisar los textos antes de ser enviados a impresión, para que agregara y corrigiera detalles con el fin de que sus ideas fueran fielmente retratadas. A todas ellas gracias por su tiempo, su paciencia y su tolerancia para soportar y responder las preguntas incómodas o muy personales.

Martha Nubia Bello, investigadora del Centro Nacional de Memoria Histórica, que produjo el informe *Basta ya*, dice un dato que debe servir para despertarnos del estado de amnesia en el que a veces caemos. "De los doscientos veinte mil muertos documentados por causa del conflicto hasta 2012, solo aproximadamente cuarenta mil eran combatientes de alguno de los bandos enfrentados. Los demás eran civiles en medio del fuego cruzado. Y si bien cerca del ochenta por ciento de las víctimas eran campesinos —en un país rural apenas en treinta por ciento— entre esos civiles había gente de todas las condiciones económicas, políticas, educativas, raciales y culturales". Es decir, que no hayamos sido víctimas no significa que no podamos serlo, solo que hemos tenido la buena suerte de que el azar no nos ha tocado la puerta. Martha Nubia dice que cuando era niña los jóvenes aprendían geografía con las noticias de la Vuelta a Colombia pero que ahora hemos aprendido geografía por las masacres, y llama también la atención sobre nuestra selectividad para rechazar unas muertes y ser indiferentes a otras. "Yo era estudiante en la Universidad Nacional cuando mataron a Galán, y ese muerto no nos dolió porque no era 'de los nuestros', sino que era un burgués de la clase política. No hicimos ni una marcha. Tenemos que llegar al punto de decir que no hay una muerte justificada que merezca nuestro silencio".

El exrector de la Universidad Jorge Tadeo Lozano, José Fernando Isaza, autor del estudio *Modelos dinámicos de guerra*, hecho hace casi una década, concluyó que el costo de dar de baja a un combatiente ilegal es entre ochenta a cien veces más alto que evitar que caiga en la ilegalidad, y que el gasto del Ejército es ineficiente —aclara, no corrupto— porque, por ejemplo, por cada guerrillero, en ese entonces, había unos dieciséis soldados, y hoy hay unos cuarenta y tres soldados. Además, calculó en un millón los jóvenes en vulnerabilidad de ser reclutados por grupos al margen de la ley, ubicados en poblaciones fácilmente identificables, en las que con una inversión social integral se acabaría el caldo de cultivo para engrosar las filas de las organizaciones violentas. Las conclusiones de ese estudio fueron utilizadas por la fundación Colombia Oportunidad para hacer varios proyectos con los que se les dio educación e ingresos a unos cinco mil jóvenes de poblaciones vulnerables al reclutamiento, de los cuales menos de diez finalmente fueron reclutados por grupos armados ilegales.

En plena preparación de una nueva reforma tributaria, el académico Luis Jorge Garay recuerda que en una investigación reciente llegó a la conclusión de que "el porcentaje de impuestos para los colombianos debe ir aumentando año a año entre dos y tres puntos porcentuales hasta llegar a un veinte por ciento, ya que aunque hoy la tasa nominal del impuesto a la renta superaría el veinticinco por ciento, por las exenciones, deducciones y tratos preferenciales, se paga efectivamente en promedio un equivalente al catorce por ciento del PIB, mientras que en otros países latinoamericanos, como Chile, se alcanza un nivel cercano al veintitrés por ciento del PIB. Y en países desarrollados se llega a superar el cuarenta y cinco por ciento del PIB. Además, en Colombia se pagan muy exiguos impuestos sobre la tierra y no se gravan los dividendos, por eso el Estado no cuenta con los recursos suficientes para dar los adecuados servicios y prestaciones públicas a la población desfavorecida. Al Estado le corresponde, además, asegurar la reparación de las víctimas del conflicto, por lo que cada vez es más impostergable aumentar la presión fiscal efectiva, progresiva, equitativa y eficiente. Esto presiona también la necesidad de desmantelar la impunidad social frente a la corrupción y la captura del Estado para favorecer intereses particulares, tanto legales como ilegales, en detrimento del interés colectivo".

Las conclusiones de estos tres investigadores deben llevarnos a pensar en que el trabajo que tenemos por hacer va mucho más allá de pagar impuestos. Tenemos el deber de la solidaridad, de nuevo, de dar*nos*. Algo que no puede estar condicionado a las legítimas preocupaciones y dudas que todos tenemos sobre la justicia. Paguen o no paguen cárcel los victimarios, hagan o no hagan política, debemos dar*nos* a la paz. Por cierto, recuerdo la frase que me dijo Christian Steiner, director del programa Estado de Derecho de la Fundación Konrad Adenauer para Colombia: "En Alemania no existirían alemanes en la calle si se hubiera hecho justicia penal con todos los victimarios del nazismo. Hacer justicia penal en todos los casos es prolongar el conflicto por otros cincuenta años. La posición de las víctimas debe ser tenida en cuenta pero no puede ser la única a ser tenida en cuenta". Y en complemento a su apreciación traigo a colación una del exrepresentante del Comité Internacional de la Cruz Roja, Jordi Reich, cuando ya estaba dejando el cargo: "Colombia es una sociedad en modo supervivencia y por eso es muy egoísta. Incluso lo son las víctimas que se insultan entre ellas por quién recibe más arroz, o a quién le toca el que está más feo. Las víctimas solo se representan a sí mismas".

De las preguntas que me hice mientras hacía este libro solo una queda dando vueltas en mi cabeza. Me la hice a raíz de una conversación con el fiscal, Eduardo Montealegre, quien dice que la justicia transicional que se apruebe en el actual proceso con las Farc debe incluir un mecanismo de cierre, "porque hay que restringirle derechos a las víctimas en aras de la paz". Esto significa que nunca más en la historia las víctimas cuyos casos no fueron seleccionados ni priorizados para que los responsables de ellos pagaran por sus delitos, podrían optar por recibir lo que ellas consideren justicia. Pienso que es inconveniente buscar la justicia al ciento por ciento mientras el conflicto esté en marcha o mientras la paz siga siendo vulnerable, y que ese debe ser el sacrificio de las víctimas; pero creo que en veinte, treinta o cincuenta años, si hemos llegado a una paz estable, la verdad y la justicia son el mínimo premio que se debe dar a esas víctimas que a tanto han tenido que renunciar en favor del bien común, aunque sus victimarios ya no estén vivos para ir a la cárcel o para recibir la sanción social por el delito que cometieron.

Entre tanto, el resto de los miembros de la sociedad debemos crear y/o integrarnos a las iniciativas para construir convivencia, reconciliación y equidad. Hay muchas a las que los interesados se pueden sumar, un buen banco de organizaciones y proyectos públicos y privados orientados a la convivencia se encuentra en <www.mapasocial.dps.gov.co>. También se pueden encontrar alternativas desde la academia en la página de la Asociación Colombiana de Universidades (Ascun) <http://www.ascun.org.co/noticias/detalle/universidades-promueven-acciones-por-la-paz-y-el-posconflicto-c0d>, o crear las propias como las que se encuentran en <www.dunna.org> y en <www.reconciliacioncolombia.com>. Son muchas y, no obstante, son insuficientes, sobre todo si pensamos en la real capacidad que tienen las personas y las instituciones. Me sorprendí, por ejemplo, de que a la pregunta ¿qué más puede hacer su universidad para aportar a la paz?, Cecilia María Vélez, rectora de la Universidad Jorge Tadeo Lozano y exministra de Educación, respondiera que puede recibir mil alumnos más becados. Esta cifra representa el 8,3 % de su matrícula total, en la que tiene seiscientos estudiantes becados por el programa gratuito del Gobierno. Son muchos los que pueden ayudar y también muchos los que quieren hacerlo, aunque aún no han tenido el tiempo para vincularse a un proyecto en el que potencien su talento, o no se han dado cuenta del valor de lo que tienen para aportar. Con esa percepción me quedé en todos los sitios que visité para este libro, menos en el departamento del Chocó, donde la estadística salta a la vista sin conocerla. De cuatrocientos noventa mil habitantes que tiene el departamento, trescientos noventa y siete mil están registrados como víctimas, es decir, el 81 % de los chocoanos son víctimas. Y de los setenta y seis mil habitantes que tiene Quibdó, la capital, treinta y cuatro mil son desplazados. La labor estatal y solidaria se queda corta ante tal nivel de necesidad. Hablé con varias víctimas de la masacre de Bojayá, que con un espíritu invencible trabajan en sobrevivir, trece años después de ese horror, y aún son más visibles las heridas que las cicatrices. Además de haber enfrentado la muerte, el desplazamiento, la pobre atención estatal y lo que ellas consideran utilización por parte de las organizaciones internacionales, han tenido que lidiar con la discriminación de sus propios coterráneos en el casco urbano de Quibdó, donde a las mujeres las acusan de haber llevado la prostitución, y las bandas criminales siguen reclutando jóvenes y desapareciendo gente. Chocó necesita un plan de contingencia mayor y urgente, las condiciones mínimas para la reconciliación no están dadas.

Este libro está pensado para que sea útil para la vida de quien lo lea, y de esa manera, en que sea útil para Colombia. También está escrito para que lo lean incluso quienes no son buenos lectores. Cada historia es corta, con los detalles esenciales para que el lector se ponga en los zapatos de cada protagonista y se quede pensando qué hubiera hecho de haber estado en ellos. Los invito a leer una por día, a discutirla con los miembros de su familia y de su trabajo, a tomar el riesgo de pensar en soluciones, y a sacar el tiempo para escribir sus ideas en el buzón de la página <claudiapalacios.net>.

Para cerrar esta introducción me robo una frase de una de las voces del libro, la del chef del restaurante El Cielo, Juan Manuel Barrientos. Él dice: "Como soy cocinero, estoy cocinando la paz de Colombia". Yo digo: como soy comunicadora, estoy comunicando la paz de Colombia; ¿usted qué es y qué va a hacer?

CAPÍTULO 1

Enemigos en el conflicto, amigos en el posconflicto

PERDÓNEME, LO SECUESTRÉ, PERO NO ME ECHE QUE NECESITO EL TRABAJO

Lucho llevaba un año trabajando en el restaurante de César cuando se atrevió a contarle la verdad: "Don César, yo estaba en el Frente Tercero cuando usted estuvo secuestrado por ese frente. Yo sé todos los horrores que vivió, sé que desde San Vicente del Caguán dieron la orden de matarlo. Yo ya me desmovilicé, por favor perdóneme, por favor no me eche que necesito el trabajo".

"Para mí fue como un baldado de agua fría", dice César. "Durante mucho tiempo después del secuestro, yo quería matar a los guerrilleros. Lucho me venía pidiendo permisos para faltar todos los sábados, que para ir a estudiar. Cuando me vio como desconfiando fue que me contó la verdad, los sábados eran sus clases en la Agencia Colombiana para la Reintegración. Yo tenía mucho dolor en el alma, no le quería dar la oportunidad, le dije que lo iba a pensar. Es que yo trabajo desde que tenía catorce años, soy del Valle del Cauca y de allá me vine al Caquetá a estudiar Contaduría Pública en la Universidad de la Amazonía, empecé a hacer empresa, llegué a tener doscientos setenta y cinco empleados, y diez negocios. Pagaba vacuna a las Farc desde el año 78. Uno como empresario aprende a vivir con eso. Pero en el 98 me pidieron quince millones, yo no los tenía, les di cinco. Por esos días también me pidieron que les transportara unos heridos pero yo les dije que no hacía parte de su grupo, que yo trabajaba en mis negocios para darles de comer a ellos. Parece que eso los enojó porque a los días llegaron a mi casa tres hombres armados que nos sacaron a mi esposa y a mí, y nos montaron a una camioneta sin darnos tiempo de nada. Ahí empezó la gran caminata. A mí me llevaron hasta el Tolima, caminando de seis de la tarde a seis de la mañana. Nos tuvieron solo tres días juntos, al cuarto despacharon a Claudia, mi esposa, para que consiguiera mil millones de pesos, no les importó que les dijéramos que no teníamos esa plata. Cada que Claudia iba a Los Pozos, Caquetá —la capital de la zona de despeje que Pastrana les dio a las Farc—, para negociar mi liberación con Samuel —el comandante del frente que me tenía secuestrado—, él le daba vueltas a una pistola, le decía que si no pagaba me iba a mandar descuartizado y empacado en bolsas de polietileno".

Claudia, la esposa de César, aparece con sus hijos en medio de la conversación y tímidamente va agregando detalles. "Al principio yo lloraba cuando alias 'Samuel' me decía eso, pero un día me harté y le dije que era un bruto que se creía muy macho porque tenía una pistola. Ese día dejó de maltratarme emocionalmente. A pesar de lo que estábamos viviendo pasaban cosas que hoy nos hacen reír. Una vez que yo iba a entregar parte de la plata le pedí a alias 'Samuel' una prueba de supervivencia. Nos comunicaron por radio, con las frecuencias que usa la guerrilla, que oían todos los frentes de acá del Caquetá. César me decía que me amaba, que cuando saliera de allá me iba a meter una culiada la hijueputa. A mí me dio pena, pensaba que cómo podía decir eso en medio de esta tragedia. También me dijo que quería que tuviéramos otro hijo, una niña. En fin, cosas así. El hecho fue que yo no pude conseguir toda la plata, ya había vendido lo que podía, había pedido préstamos pero no completé lo que la guerrilla me pedía. Varias veces les dije que me dejaran a mí secuestrada y que soltaran a César porque a él de pronto le quedaba más fácil conseguir la plata que faltaba. El día que les llevé lo que reuní fui con mi papá. Él se quedó en el carro esperando y a mí me montaron en una mula. Cuando me recibieron el dinero me dijeron que yo me quedaba ahí secuestrada y que mi esposo había sido sacado de ese mismo lugar pero por un camino distinto al que yo entré. Me dio una crisis horrible".

"Caminé ocho horas para salir al sitio donde estaría esperándome Claudia", dice César. "De pronto, alias 'Samuel' me hizo arrodillar y me estuvo apuntando cuarenta cinco minutos en la cabeza con una pistola, de repente me dijo que me parara. Cuando llegué y vi solo a mi suegro y la guerrilla me dijo que se habían llevado a Claudia les pedí una pistola para pegarme un tiro. Samuel me dijo: 'Tranquilo compañero, que usted consigue la platica que falta'".

César estuvo nueve meses secuestrado y Claudia uno. Perdieron casi todo. A los hijos de una unión anterior de César, que estudiaban en los mejores colegios en Bogotá y Cali, les dijeron que si querían seguir estudiando se fueran a Florencia, que allá al menos podían irse a la universidad a pie y podrían comer en el restaurante de la familia. "Lo más berraco es que a los dos meses de haber sacado a mi esposa del secuestro me llegó la DIAN a embargarme propiedades dizque porque debía el IVA, el Bienestar Familiar que porque no había pagado parafiscales, etc. Me preguntaba si no estaba siendo igual o más victimario conmigo el Estado de lo que lo fue la guerrilla. Pero hasta eso perdoné".

Lucho decidió dejar la guerrilla diecisiete años después de entrar a las Farc, un día que no toleró más oír a su hijo de cuatro años decir que cuando fuera grande quería ser guerrillero. No quería que repitiera su historia. "Entré a las Farc cuanto tenía catorce años, pero desde que era pequeño la guerrilla llegaba a mi casa y me ponía a hacer mandados. A veces nos regalaban comida. Una vez me llevaron con ellos como siete meses y me trataron muy bien. Yo no había visto más del mundo, mi mamá salía a Florencia una vez al año. Siempre pensé que ser guerrillero era mi mejor opción... Yo me considero una víctima de la guerrilla. No tuve la oportunidad de conocer un carro, de montarme en una cicla, mi primer juguete fue una nueve milímetros. Aún así, cuando me desmovilicé venía dispuesto a pagar cárcel porque aunque yo hice más que todo labores de logística, también me tocó coger a varias de las personas con las que yo crecí, y claro, eso es duro, pero yo tenía que cumplir órdenes. Cuando me dijeron que no tenía que pagar cárcel me sentí muy feliz y me dije que tenía que aprovechar esta oportunidad".

Para poder volver a levantar el único negocio que le quedaba, el restaurante, César aprendió a cantar, así esperaba atraer más público. Él mismo atendía y hacía los oficios. Solo uno de sus amigos comerciantes lo apoyó, le puso a disposición su negocio para que se abasteciera hasta que pudiera estabilizarse, y no le cobró una deuda, los demás desaparecieron. Un día le llegó una carta del Departamento de Quejas y Reclamos de la Columna Teófilo Forero: "¡Qué tal!, era porque no le había pagado las prestaciones a una muchacha que fue mesera del restaurante y resultó que esa muchacha era guerrillera. Cuando ella dijo que se iba le hice la cuenta de lo que debía pagarle, trescientos cuarenta y cinco mil pesos, le dije que no tenía plata pero que se llevara un enfriador que yo tenía ahí en el negocio y no se lo quiso llevar. Cuando fui a Los Pozos, en San Vicente del Caguán, por la citación que llegó, eso funcionaba tal cual como una oficina de quejas y reclamos, por turnos. Me dijeron que consiguiera cinco millones de pesos y que se iban a quedar con mi carro como prenda de garantía, o que si no me secuestraban. Me devolví en un bus, sin un peso, pero al menos libre. El carro se perdió, obviamente. Otro día llegaron unos paracos a pedir el carro prestado, que me lo devolvían a las ocho de la noche del día siguiente. Cuando fui por él lo estaban lavando, estaba lleno de sangre".

Así era la cotidianidad de César y su familia, dicen que la Cruz Roja les ofreció sacarlos del país pero ellos prefirieron seguir luchando en Colombia. "Para César fue un poco más fácil que para mí, yo tenía mucho miedo, sentía que todo el mundo quería hacernos daño, sobre todo después que me di cuenta que un compañero de la universidad me hacía inteligencia", dice Claudia. "Después del secuestro nos metimos como en una cápsula, no hablábamos con nadie, no salíamos sino estrictamente a lo necesario". Pero César, siempre tratando de encontrar el lado positivo de las cosas, recuerda una anécdota: "Un día llegó un señor al negocio, me preguntó si no me acordaba de él. A mí se me bajó todo. Me dijo que estuviera tranquilo, que solo había ido a decirme que me admiraba mucho porque yo tenía las güevas muy bien puestas, y a pedirme perdón. Me dijo que si no me hacía cavar mi tumba lo hacían matar a él. Terminamos abrazados, llorando. Yo le dije que lo perdonaba, pero ese día fue muy berraco. Me cuestioné si había hecho lo correcto, si debía mandarlo a matar, pero al final pensé que era mejor tener la conciencia tranquila. Él fue el guerrillero que me dijo que hiciera más grande el hueco que me mandaron a cavar un día, estando secuestrado, cuando me pasaron una pica y una pala. Me ordenaron abrir un hueco de mi estatura, yo me preguntaba por qué. Llevaba un rato en esas cuando él me dice que lo mejor es que me meta al hueco y me mida para que no fuera a quedar torcido porque en ese hueco me iban a enterrar a mí. Me puse a llorar y a orar en voz alta, y alcanzaba a oír que lloraban también varios de los que me estaban cuidando, incluido él. Otro día uno de los secuestradores, cuando lo iban a trasladar de campamento, me abrazó a escondidas. Él era el que le decía al comandante que me dejara ir a bañar al río para que yo cantara porque yo tenía bonita voz. Así al menos pude bañarme una vez a la semana. Cosas como esas me hacían ver que había muestras de humanidad en ellos".

Por eso cuando Lucho le confiesa a César su secreto, él no solo recuerda el dolor que vivió a causa de guerrilleros como Lucho. Piensa además que él, como muchos comerciantes, tiene su cuota de culpabilidad por no haber dado suficientes oportunidades a la gente. Desde su punto de vista, el Gobierno cobra demasiados impuestos que limitan al comerciante para hacer obras sociales. César pensó qué hacer con Lucho, lo consultó con su familia y decidió seguir trabajando con él. "Nos volvemos amigos, me vuelvo el abuelo de su hijo. Un día como a los siete años de estar trabajando juntos, me dice: 'Don César, usted ya me ha dado mucho, ahora yo tengo que arrancar solo'. Eso me hace vivir muy admirado de él. Le dieron ocho millones de pesos de Capital Semilla y ahí va, saliendo adelante con un negocio de venta de huevos de codorniz. Yo quisiera ayudarle más y ayudar a otros desmovilizados pero no puedo porque los bancos no me prestan plata para poner a producir una finca de doscientas treinta hectáreas que tengo, en la que podría desarrollar cantidad de proyectos para apoyar a esta gente. Lo otro es que acá las cosas cuestan mucho si las hace el Gobierno. Le pongo un ejemplo: en la vía Florencia a Santo Domingo había ciento cincuenta derrumbes, ningún alcalde, ni gobernador, ni la misma guerrilla solucionaba eso, y cada rato se tapaba esa vía, con el perjuicio que eso tiene para la gente. Nos unimos cien campesinos y cincuenta desmovilizados, gestionamos algunos recursos que no pasaron de los trescientos millones de pesos, y en una semana hicimos veinticuatro puentes colgantes, treinta y seis alcantarillas, cinco canaletas. Un trabajo por el que la guerrilla había calculado tres mil ochocientos millones de pesos, ponían cada alcantarilla a treinta y cinco millones y a nosotros no nos salió a más de millón ciento cincuenta mil pesos cada una. El día que terminamos los campesinos lloraban, soltamos la paloma de la paz".

Le pregunto a Lucho si su hijo todavía quiere seguir siendo guerrillero, sonríe y dice con énfasis: "Nooo, quiere ser ingeniero de sistemas y ya va en séptimo en el colegio". Lucho reconoce que hay desmovilizados que no aprovechan tan bien el programa de reintegración como él y dice que les recalca que deben tomar las riendas de su vida y no dejarse llevar por el abismo que otros les muestren. "Hay unos que vuelven a extorsionar, o que se meten en vicio, o se ponen a mendigar. Pero es que necesitan más apoyo, uno no puede dejar de ir a trabajar por estar yendo a los programas de la Agencia de Reconciliación a jugar a la gallina ciega y a pintar palitos. Esa es la terapia que hacían los psicólogos cuando yo iba". Como varios exguerrilleros con los que he hablado, Lucho es uribista: "El Frente Tercero tenía cuatrocientos ochenta hombres, ahora quedarán veinticinco. Si a Uribe lo dejan cuatro años más se acaba la guerrilla. Si les dieran aún más oportunidades a los desmovilizados no se necesitaría todo ese whisky que se están tomando en La Habana".

A los seis meses de haber salido del secuestro, Claudia quedó embarazada, y como César quería, nació una niña. La hija menor de César y Claudia no ha vivido las historias de dolor que sus otros hermanos vivieron en carne propia pero las ha oído cientos de veces narradas por los miembros de su familia. Tampoco ha tenido las comodidades económicas que tuvieron sus hermanos antes de que sus padres fueran secuestrados, de hecho cuando Claudia tenía veinte días de embarazo se inundó la casa y tuvieron que irse a vivir en un barrio de menor estrato. Por esa inundación perdieron todos los muebles. Pero ella compara su familia con la de sus compañeros de estudio y dice que la suya es una familia que no tiene plata pero que vive feliz. César no puede contener las lágrimas al oír a su hija hablar de esa manera. Otra de las niñas critica el proceso de paz, dice que la verdadera paz se hace con el ejemplo, en cada casa, como lo han hecho sus padres con ella y sus hermanos. "Mis papás han hecho una labor muy bonita con nosotros, que es parar la cadena de venganza. Obviamente da coraje todo lo que nos ha pasado. Cuando me enteré de lo de Lucho me dio rabia, pero lo acepté y me hice amiga del hijo de él. Además, una de sus hermanas trabaja acá en el restaurante y la quiero mucho". César se quita las gafas para secarse las lágrimas que le salen, sin duda, por la emoción de ver que su ejercicio de perdón ha rendido frutos en su familia. Sorbe un poco de agua y toma aire para complementar lo que han dicho sus hijas: "Nosotros creemos que el reintegrado de verdad quiere un cambio en su vida y por eso permitimos que ellas compartan con la familia de Lucho".

La Unidad de Víctimas reconoció a César y a Claudia como víctimas pero no a sus hijos. "Como si no se hubieran visto perjudicados para acceder a una buena educación por cuenta de lo que tuvimos que pagar por el secuestro", dice César. Y Claudia agrega: "Y eso que nosotros mismos tuvimos que buscar y organizar el expediente de la demanda por secuestro, dizque porque debíamos reunir pruebas de que sí estuvimos secuestrados. Al final nos dijeron que nos iban a dar veinte millones en un plazo de diez años. ¿Puede creer eso?".

Pero así como ha habido cosas duras la vida también lo ha premiado. Dice César: "Yo no tenía cómo pagar la universidad de mis hijos mayores y ellos lograron cupos en la Universidad del Valle, a pesar de lo peleados que son esos cupos. Son muy buenos muchachos. ¿Ve que tengo razones para darle gracias a Dios? Yo he aprendido que las pruebas no son castigos, sino oportunidades para fortalecerse espiritualmente. Por eso oro, generalmente cuando estoy en la ducha, pido por todo el mundo, tanto que mi hija menor me dice que no gaste tanta agua... pido hasta por alias 'Samuel'".

Yo no le hice nada pero quizá la sociedad sí: Maurice Armitage, exsecuestrado

"Berracos, si me van a matar péguenme el tiro en el corazón, no en la cabeza para que mi entierro no sea tan horrible, al menos que no quede tan feo porque yo tengo dos hijas y pobrecitas ellas tener que verme así". Así les habló Maurice Armitage a sus secuestradores al quinto día de secuestro, cuando ya era tan fuerte la presión del ejército y de la policía para lograr su liberación que los captores habían reconocido que fracasaron, a tal punto que aceptaron dejarlo tirado en el monte para que se pudiera escapar luego de que Maurice les ofreció cien millones de pesos a cada uno, los cuales les entregaría cuando ya estuviera en libertad. "Le dije a uno: usted con eso compra un taxi y el otro monta una tienda. Ellos decían al principio que no porque 'el Viejo' los mataba". El Viejo era el jefe de la banda que financió el secuestro de Maurice y que iba a entregarlo a la guerrilla. No era el primer secuestro para este empresario dueño de la siderúrgica Sidoc y de un ingenio azucarero, pues ya lo habían tenido cautivo un mes y medio a él y a cinco amigos suyos cuando el Frente 57 de las Farc los interceptó durante un viaje de vacaciones al Chocó. En esa oportunidad todos pagaron para recuperar la libertad. Este nuevo secuestro fue posible porque uno de sus empleados de confianza lo traicionó. "Yo le tenía cariño a él, mi nieto jugaba con su hijo, llevaba cinco años trabajando de mayordomo en la finca en Jamundí, le dejaba que pusiera a pastar sus vacas en mi propiedad, un día que se rompió un hueso y su EPS no lo atendió bien pagué de mi bolsillo nueve millones de pesos para que le hicieran una cirugía buena, en fin. Un día fui a revisar unos trabajos que estábamos haciendo en la finca y él me preguntó si no me iba a tomar un tinto, cuando me desvié para ir a donde me iba a tomar el tinto me salieron tres tipos con ametralladoras y pistolas, me taparon la boca con una toalla y me llevaron montaña arriba".

"Dos cuñados sabían que don Moris iba todos los domingos a la finca y me dijeron que lo iban a secuestrar pero que si yo 'sapeaba' me mataban a mí y a mi familia. Yo sabía que uno de ellos ya tenía un muerto encima y por eso sabía que era capaz de cumplir lo que decía. Uno de ellos había trabajado un tiempo con don Moris y se había dado cuenta de lo buen patrón que es él, por eso tenía envidia. El día del secuestro uno de ellos, John Jairo, se estuvo conmigo todo el tiempo para vigilar que yo no le hiciera ni señas a don Moris". Así relata Berto*, el mayordomo de Maurice Armitage, el contexto en el que se vuelve cómplice del secuestro de su patrón. También se dejó tentar por la ambición porque le ofrecieron darle parte del dinero que recibieran por liberar a Maurice, aunque dice que luego se enteró

* Nombres cambiados por petición de los protagonistas de la historia. En adelante, este llamado tendrá el mismo significado (nota del editor).

de que sus cuñados tenían el plan de matarlo para no darle la parte que le correspondía. Berto estuvo preso un año, durante ese tiempo su familia recibía una mensualidad de parte de Maurice Armitage, quien no tuvo corazón para dejar desprotegidos a la esposa y a los hijos de Berto. También le pagó el abogado que agilizó su salida de la cárcel.

"Yo creo que todo el que comete un error está presionado por algo, y nunca he tenido deseo de venganza, aunque por los cuñados de Berto no tengo el mismo sentimiento. A esos nunca los cogieron, tampoco a los que me tuvieron, y eso que me estuvieron llamando durante un año después del secuestro dizque para que les diera los cien millones. Me los quité de encima diciéndoles que los iban a ubicar porque mi teléfono estaba intervenido. Pero para mí perdonar no es difícil. Mi papá era un inglés que sufrió la Primera Guerra Mundial, somos cinco hermanos que crecimos en un hogar de clase media, todo lo compartíamos, al que se levantaba tarde le tocaban los calzoncillos rotos. Desde muy joven he tenido como premisa que la vida devuelve multiplicado por diez lo que uno haga. Acá vivimos con la teoría de que el rico es hábil en la medida en que le pague poquito a los de abajo, a mí algunos ricos de Cali me han llamado comunista, pero si los que tenemos la oportunidad de manejar la riqueza no cambiamos, el sistema capitalista va a colapsar porque los que concentramos la riqueza estamos acabando con el poder adquisitivo del salario de los consumidores en los que se basa el sistema capitalista. Creo, por ejemplo, que las empresas deben compartir utilidades con la gente que les ayuda a producirlas. No porque uno sea dueño de la empresa es dueño de todas las utilidades logradas con el trabajo de la gente que se quemó las manos con vos para ganarlas. En Sidoc desde hace diez años repartimos el quince por ciento de las utilidades cada tres meses entre los setecientos empleados, hemos llegado a repartir hasta un millón setecientos mil pesos a cada uno, por igual a la señora de la cafetería que a los vicepresidentes. Y los empleados ven los balances y saben que cuando el precio del dólar no nos favorece pues no hay repartición de utilidades. Pero es que a los ricos de Colombia les da pena ser ricos. ¿Qué me pasa a mí o a mi familia si por repartir utilidades, en vez de veintisiete mil millones nos ganamos veinticinco mil? ¡Nada! A mis empleados les enseño a que ahorren, por cada cincuenta mil que ahorren la empresa pone otros cincuenta mil, les digo que no fíen porque se condenan a ser pobres, que es preferible que no coman carne una semana en vez de que se endeuden para comprarla. Y que no se casen ni tengan hijos hasta que puedan mantenerlos, ni hagan fiestas de quince ni de primeras comuniones ni nada de esas bobadas que solo los hacen gastar plata que no tienen".

Le pregunto a Maurice qué le dice su familia de esta manera de ver la vida y responde que cuando sus hijas se enteraron de que él estaba ayudando a su secuestrador dijeron "ahí está pintado mi papá", y que incluso a los empleados que saben lo que pasó les parece el colmo que cuando Berto lo llama porque tiene una necesidad él le mande plata.

"Yo siento una pena inmensa con don Moris por haber hecho eso, y lo lamento mucho. Cada quince o veinte días lo llamo y le pido trabajo pero él me dice que no me puede contratar porque su familia está muy dolida conmigo, pero sin embargo me ayuda; y la verdad es que con el solo hecho de que me haya perdonado yo me siento ya muy agradecido. Al patrón con el que estoy ahora no le he dicho nada de esto porque me echa, ¡quién va a querer trabajar con un secuestrador!". Berto tiene manos gruesas, con callos, su piel tiene arrugas profundas y está quemada por el sol recibido por tantos años de trabajo al aire libre, es como miles de campesinos colombianos. Maurice dice que a Berto no le hizo nada malo, pero que quizá la sociedad sí, por la inequidad en la que vive. "Los empresarios le pagamos muy bien al que es presidente pero muy mal a los obreros. Yo no veo mi secuestro como algo personal de él contra mí sino en medio de un contexto, y estoy convencido de que la paz se logra con la distribución de la riqueza. Es claro que la guerrilla está desprestigiada por su proceder militar, pero no por su principio ideológico. El que diga que eso no es cierto es porque no conoce. Por eso creo que lo importante del proceso de paz es quitarle el certificado de tradición a las Farc. Y no nos aterremos por contratar desmovilizados como empleados, ni porque al congreso vayan a ir veinte guerrilleros, ¿acaso no fueron congresistas cuarenta paramilitares?".

SOY UN REVOLUCIONARIO DE DERECHA: EXSECUESTRADO

"Me fui al Frente 49 de las Farc enamorada. Tenía quince años, estaba haciendo noveno, mi novio ya llevaba tiempo en la guerrilla, me decía que había que luchar por el pueblo, pero yo no me fui por eso, me fui por amor. Creo que usó eso para reclutarme porque cuando entré al grupo me maltrató mucho". Alejandra* duró tres años en las Farc, primero dejó el colegio en Fraguita, pueblo del Caquetá, y se fue a vivir con su novio a Sabaleta, en el mismo departamento, donde ambos hacían labores de milicianos, pero cuando los paramilitares entraron a ese pueblo tuvieron que irse a los campamentos del frente, que se replegó hacia el Putumayo. "Éramos ocho hermanos, yo soy la menor. Habíamos llegado a Florencia desde San Antonio de Getuchá porque mi papá le pegó una puñalada en la cabeza a mi mamá. Desde que yo tengo uso de razón recuerdo que la maltrataba. Además, a uno de mis hermanos lo quiso reclutar la guerrilla, y a él no le gustaban esos enredos. Como a mi mamá le quedaba difícil mantenernos, me fui a Fraguita a ayudarle a un hermano en el restaurante que él tenía, y así le aliviaba la carga a mi mamá. No sabía lo que me esperaba allá. Ese es un pueblo gobernado por la guerrilla. Nadie se imagina la capacidad de convencimiento que ellos tienen para reclutarlo a uno. *Uno realmente cree que irse a la guerrilla es la solución a los problemas.* Cuando me fui no pensé tanto en lo que podría pasar por el hecho de que un hermano mío se había ido de paramilitar, yo hasta creía que podía estar muerto porque llevábamos un año y medio sin saber de él. Pero estando en la guerrilla me daba miedo que un día lo llevaran a él y lo mataran en frente mío. Yo vi cómo le sacaban la información a los paras en la guerrilla, luego les hacían abrir un hueco, les pegaban un tiro y en ese hueco los enterraban. Es algo que se vuelve muy común, pasa y todo sigue normal, como si nada, pero me aterraba que un día fuera a pasar con mi hermano".

Nada más entrar al campamento en el monte y Alejandra se dio cuenta de que esa no era la vida que quería, no podía salir o entrar a la hora que quisiera, y su novio le empezó a pegar. Allá también estaban los papás y el hermano de su novio. "A mi suegro ni le dijimos que nos íbamos a ir porque él era tan revolucionario que hubiera sido capaz de hacernos matar si se daba cuenta que íbamos a desertar. Él había nacido guerrillero, su papá fue de los primeros guerrilleros que hubo, él no conocía otra vida". La decisión de abandonar el grupo llegó cuando supo que estaba esperando un bebé. Ocultó el embarazo por siete meses hasta que un día se cayó, sintió un dolor bajito y le dijo al comandante de su campamento lo que le pasaba. "'¿Cómo, pestañona, que se dejó embarazar? Tranquila, que en estos días viene el médico del Ecuador y le arregla ese problema'. Yo sabía que lo que me estaba diciendo es que el médico me haría abortar, le dije al papá de mi bebé que me iba a ir del grupo, con él o sin él. El habló con su mamá y con su hermano y planeamos la estrategia para irnos un día que estábamos en un desplazamiento hacia el Putumayo. Nos habían dejado a unos pocos cuidando una finca coquera muy grande, que era del Frente 49, y ahí vimos la oportunidad. El papá de mi hija se quitó la barba, cambiamos nuestra forma de vestir, dejamos las armas, los códigos, las granadas, y los radios, toda la dotación para que la guerrilla no fuera a tomar represalias contra nosotros. Logramos llegar a Neiva donde una tía de él que nos atendió muy mal. Entonces solo nos quedaba mi mamá, que vivía en Florencia, ella se resignó a recibirnos a todos. No queríamos acogernos al programa de reintegración porque en la guerrilla le dicen a uno que en ese programa el Ejército tiene a los desertores tres meses, les saca información y luego los desaparecen. Nos pusimos a criar pollo, y un día que salí a venderlo me vio un desmovilizado que trabajaba con la Fiscalía. Nos empezaron a hacer seguimiento hasta que nos llamaron del Ministerio de Defensa a invitarnos al programa de desmovilización. No queríamos ir pero nos dijeron que si en cuarenta y ocho horas no nos presentábamos en Bogotá, nos ponían una orden de captura".

Alejandra y su familia pidieron plata prestada y se fueron a Bogotá. "Nos reseñaron todo, las huellas, los dientes. Nos metieron a un Hogar de Paz y allá nos enseñaron hasta lo que era un semáforo, cuáles son las calles, cuáles son las carreras, muchas cosas". Estuvieron entre Bogotá, Ibagué y Neiva hasta que decidieron que en esta última ciudad estarían mejor con el auxilio que les daban en la Agencia para la Reintegración, que en esa época era de más de setecientos mil pesos mensuales por desmovilizado, ahora es la mitad. Ahí empezó a estudiar, y recibió la buena noticia de que su hermano, el que estaba en los paramilitares, también se había desmovilizado. "Fue una alegría grande saber que no estaba muerto, pero al mismo tiempo un miedo porque él le decía a mi mamá que cuando me viera me iba a dar una paliza por haberlo traicionado yéndome a la guerrilla. Él lo veía como una traición porque él desde donde estaba nos ayudaba económicamente de vez en cuando. También decía que a mi hija me le iba a cortar la cabeza porque era hija de un guerrillero. Y yo le creía eso porque supe que a ellos los entrenan muy horrible. Él era vigilante en una discoteca y sabía que tenía que dejar entrar siempre con sus armas y sus mujeres a los paras. Por hacer eso le daban buenas propinas, como doscientos mil pesos. Entonces él vio esa vida como algo que le daba una muy buena situación económica. Cuando los paramilitares llegaron al Caquetá, como en el 2000, nadie sabía lo que iban a hacer, pero como ofrecían trabajo, y, como mi hermano sabía de milicia porque había prestado el servicio militar, aceptó trabajar con ellos. Me contó que la primera noche lo pusieron a armar un cambuche para dormir, y que cuando se despertó, como a las cinco de la mañana, tenía al lado un cadáver todo ensangrentado. Le dijeron que tenía que despresarlo y enterrarlo. Luego la otra prueba fue ver una pelea de dos detenidos, uno armado con un palo y otro con una peinilla (machete). El del machete mató al del palo y al de la peinilla lo mataron otros. La prueba era también despresarlos, sacarles las tripas, el corazón, tomárseles la sangre. Así es que los enseñaban a hacer eso sin que se les diera nada".

El encuentro entre Alejandra y su hermano se dio un día que ella fue a visitar a su mamá, y su hermano estaba también ahí. No la saludó, ni accedió a los ruegos de la mamá para que aceptara hablar con su hermana. Luego llegó una Navidad y de nuevo la mamá preparó todo para acercar a los hermanos. "Esa vez sí me saludó, aunque no muy bien. Pero al menos ya se había sensibilizado porque había tenido una hija. Le compré una piyama a mi sobrina y se la entregué a mi hermano para que se la diera, en ese momento le pedí que habláramos. Me preguntó si es que yo me había ido a la guerrilla porque lo quería matar a él, que era paramilitar. Le dije que esas son cosas de la vida, que no pensé en las consecuencias, que solo estaba enamorada y que dejáramos la bobada que ni él estaba ya en su grupo ni yo en el mío; y que nuestras hijas no podían criarse con rencores de cosas que ni entendían. La mujer de él ayudó mucho, y poco a poco se fueron arreglando las cosas, incluso entre él y el papá de mi hija".

Alejandra se tomó en serio el proceso de reintegración, hizo un curso Técnico en Sistemas, otro en Control y Registro Médico y otro en Administración de Empresas de la Salud, aunque dice que lo que de verdad quería era estudiar Psicología pero le daba miedo aplicar a la universidad porque iba a encontrarse con una gente "toda juvenil". Por fin se decidió y ahora le falta un semestre para graduarse. Alterna sus estudios con el trabajo de Promotora en la Agencia Colombiana para la Reintegración, que ha "reclutado" a sus mejores reintegrados para que abran las puertas de educación y empleo a nuevos desmovilizados. "Yo apliqué para el trabajo de promotora de reintegración y cuando me lo dieron fue muy raro porque yo nunca había tenido un trabajo. Lo que hacía era vender productos por catálogo, pero no sabía que en un trabajo con contrato descuentan que dizque para la seguridad social. Eso es muy caro, pero bueno, así es".

Para poder estudiar y trabajar le ha tocado dejar a su hija al cuidado del papá, de quien se separó porque, según sus palabras, no pudo superar la agresividad que desarrolló en la guerrilla. "Ahora mi hermano, que sigue en el proceso de reintegración, aunque no quiso estudiar, llega a la agencia y es chistoso porque me dice: 'A ver, señora promotora, atiéndame'. A él lo han convidado para nuevos grupos, esos de bacrim que se han formado en el Caquetá, pero ha dicho que no. Él no cae porque adora a sus hijas, y tiene su trabajo en construcción. Aunque por el millón ochocientos mil pesos que están ofreciendo estoy segura de que muchos que están sin trabajar ni estudiar sí aceptan. Los nuevos desmovilizados que llegan a la agencia me dicen 'doctora', eso es chistoso. Yo les digo que no me digan así, que yo también fui del programa de reintegración".

La prueba de fuego llegó para Alejandra cuando tocó las puertas de una compañía de productos de belleza. El gerente de la empresa le dijo que quisiera ayudarle pero le contó que él había estado secuestrado por la guerrilla. "Me llené de fuerzas, Dios me las dio. Le dije: 'Es que yo no solo soy promotora para los reintegrados, sino que yo misma soy desmovilizada'. Me dijo que no lo podía creer".

"Fui secuestrado por el sexto frente de las Farc, por alias 'Caliche', en una pesca milagrosa que hizo en 2005, un día que yo viajaba de

Cali a Timbío, en el Cauca. Me tuvieron cuatro meses, me pedían mil millones de pesos y yo les decía que solo tenía deudas. Me mantenían encadenado pero poco a poco fueron confiando en mí. Un día uno de los guerrilleros me llevó a que lo acompañara a coger leña y arranqué a correr, llegué a una carretera cerca a un caserío que se llama La Paloma, me monté en un *jeep* público. No me atreví a decirle al conductor que yo era secuestrado porque como alguna gente de la población apoya a la guerrilla, me dio miedo que me entregara. Yo iba vestido de camuflado, como un guerrillero, creo que fue por eso que cuando íbamos llegando a El Tambo me advirtió que allá había ejército. Le dije que yo me le había volado a la guerrilla y ahí mismo frenó, pensé que era guerrillero pero me dijo que tranquilo, y cuando llegamos a donde había policía me les tiré y les dije que era un secuestrado fugado. Casi no me creen. Esa misma noche le hicieron un atentado a mi esposa cuando estaba cerrando el negocio que teníamos en el Cortijo, abajo de Siloé, en Cali. Tuvimos que dejar todo lo que habíamos construido en Cali y nos fuimos a probar suerte en Bucaramanga". En todo eso pensó Gerson Barón*, hoy en día gerente para el Caquetá de una firma de productos de belleza, cuando Alejandra llegó a su oficina a pedirle trabajo para desmovilizados de la guerrilla y del paramilitarismo. Y cuando le dijo que ella también era desmovilizada dice que no sintió rechazo, pues él sabía que tenía que colaborar.

"Cuando estuve secuestrado me di cuenta de que muchos de los guerrilleros que están ahí son ignorantes, a mí me tocaba leerles las cartas que recibían porque algunos no saben ni leer. Unos llegaron allá engañados, otros por venganza, otros por miedo y otros por plata. Estar como yo estuve no se lo deseo a nadie, *pero a mí ese secuestro me sirvió para crecer como persona,* saqué el odio que tenía en el corazón contra mucha gente. Antes solo pensaba en plata, plata, plata, plata, vivía 'embambado' (con cadenas y pulseras) y no veía mis errores, creía que yo era bueno porque no mataba y no robaba, pero, por ejemplo, trataba mal a mi esposa", dice tapándose los ojos, "le decía dizque sonsa porque no me llevaba las chanclas rápido. Y era egoísta, si veía a otros aguantando hambre, en la calle, no me importaba".

La voz de Gerson es reflexiva, no está orgulloso de la forma como vivía antes pero lo cuenta porque quiere hacer pensar a tantos que, como él, a pesar de venir de familias humildes, no tienen conciencia social. "A mí me compraban zapatos de caucho, mi papá era policía y él me decía que aunque podía aprovechar para ganar más plata dejándose sobornar por narcotraficantes, que ya en ese entonces empezaban a surgir, él prefería seguir ganando un sueldo miserable porque a él no lo habían criado para hacer el mal. Eso se lo agradezco a mi viejo. Pero él murió y mis hermanos y yo quedamos con mi mamá, que era muy agresiva".

Gerson señala dos cicatrices en su cara: "Esta que tengo acá en la quijada fue de un golpe que me dio mi mamá con un molinillo; y esta de la ceja, de uno que me dio con un nudo de rejo. Si nosotros queríamos ponernos ropa limpia teníamos que lavarla, o si queríamos irnos desayunados para el colegio teníamos que hacernos el desayuno. Yo llegué a cuidar carros, fui hasta raspachín de coca para poder tener plata. Todo eso hizo que yo tuviera una relación muy mala con mi mamá, ni nos hablábamos, éramos como enemigos, ella ni se enteró de que yo estuve secuestrado, pero cuando salí del secuestro la busqué, la abracé, le pedí perdón por mi grosería y dejé de juzgarla, yo sé que sus papás fueron terribles con ella. Ahora estoy tratando de ayudar a mis hermanos a que se reconcilien con mi mamá. Ella sigue siendo jodida, pero tenemos que entender que tuvo una vida muy dura".

Cuando Gerson y su esposa, después del secuestro, intentaron sin éxito hacer negocios en Bucaramanga y Bogotá, decidieron irse al Caquetá. "Yo volví al Caquetá después de muchos años y me di cuenta de que no había habido progreso. Habían puesto un par de semáforos y eso era todo, pero las necesidades de la gente seguían siendo las mismas". Por eso cuando Alejandra le pidió ayuda para desmovilizados y le dijo que ella había sido guerrillera, ni la sacó corriendo ni dudó en decir que sí. "Mi esposa y yo les damos capacitación a los desmovilizados que nos trae la Agencia para la Reintegración porque ellos salen sin saber qué es realmente lo que quieren hacer. Y eso que mi esposa quedó con mucho rencor por lo del secuestro pero hoy en día hace esas capacitaciones con amor. Ya hemos contratado a dos de las desmovilizadas, a una su mamá no le creyó que el cuñado la manoseaba y por eso prefirió irse a la guerrilla. A otra, que es desmovilizada de las autodefensas, le estoy pagando el estudio de Auxiliar Contable para que aprenda bien ese oficio, pues lo que les enseñan en el SENA es solo como para que se defiendan, pero ellos necesitan más que defenderse. Hay varias que han estudiado cosmética en el SENA y se han gastado en muebles de peluquería el capital semilla que les dan en la Agencia para la Reintegración, pero los tienen arrumados porque no saben trabajar bien. Hemos capacitado a cien personas, treinta de ellas desmovilizadas de varios grupos. Ahora estoy contactando a otras empresas de belleza para hacer una fundación para crear una academia de belleza acá en el Caquetá. He ido a Acopi a contarles a otros comerciantes mi experiencia, les digo que no esperen a que les pase un secuestro para reflexionar. Algunos me dicen que les han pasado 'cacharros' con guerrilla o paras y que el que ha sido malo no deja de serlo. Yo les respondo que muchos de ellos ya tienen empleados que fueron de esos grupos y ni lo saben. Otros me preguntan que cuánto les va a representar en ganancias dar capacitaciones a los reinsertados. *Les digo que la recompensa no es en plata.* Yo hoy me voy, si quiero, a bañarme al río y lo hago tranquilo, sin escoltas, perdí el miedo. Si les cerramos las puertas a los desmovilizados va a haber un problema social muy grande. El día que se graduó el que era el comandante de un frente de las Farc de un curso de albañil, salió su hija a darle un abrazo y a felicitarlo. Él dijo que por su hija se había desmovilizado a pesar de que tenía rango de comandante. Es tan hermoso ver eso, como es hermoso ver a las mamás con sus hijos en las piernas decir que eso no lo podían hacer cuando estaban en sus grupos porque tenían que entregar los hijos a las familias para que se los criaran. Hay que trabajar con amor y ponerle berraquera, cumplirles a los empleados con la liquidación, con todo lo legal, no quitarles un peso. *Yo me considero un revolucionario de derecha*".

Alejandra confirma lo que Gerson dice sobre la ayuda que ha prestado a desmovilizados, dice que otros empresarios también le han abierto las puertas. "En el Politécnico de Artes y Oficios me dieron cincuenta becas, con cincuenta por ciento de descuento en la matrícula. Es muy importante que los reinsertados estudien porque también pasa que hay empresas que quieren apoyar el proceso de reintegración pero no encontramos desmovilizados con el perfil laboral que la empresa necesita. Y a los desmovilizados hay que cumplirles porque apenas ven que no salen bien las cosas empiezan con su pensamiento revolucionario. No se trata de que les regalen las viviendas pero sí de que les den facilidad para pagarlas, porque como el banco nos registra como desmovilizados no nos dan créditos buenos. Un desmovilizado bien tratado es muy agradecido y no la vuelve a embarrar".

—Alejandra, ¿su hija ya sabe que sus papás son desmovilizados?

—Cada que ella me pregunta si la guerrilla es mala y por qué mata gente y niños, me quedo callada, le cambio el tema. No sé cómo explicarle mi pasado, aunque estoy muy orgullosa de mi presente.

Ni porque esté mil años en la cárcel pago lo que hice, pero pido perdón: Úber Bánquez**

"Lo que hice al día siguiente de llegar a Santafé de Ralito fue buscar un colegio. Le dije al director que quería estudiar y me preguntó hasta qué curso había hecho". Úber Bánquez es uno de los jefes paramilitares que se desmovilizó para acogerse a la llamada Ley de Justicia y Paz. En las filas fue conocido como 'Juancho Dique'. Entró a la organización como un empleado raso y escaló a lo más alto de la dirección militar. Entre ejecutados con sus propias manos, asesinados y desplazados por órdenes suyas se cuentan más de cinco mil personas. Santafé de Ralito fue el sitio donde los jefes paramilitares negociaron con el Gobierno de Álvaro Uribe las condiciones de su sometimiento a la justicia y fue también el primer sitio de concentración de esa cúpula criminal. Y así como entre ellos había terratenientes de poderosas familias y conocidos caudillos políticos, también había unos cuantos nacidos en la pobreza y la ignorancia. "Yo me acuerdo que me llevaron a hacer primerito, pero a uno que es del campo desde los cinco años le están delegando funciones y le entregan un machete para hacer labores de la tierra, entonces lo que estudié fue muy poco. Acá en la cárcel fue que hice mi primaria, mi bachillerato, y ahora estoy estudiando Administración Agropecuaria". Cuando le llegó la edad de prestar el servicio militar, Úber Bánquez se graduó como soldado profesional. Al retirarse no consiguió empleo fácilmente y se desesperó porque ya tenía dos hijos que alimentar. Acudió entonces a uno de los patrones

** Al momento de enviar este texto a impresión, Úber Bánquez estaba a la espera de que le suspendieran las últimas tres medidas de aseguramiento de cuarenta y dos que tenía en la justicia ordinaria, para quedar en libertad, luego de cumplir ocho años de prisión dentro del proceso de justicia transicional, conocido como Justicia y Paz.

de la zona, a quien había conocido cuando prestaba sus servicios a la Brigada 11 en Montería. "Me dijeron que el señor Rodrigo Pelufo estaba de comandante de una Convivir. Yo no sabía qué era eso pero me enteré de que eran grupos para prestarles seguridad a los ganaderos de la zona. Eso era legal, aunque la verdad es que nosotros en el día trabajábamos normal pero en la noche cometíamos delitos, que yo ya he confesado. En el 97 las declaran ilegales y ahí es que conozco a Salvatore Mancuso. Él y Rodrigo se repartieron los hombres que había y Rodrigo me confió la incorporación de nuevos muchachos a la organización".

—¿O sea que usted hacía el reclutamiento forzado?

—No era necesario forzarlos. A veces llegaban cien buscando empleo y yo me quedaba con cincuenta.

El empleo se materializó en lo que ya en prisión Úber Bánquez confesaría a las autoridades, destacando que en el "noventa y nueve" por ciento de los casos actuaban según una lista entregada por la fuerza pública, que argumentaba que a los señalados era mejor desaparecerlos que capturarlos y que ese era un trabajo necesario de limpieza social del que se beneficiaron empresarios, ganadores, terratenientes y políticos que obtuvieron votos manchados de sangre, los que el país conoce ya como los parapolíticos.

—Hágame un resumen de lo que ha confesado.

—Masacres de El Salado, Chengue, Macayepo, Palo Alto, Puerto Guadel, Retiro Nuevo, unas cuatro o cinco en Corozal, una en Tolú, otra en Sincelejo. En total, fueron como veinte, solo las de mayor relevancia porque no ha habido tiempo para confesar los casos individuales, pues la justicia colapsó con estos procesos.

Uno de esos casos individuales fue el de la señora Aleida Rosas Chávez Marrugo, líder política del municipio de Turbana, Bolívar, asesinada por alias "Alberto", un lugarteniente de Úber Bánquez. Luisa Canabal, una de sus hijas, sentada al lado de Úber Bánquez, recuerda así lo sucedido: "A mi mamá la asesinan en mi casa. Tuvimos que salir del pueblo, fuimos forzados a vender las tierras a Wílmer Marrugo en veinte millones de pesos, a pesar de que costaban unos cuatrocientos millones de pesos. Duré muchos años sin denunciar debido a las amenazas que recibía para que no lo hiciera, pero quería saber por qué tanta presión contra mi familia. Es que no solo fue el asesinato de mi mamá, sino el de un hermano, el de un tío, y que nos quitaron las tierras. Cuando se instala la Comisión Nacional de Reconciliación me entero de que va a testificar uno de los paramilitares que quedaba vivo del Bloque Norte y lo contacto para que me cuente la verdad. Él me pone en contacto con Úber".

"Le dije a Luisa que no me iba a justificar pero que cuando Alberto mató a su mamá me reportó que había asesinado a un par de señoras por mal comportamiento. Pero luego me enteré de que había sido por un problema personal que tenía la mujer de Alberto con esas señoras. Es que por un tiempo yo me dediqué a la parte política del bloque, entonces no pude controlar todo lo que hacía mi gente. Yo sé que las personas no resucitan pero me comprometí con Luisa a hacer todo lo posible para que su familia pueda recuperar sus tierras".

El encuentro entre Luisa y Úber en la Comisión Nacional de Reconciliación está grabado en video. La última imagen es un abrazo que se ve espontáneo de ambas partes. "Lo que pasó en esa audiencia fue publicado como noticia en los periódicos de la región y me costó muchas críticas y amenazas. Sé que hay víctimas que vieron eso como una ofensa, y lo respeto porque entiendo su dolor, pero este es un sentir que Dios ha puesto en mí y si una persona no da el primer paso nadie lo va a dar". El abrazo entre Luisa y Úber se repite a instancias de esta entrevista en la cárcel Modelo de Barranquilla, donde Úber paga los últimos meses de su condena; ya superó los ocho años de prisión que hacen parte del beneficio de rebaja de penas incluido en la Ley de Justicia y Paz para los paramilitares que contaran toda la verdad y entregaran los bienes mal habidos con el fin de reparar a sus víctimas. Y en un acto sobrecogedor de generosidad y perdón, Luisa le dice a Úber: "Mire cómo son las cosas de la vida, usted es casi ya un profesional y yo no porque tuve que dejar de estudiar por lo que ustedes le hicieron a mi familia, pero yo no siento odio, nunca lo he sentido, ni siquiera contra Alberto. Mi temor es que el día que usted salga lo maten, que no le den la oportunidad de reivindicarse con la vida y de que sus hijos lo vean crecer. Aunque mi madre no tuvo la oportunidad de ver crecer a mis hijos y eso sigue siendo muy doloroso para mí".

Úber la mira con vergüenza y agrega: "Ni que yo pague mil años de cárcel podré reparar el daño que hice a tantas víctimas, pero yo soy una persona transformada, ya no soy "Juancho Dique". No me dejen solo, así como fui inteligente para hacer el mal puedo ser inteligente para hacer el bien. Yo no puedo salir de la cárcel a buscar a todas mis víctimas porque tengo que cumplir las condiciones de libertad que me pongan los jueces, pero todas esas víctimas que crean que yo puedo ayudarles a saber la verdad o a recuperar sus tierras van a seguir contando conmigo incluso cuando yo quede libre".

—¿Qué siente por sus víctimas, Úber? ¿Todavía cree que usted y sus hombres hicieron un gran trabajo de limpieza social?

—Lamentablemente en esa época así lo creía pero hoy sé que estábamos equivocados. Ahora cuando veo los documentales de las masacres, como la de Macayepo, lloro y paso días llorando, tengo pesadillas. Le pido a Dios que me quite eso de la mente.

—¿Cree que Dios está para usted?

—Espero que mi Dios me perdone por todo el daño que le causé a la sociedad.

—¿Espera que le toque un pedacito de cielo?

—Sí, señora.

Hay que calzar el zapato ajeno para perdonar lo imperdonable: Sandra Gutiérrez, exsecuestrada

"¿A qué hora se perdió mi niña?", esa fue la frase que sacó a Sandra Gutiérrez de la desolación en la que la dejó el secuestro de un mes a manos de los paramilitares, cuando se rompieron los diálogos entre las Farc y el gobierno de Andrés Pastrana. Tenía un contrato para construir vivienda de interés social en Vistahermosa, en el departamento del Meta, y los paramilitares asumieron, como lo hicieron con mucha gente de la zona, que si podían trabajar en el área era porque servían de auxiliadores de la guerrilla. Habían pasado años desde que fue liberada por los hombres de alias "Jorge Pirata", pero la rabia y el miedo seguían tan presentes en su vida que estaba a punto de perder su hogar, y ya se había sustraído de cualquier actividad que no fuera el trabajo. "Yo ya había pedido ayuda a curas, monjas, iglesias cristianas, a psiquiatras, había leído la Biblia y nada, pero cuando oí a mi mamá decir eso no pude más. Me arrodillé y dije: 'Dios, no quiero ser más esto, necesito cambiar mi vida y sé que tengo que empezar por perdonar pero no lo quiero hacer con mi corazón, no me nace, pero lo voy a hacer con mi cabeza. Y a ti Dios, también te perdono porque aunque sé que eres perfecto permitiste que me pasara eso, a ti también te perdono'". Sandra dice que lloró hasta su última lágrima, visualizó a sus captores, se desahogó con ellos como si los tuviera en frente, los perdonó y le pidió a Dios un alma remendada pero con cicatrices que fueran presentables.

Converso con Sandra en una escuela abandonada de Villavicencio, es la presidenta de la junta de acción comunal de su vereda. Interrumpe para dar órdenes a un grupo de muchachos que le ayuda a remozar esas instalaciones. Son desmovilizados de la guerrilla y del paramilitarismo. Le pregunto cómo es que termina dando empleo a los que le hicieron tanto daño.

"Yo necesitaba mano de obra voluntaria para arreglar este lugar y pedí ayuda a la policía. Me respondieron que a través de la Agencia Colombiana para la Reintegración tenían cincuenta desmovilizados que necesitaban hacer ochenta horas de trabajo social para cumplir con uno de los requisitos del programa de la agencia. Yo ni sabía qué era eso de los desmovilizados y la reintegración. Cuando me explicó quedé en *shock*, reviví toda la película de mi secuestro. Pero inmediatamente pensé que tenía una responsabilidad con la comunidad que me había elegido, y le dije al comandante que listo, que me los mandara".

Y a pesar de lo difícil que fue enfrentar el desafío de encontrarse con quienes secuestraron, golpearon y violaron a tantas víctimas, como lo hicieron con ella, Sandra dice que fue la oportunidad que Dios le dio para cerrar su capítulo de dolor, y con una prueba aún más dura. "En el primer grupo llegó una persona que estuvo en el campamento donde me tuvieron secuestrada. Nos reconocimos, él se mantuvo como alejado pero yo tomé el toro por los cuernos, me le acerqué, le dije que yo sabía quién era él y que ya lo había perdonado. Él se puso a llorar, lo abracé y seguimos trabajando". Sandra pudo hacer eso no solo porque ya había perdonado, sino porque al hablar con los desmovilizados entendió que ellos, de alguna manera, también han sido víctimas.

Me reúno con un grupo de esos desmovilizados que acaba de terminar su jornada de trabajo y espera a Sandra para despedirse de ella.

—¿A la gente que no cree que ustedes puedan pasar de ser matones a ciudadanos de bien qué le dicen?

—Que uno se fue para allá por equivocación, por loco, por falta de trabajo. Es que hay gente que no se pone a pensar que uno vivía en una casita de cartón y aburrido de esa vida toma decisiones que cree que lo van a llevar a una vida mejor. Yo ya aprendí que es mejor salir adelante por la buena, así sea con sufrimientos.

—A mí las Farc me asesinó mi padre y a mi hermano, y tras eso pertenecí a las autodefensas. A las víctimas les pido perdón, aunque sé que perdonar es muy difícil, y si algún día yo tuviera el dinero les daría algún apoyo económico.

—¿Usted perdonó a quienes asesinaron a su familia?

—No, yo no los perdono, que los perdone Dios pero yo no los perdono.

—¿Quisiera buscar venganza por la muerte de sus familiares?

—Pues me daría miedo volver a coger un arma. Duré cuatro años en las autodefensas buscando venganza, pero lo que encontré fue más sangre. Lo que sí creo es que los beneficios que nos dan a nosotros como victimarios deberían dárselos también a las víctimas. No es justo que nosotros tengamos más beneficios que ellas.

Se cumple la jornada de trabajo y Sandra, su esposo y su hijo se despiden de beso y abrazo del grupo de desmovilizados. Sandra nunca puso denuncio por su secuestro, dice que para poder seguir con su empresa de construcción en esa zona era mejor no hacerlo. Luego de ser liberada volvió a internarse en los parajes de Vistahermosa para ayudar a la liberación de otros que, como ella, también fueron acusados por los paramilitares de haber auxiliado a la guerrilla. Ya no le interesa si los responsables de su cautiverio van a la cárcel o no, piensa que la dureza de quienes han sido víctimas es lo que los ha llevado a no perdonar a tiempo, y por ende a que el conflicto en Colombia se haya extendido por más de sesenta años. “Cuando alguien lo ofende a uno hay que pensar en retrospectiva y ver a quién ha ofendido uno, *calzar el zapato ajeno para poder entender lo que no es entendible y perdonar lo imperdonable.* Por haber podido hacer esto creo que Dios ha sido bueno conmigo en medio de todo”.

CAPÍTULO 2

La delgada línea entre ser víctima y volverse victimario

Antes de que él me pidiera perdón yo ya lo había perdonado: John Murillo

"Dios lo bendiga", le grita Jhon Murillo desde la sala donde estamos hablando a un niño que va pasando por la calle y que a través de la ventana lo saluda con el tan acostumbrado: "Tío, nombre de Dios". Me quedo pensando si es sobrino por uno de los treinta hermanos que tiene John por parte del padre, o si todos esos niños y niñas a los que él enseña danzas, música y teatro a través de su fundación le dicen tío de cariño. Quién iba a pensar que a este negro del barrio Aguablanca en Cali, al que quince años atrás se le cambiaban de acera para evitar que los robara, iba a andar por ahí dando bendiciones. "A mí el que me la hacía la pagaba, así era yo, esa es la ley que uno aprende", dice John con contundencia pero sin orgullo. Tras darle la bendición a su sobrino, John se acomoda en su silla de ruedas y sigue contándome cómo empezó aquello que hoy se conoce como las fronteras invisibles. "Eso lo aprende uno desde que tiene siete años, ni porque la mamá lo mande a hacer un mandado, uno pasa hacia la calle que es del otro grupo. Estamos en un sector donde hay un grupo en conflicto con otro y todos somos partícipes de uno de los grupos por el solo hecho de vivir aquí".

El origen de ese conflicto lo supo John después de padecerlo por años, ya había sucedido cuando él nació, pero nadie lo conocía, aunque todos lo vivían como víctimas, victimarios o como ambos. "Todo empezó por una bicicleta, dos jóvenes la robaron, y el que se quedó con ella la vendió pero le dijo al otro que se la había quitado la policía. Ese otro se enteró de que la había vendido y lo apuñaló. Desde entonces, se formó un grupo del lado donde vivía el que lo apuñaló, y otro del lado donde vivía el apuñalado". John creció en uno de esos lados, y claro, con el tiempo se fueron agregando motivos para la discordia. "Las mejores rumbas las hacían del lado de allá, pero los del lado de acá bailábamos mejor y también vestíamos mejor, teníamos mejores zapatillas, entonces las mujeres del lado de allá nos preferían a nosotros, los del lado de acá, y eso no les gustaba a los del lado de allá".

John dice que no eran propiamente una pandilla pero que de vez en cuando, cuando estaban bebiendo y se les acababa el trago salían a ver qué robarle a quien andaba por la calle para poder comprar más licor. Así era el día a día de John y sus parceros cuando conocieron a la hermana Alba Estella Barreto, ella venía de aprender sobre justicia restaurativa en Irlanda del Norte y ya había organizado grupos de mujeres y tercera edad en el barrio. "Nos dijo que nos ayudaba pero que teníamos que enmendar el daño que le habíamos hecho a la comunidad, al principio le decían que era una alcahueta por meter a unos bandidos a su fundación. Nos dio talleres e hicimos trabajo social organizando parques y barriendo calles. Claro que lo de las calles lo hacíamos a las tres de la mañana, cuando no había mucha gente, porque nos daba pena que nos vieran con escobas a nosotros que éramos los chachos, los picados. La mirada de la gente hacia nosotros comenzó a cambiar. A las ocho de la mañana ya habíamos desayunado dos y tres veces, la gente nos daba también plata, de a quinientos pesos en cada casa por hacer eso por el barrio".

A través de la fundación, John y sus amigos generaron confianza entre potenciales empleadores para conseguir trabajo, ese fue su caso. Como algo sabía de sistemas, se ubicó en una empresa en la que le pagaron lo suficiente para comprarse unas zapatillas de doscientos noventa mil pesos de la época, toda una fortuna para alguien de un barrio tan marginal como Aguablanca. Una noche que estaba luciendo orgulloso sus zapatillas mientras conversaba con otros de la fundación sobre cómo crear una banda de rap, los del otro lado de la frontera invisible pasaron a su lado. "Días antes ellos le habían quitado las zapatillas a un pelado y nosotros las recuperamos. Ese día me dicen que me quite las zapatillas y yo digo '¡ay, cómo así!', y me pegan un tiro que me entra entre las vértebras T4 y T5. Ahí todo cambió".

John hace un silencio, cierra los ojos, parece que organizara la ráfaga de ideas que tiene en su cabeza sobre ese momento. "'Momo', así se llama el líder de los del lado de allá, le dice a 'Robacarne', que fue el que me pegó el tiro, que me mate. Robacarne hace tres intentos de dispararme en la cabeza pero la pistola se le encascara. Nunca perdí el conocimiento, sabía que me habían jodido". Durante los seis meses siguientes John no se atrevió a denunciarlos por miedo a que tomaran represalias, sabía que algunos de ellos habían sido guerrilleros y que tenían mejor armamento que sus amigos. Pero Momo, Robacarne y los otros de ese lado seguían matando e hiriendo gente. Una de esas víctimas le dio el coraje suficiente a John para denunciar; habían dejado herido a un niño de cinco años. Con la Casa de Justicia se coordinó para que los capturaran a todos el mismo día, desarticularon la banda. "Aún así yo seguía debatiéndome sobre la venganza. Mientras que la hermana me decía que todo lo que uno hace se devuelve como un búmeran, un compañero de trabajo me decía que él me hacía la vuelta, que él ya había mandado a matar a todos los que una vez lo robaron y lo dejaron botado en un basurero. Y cuando más me dolía el cuerpo por la bala, que la tuve dos años incrustada hasta que me la sacaron, o cuando me orinaba o cagaba sin darme cuenta, me daban ganas de matarlos, quería verlos igual que como yo estaba. Es que estar yo así, que eran tan alegre, tan deportista, es muy duro. Pero paré eso porque pensaba en mis hermanos, no quería que les pasara lo mismo. Y eso que a los que agarraron solo pagaron cinco años y medio de cárcel, el que más pagó, porque se acogieron a sentencia anticipada. Y los otros de esa pandilla que estaban libres seguían matando. Una vez mataron a un pelado recién llegado al barrio, de este lado de la frontera invisible, que se les arrodilló para que no lo mataran. Eso causó mucho dolor acá, pasó a las ocho de la noche, y a las cuatro de la mañana los de acá ya habían ido al otro lado a matar a dos de allá, uno de ellos ni tenía que ver con el asesinato del pelao".

Ese asesinato provocó una reacción de las autoridades en búsqueda de disminuir el conflicto. Convocaron a líderes de cada lado y reunieron a unos ciento cincuenta muchachos en la estación de Policía, ahí se encontraron asesinos con familiares de sus muertos. A pesar de eso lograron hacer acuerdos para respetar los espacios pero permitir algunas cosas, por ejemplo, que las mujeres sí pudieran cruzar la frontera. "En ese proceso de tratar de bajar las tensiones viene uno de mis hermanos por parte de papá, que vivía del otro lado de la frontera, y me dice que Momo necesita hablar conmigo. Por otro lado, uno de los de la sala de sistemas en la que yo daba clases también me da una razón parecida de parte de Momo. Yo le digo que me mande a decir con él lo que quiere pero me dice que no, que Momo dice que tiene que ser *face to face,* y me lo pone al teléfono. No lo sentí amenazante como me mandaba a amenazar cuando él aún estaba en la cárcel, pero como él y su gente seguían chuzando gente en la calle, no me daba confianza. En todo caso hacemos una cita. Yo le conté a un profesor de la Javeriana que trabajaba en temas de reconciliación y él habló con Momo antes de la cita, quedamos en que íbamos sin armas y que el encuentro se haría en un sitio neutral, fue también un padre franciscano. La noche anterior casi no duermo, pensaba si llevaba un arma para matarlo; tenía de un lado un ángel y de otro lado un demonio, ambos dándome consejos. Al final pensé que no me iba a tirar mi vida, aún así en esta silla de ruedas he logrado hacer muchas cosas, hasta jugar baloncesto y bailar. La cita fue en un segundo piso, entre el profesor de la Javeriana y el padre no podían subirme por el peso mío y el de la silla. El Momo ayuda y entre los tres me suben. El profesor recordó las reglas, sabíamos que si la cosa se ponía mal la reunión se acababa y nos íbamos. Yo estaba muy sorprendido porque aunque Momo y los de él seguían haciendo el mal, él me habló a mí con mucho respeto, no me sostenía la mirada, sudaba a pesar de que había ventiladores. Le pregunté por qué dio la orden de matarme después de que ya me habían pegado el primer tiro y me dijo lo que sabemos los guerreros: que si uno deja a su enemigo vivo lo puede matar después a uno. Lo entiendo. Luego me dice que él no se arrepiente de las muchas cosas malas que ha hecho pero que no sabe qué pasa con mi caso porque tiene la necesidad de pedirme perdón, que me ve hasta en la sopa, que no puede dormir. Le digo que él solo debería sentirse amenazado si con matarlo yo pudiera volver a caminar, que entonces se quede tranquilo, y que *antes de que él me pidiera perdón yo ya lo había perdonado*".

John es enfático en que no justifica lo que le hicieron pero que entiende que esas cosas pasan entre quienes por falta de oportunidades no conocen más que la guerra. Por eso desde hace quince años trabaja con jóvenes en enseñarles a aprovechar el tiempo libre, con actividades lúdicas y artísticas. "Escogí el día de mi cumpleaños para celebrar con los niños con los que trabajo, les hago carreras de encostalados, de llevar la cuchara con un huevo, taller de baile. Como no teníamos instrumentos empezamos usando tarros de agua y galletas como tambores. La gente de la comunidad me manda sus niños cuando se les están saliendo de las manos, pues dicen que si yo pude cambiar cualquiera puede cambiar. Tengo también un compromiso con mis hermanos, que a lo mejor tienen más rencor que yo por lo que me pasó a mí. Eso sí le he dicho al Momo cuando me lo encuentro, nos damos la mano, y le digo que ojo con mi familia. Es que yo he visto cómo se acaban familias por la venganza. Él no me puede reparar a mí porque yo, que vivo pobremente, hasta vivo mejor que él, pero la paz que sentí perdonándolo ya es reparación".

Cuestiono a John sobre la violencia asociada a familias tan numerosas como la de él, no mucha gente joven en estos tiempos puede decir que tiene treinta hermanos. Me sorprende que habla de su papá como el mejor de los padres, no obstante dice que cuando era niño le daba mucho juete. "Quizá el único error de él fue haber tenido tantos hijos porque no hubiéramos tenido que pasar necesidades si fuéramos menos, ya que él siempre tuvo buenos trabajos, como cortero de caña, y vigilante de una discoteca, de ahí es que le resultaban tantas mujeres para tener hijos. Pero mi papá aún cada ocho días, a sus sesenta y cinco años, va a la galería y me trae un racimo de plátanos y hasta cosas que yo no necesito, y así hace con sus demás hijos. Él tiene un puesto de salchipapas y le va bien".

—Pero, John, ¿y qué le decía él cuando usted estaba en pandillas?

—Bueno, él siempre estaba trabajando mucho, por eso yo les digo a los papás que sus hijos no se van a pandillas porque les falten cosas materiales, sino porque no les paran bolas o les dicen cosas como que fueron hijos concebidos por error o frases que los maltratan.

Si solo hay para comer un huevo con arroz, lo importante es que se sienten a comer ese huevo con arroz con su hijo, y le conversen, que les pregunten cómo están y quiénes son sus amigos. Yo no robaba porque me faltara eso, mi mamá era de las que me llevaba de vuelta al colegio cuando yo llegaba a la casa con cosas que no eran mías, para que las devolviera. Hay que mejorar el entorno y dar oportunidades a los niños.

MIS HIJOS, MI NUERA Y YO FUIMOS GUERRILLEROS PORQUE NOS OBLIGARON, NO PORQUE QUISIMOS

A los dieciséis años Carmen ya tenía tres hijos. El primero lo tuvo a los catorce. Quería tenerlo, tanto, que a pesar de que el papá del bebé le pidió que lo abortara porque él estaba en la guerrilla y allá no eran bienvenidos los bebés, ella se rehusó a hacerlo. Los dos siguientes hijos no fueron planeados, fueron llegando. Carmen tampoco planeó que sus tres hijos se volvieran guerrilleros. "Los del Frente 17 reclutaron a mis hijos con mentiras, les dijeron que les iban a dar computador, plata, armas. Usted sabe que todos los niños son aficionados a eso, por eso aunque yo me opuse ellos se fueron. Tenían quince y catorce años los dos mayores cuando se los llevaron. A la menor la reclutaron dos años después recién cumplidos los catorce años. Se me la llevaron sin que yo estuviera, se dieron cuenta de que yo había puesto denuncio en la Fiscalía por el reclutamiento de mis dos hijos mayores, una niña y un niño. Cuando se llevaron a la más pequeña volví a denunciar en la Fiscalía pero mis hermanos me dijeron que mejor no hiciera nada porque la guerrilla podría tomar venganza con ellos".

Tres meses después de que la guerrilla se llevara a sus hijos Carmen fue a buscarlos al monte, y ambos, que se habían ido convencidos de que lo que iban a hacer en la guerrilla evitaría que otros niños sufrieran la falta de oportunidades en que ellos vivían, ya habían cambiado de parecer. "Allá llega uno y se estrella, nada les cumplieron. Me dijeron que ya no los dejaban salirse porque tenían información. Me devolví muy desilusionada, pensando cuándo los iba a volver a ver, pensando si la siguiente vez que los viera sería muertos".

Carmen no se rindió, varias veces entró a escondidas al campamento y allá alegaba, gritaba, insultaba hasta que el comandante del frente un día le dijo que si quería seguir viendo a sus hijos y evitar que fueran trasladados a otros frentes ella tendría que trabajar para la guerrilla. "Me dijo: 'O le pasa la rabia y trabaja con nosotros o no vuelve a ver a sus hijos'. Entonces empecé a hacer cosas como avisarles, por ejemplo, si el ejército estaba cerca; o ellos me ponían a que consiguiera que una empresa de transporte les prestara un bus, o llevaba víveres, medicamentos y razones. Duré haciendo eso cinco años y aún así solo me dejaron ver a mis hijos tres veces". Y además de eso a Carmen se le cumplió su presentimiento inicial. En un asalto del ejército en mayo del 2010 al campamento donde estaban sus dos hijos mayores, la niña murió y el niño fue capturado. Como Carmen ya tenía contacto anterior con el ejército pidió que metieran a su hijo al programa de desmovilización del Gobierno y así evitó que lo metieran a la cárcel. Carmen decidió también colaborar con información al ejército para que este pudiera llegar al campamento de su hija menor. "Yo debí haber ido al ejército apenas acepté trabajar obligada con la guerrilla, no lo hice porque me dio miedo. Pero cuando murió la primera de mis hijas me fui a la brigada, hablé con el mayor Céspedes y le pedí que enviara a la tropa allá donde estaba mi hija la pequeña, pero que no fueran a matar a los guerrilleros". El 29 de julio de 2012 tropas de la novena brigada hicieron un desembarco en el campamento donde está la hija mejor de Carmen, la niña y otra guerrillera murieron. "Me siento como culpable por no haber hecho más, tengo rabia con la guerrilla porque reclutan los niños, tengo rabia con la Novena Brigada, son lo peor, no me sacaron viva a mi hija a pesar de que yo les ayudé con la información para que hicieran ese desembarco y les rogué que me la trajeran viva".

A Carmen le queda su hijo, que está, igual que ella, en el programa de desmovilización, como lo está también su nuera, Juliana, quien fue igualmente reclutada siendo menor de edad y se conoció con su hijo en el Frente 17.

"Yo vivía en Manizales, mis papás me llevaron al Llano, donde era la guerrilla la que gobernaba. Las Farc me dijeron varias veces que me fuera con ellos. Yo les dije siempre que no, pero un día me montaron en una canoa, decían que era la juventud la que tenía que conformar los ejércitos de ellos, y me llevaron. Fue a finales de 1998. Durante la zona de despeje yo podía salir a los pueblos, un día dejaron entrar a mi mamá. Allá encontré a mi hermano, que había sido reclutado antes, cuando él tenía quince años. Cuando lo vi estaba haciendo curso de ramplero, son los que tiran los cilindros bomba a los batallones. Mi hermano pidió que me dejaran ir porque yo era la única hija que le quedaba a mi mamá pero le dijeron que no. El se voló, solo convivimos un mes en la guerrilla, cuando lo volví a ver me dijo que se había ido porque él no hubiera sido capaz de aguantar ver que a mí me hicieran algo malo o que me mataran". Es el relato de Juliana, quien llegó al Frente 17 llevada por alias "Romaña". Ahí conoció al hijo de Carmen, se hicieron novios; y con la hija de Carmen se volvieron las mejores amigas. Recuerda el día del asalto del ejército: "Me duele mucho la muerte de ella —dice con la voz ahogada por el llanto—. Yo me enredé en un cañal cuando todos empezamos a huir apenas vimos al ejército, y desde ahí vi cuando capturaron a mi novio, que hoy es mi esposo, pensé que lo iban a matar. Me refugié en una casa en donde me dieron posada, y vi en las noticias que pasaron lo del asalto al campamento pero como dijeron mal el alias de él, no supe si era él o no. A los días, cuando las cosas se calmaron, llamé a la mamá de él. Yo no la conocía pero mi novio me había dado el celular de la mamá y yo me lo aprendí. Ella me pasó al mayor Céspedes, que me dijo que me iba a enviar un helicóptero para que me recogiera. Yo no creía que a los que yo les huía me fueran a ayudar, pero el mayor me pasó a mi novio y él me dijo que sí, que le hiciera caso al mayor. Me volé de la casa en la que me dieron posada y llegué hasta un sitio donde estaba mi novio esperándome con el ejército en una camioneta".

El ejército ubicó al hermano de Juliana, el que había sido guerrillero. Estaba en Manizales y de ahí viajó a recibirla a Neiva cuando ella se desmovilizó. "Me contó que desde que se voló de la guerrilla se había dedicado a vender vicio. Solo estuvo un día conmigo y se devolvió a Manizales, allá lo cogieron preso por vender droga. Sé que está en la cárcel pero me da miedo irlo a visitar porque de pronto me capturan a mí, aunque yo estoy en el proceso de desmovilización y ya salió la boleta de preclusión de mis delitos, pero de todos modos me da miedo".

Suegra y nuera trabajan en confecciones, ambas están terminando el bachillerato, prestaron su servicio social ayudando a construir una caseta comunal patrocinada por una multinacional de gaseosas.

En el SENA han recibido cursos no solo para aprender a coser, sino para hacer el plan de negocios que les permita vivir de su trabajo. Ya tienen dos máquinas industriales pagadas con sus propios recursos. A Carmen le tocó entrar al programa de desmovilizados porque cuando cayó alias "Rigo" ella aparecía reseñada en su computador como colaboradora, y le libraron orden de captura. Decir esto la hace enfatizar que ella no entró a la guerrilla porque quiso, sino porque era la forma de poder estar cerca de sus hijos. Han tenido la suerte de contar con el apoyo de patrones que no las han rechazado por haber sido guerrilleras. "Toca decirles porque cuando uno está en el programa de la Agencia Colombiana para la Reintegración (ACR) hay que ir a talleres permanentemente, entonces toca pedir permiso para faltar al trabajo, pero gracias a Dios *la señora me dijo que estuviera tranquila, que ella no me iba a dar la espalda por haber sido guerrillera,* que al contrario".

La vida pareciera menos sombría ahora pero ella, su hijo y su nuera viven en condiciones vulnerables, o como dice Carmen, "viven al filo de la peinilla", enfrentan con valentía la inseguridad que conlleva haberse quedado viviendo en el mismo lugar donde aún la guerrilla tiene influencia y es clara la falta de presencia del Estado. "Vivimos en una invasión", explica Carmen, "compré un lote en un millón quinientos mil pesos. No me dieron escrituras sino una 'cartaventa' notarizada. No pregunté nada porque cuando compré lo importante era dejar de pagar arriendo. La casa que hemos construido es de madera, el piso es de tierra, y ahora dicen que nos quieren sacar de ahí".

Para Juliana el futuro es aún más incierto, pues ahora es madre, su hijo tiene tres años. "Quiero sacarlo adelante, no quiero que viva lo que yo viví, pero todavía me da duro adaptarme a tantas cosas que pasan en una ciudad, con el miedo a ser rechazada por haber sido guerrillera. Me da tristeza pensar en esos doce años...", Juliana hace pausas para tomar el aire que le roba pensar en ese tiempo perdido: "La profesional de la ACR es muy buena, hasta se trasnocha con nosotros ayudándonos a hacer las tareas y nos anima, pero en el colegio donde estamos lo único que uno ve salir de ahí es ñeramenta y gaminancia. Lo que viví me llevó a perder a mi familia. A los Llanos no voy, aunque allá está mi mamá porque ella tuvo otro hijo que luego se lo trataron de reclutar los paramilitares. A Manizales tampoco, porque la familia que tengo allá está en el entorno del vicio, hay varios en la cárcel, y yo quiero algo mejor para mi hijo".

Carmen y Juliana se miran, han aprendido a convivir en esas condiciones, y como cualquier suegra y nuera no están exentas de las dificultades de este tipo de vínculo filial, pero igual que todo lo malo, también las han superado. Antes de despedirse, Juliana reflexiona sobre el rechazo que teme que les cierre puertas para salir adelante y superar el pasado. "Tenemos buenas ideas, aspiramos a cosas buenas. A veces pienso que en las ciudades hay gente que hace más daño que el que yo hice al estar en la guerrilla porque me obligaron a estar ahí, como esos de las barras bravas que hacen daño porque quieren hacerlo. *La gente nos juzga a nosotros como lo peor pero hay gente que hace cosas peores*".

Me fui a la guerrilla porque quise, no había nada más que hacer

En la vereda donde vivía Jenny* cerca de Paujil, Caquetá, los niños "recochaban" con la guerrilla, eran los amigos de juego. El ejército, en cambio, poco aparecía por la zona, pero cuando lo hacía "era muy malo". Con esa simpleza veía Jenny su realidad y por eso a los once años estaba loca por irse de guerrillera. "Yo no hacía nada. El colegio nos quedaba lejos. Les ayudaba a mi papá y a mis hermanas a cristalizar coca y a sembrarla entre los cultivos de maíz, arroz, yuca y plátano, o a ordeñar ganado, pero de la coca era que comíamos. Eso de la coca allá no lo vemos ilegal".

Jenny cuenta que desde los diez años se volvió miliciana del Frente 15 de las Farc junto con otros niños de su vereda. Pasaba información sobre quiénes trabajaban con el ejército. Dice que eso le gustaba, y aunque no sabe explicar por qué, cuenta una anécdota que quizá lo explique: "Un día, cuando yo tenía como siete años, entró el ejército y casi mata a mi papá, le dieron pata. A otras personas sí las mataron dizque porque colaboraban con la guerrilla. Pero, por ejemplo, mi papá fue llevado obligado por la guerrilla, y como él no se amañó lo dejaron ir pero le dijeron que tenía que administrarles una casa de ellos, mi papá dijo que sí".

A los once años su sueño de ser guerrillera se cumplió, aprendió a usar un fusil, una pistola, cómo andar en el monte, le tocaba cuidar secuestrados, dice que alguna vez cuidó soldados y también niños infiltrados por el ejército que, al ser descubiertos, eran fusilados por la guerrilla. "En el frente éramos como seiscientos, la mayoría éramos niños, y la mayoría se fue para allá voluntariamente, como yo. A otros los entregaron sus papás porque ya no se los soportaban o porque no tenían cómo darles de comer".

El gusto de Jenny por la guerrilla le duró poco más de cuatro años, y aunque dice que no tuvo que matar asegura que lo peor de haber tenido esa experiencia fue ver fusilar a los infiltrados porque eran sus propios amigos. Además, el frente empezó a tener dificultades para el suministro de víveres y tuvo que aguantar más hambre de la que llegó a aguantar cuando el ejército fumigaba los cultivos de coca de la finca de su papá, y con ello los de pan coger. "También mantenía muy enferma, me dio hepatitis y paludismo, por fortuna a mí no me tocó abortar como a otras niñas que las llevaban a una casita hospital en medio de la selva. Yo no quedé embarazada porque a mí me pusieron 'la pila' en el brazo durante los cuatro años que duré con un novio que tuve allá. Con él, después que terminamos, planeamos la fuga, salimos sin fusil, yo solo quería ir a donde mi mamá, que estaba en el Huila, y allá llegué. Pero un tío jubilado del ejército, que se había enterado por mi papá que yo me había salido de la guerrilla me dijo que me tenía que entregar. Yo tenía miedo de hacer eso porque no quería que me llevaran a la cárcel".

Al final, Jenny accedió y fue a lo que en ese momento era el Comité Operativo para la Dejación de las Armas. En ese lugar le mostraron su foto en el archivo de inteligencia de la estructura del Frente 15. "Ni me di cuenta cuando me tomaron esa foto, era de un día que yo participé en la liberación de unos soldados. Es que yo llegué a tener mando medio. Después me mandaron al Instituto Colombiano de Bienestar Familiar (ICBF), que me puso en casa de un hogar tutor con una señora que era muy brava y por eso no me gustaba. Solo estaba por ganarse la plata que le dan por ser madre tutora".

La psicóloga del programa de desvinculados del ICBF, presente durante la entrevista con Jenny, reconoce falencias en este programa que es exclusivo para desvinculados, es decir, para los guerrilleros que se desmovilizan antes de cumplir la mayoría de edad. Dice que este año han cerrado varios de esos hogares y que han abierto pocos, en aras de tener solo los que realmente cumplan los requisitos, por ejemplo, ser hogares de estrato tres en adelante. Cada familia tutora recibe aproximadamente setecientos veinte mil pesos por cada desvinculado a su cargo. Jenny solo duró dos meses en el hogar tutor, fue entonces pasada a vivir con su papá, quien para la fecha estaba en Bogotá, en virtud de otro programa para desvinculados que se llama Hogar Gestor, que es siempre con un miembro de la familia del niño o niña que deja las armas, pero con el acompañamiento del ICBF. Esa convivencia tampoco duró mucho para Jenny, pues su papá cambió de ciudad de residencia. Ella se quedó entonces con una de sus hermanas, quien al poco tiempo le dijo que no quería que siguieran viviendo juntas. Sus demás hermanas no tienen interés en ayudarla, asegura que solo quieren estar con sus novios o esposos. Tampoco estudiaron, aunque según Jenny sí tuvieron la oportunidad de hacerlo. "Me fui a Puerto López, en el Meta, estoy estudiando, ya tengo las cartillas para hacer sexto y séptimo en un solo año. Antes de entrar a la guerrilla solo había hecho primero de primaria. Yo quiero ser enfermera pero quiero volver a Bogotá. No me hace falta la guerrilla, ya sé que hay otra vida con oportunidades. Me dieron dieciocho millones de pesos de indemnización por el reclutamiento siendo menor de edad, con eso quiero montarle un negocio a mi papá y trabajar como independiente. Por ahora he trabajado en floristerías y en restaurantes de comidas rápidas".

Jenny luce segura de que ella no tiene la culpa de lo que hizo porque era, según sus propias palabras "muy adolescente" y, por ende, no sabía lo que hacía. Explica que para la guerrilla reclutar menores de edad era equiparable con el reclutamiento de soldados para el servicio militar obligatorio que hace el Ejército. Ya para despedirnos, le pregunto qué ha sido lo mejor de dejar la guerrilla. Me llama la atención que antes de responder me cuenta que su papá vive con una de sus hermanas, que es hija biológica solo de su mamá, pero que cuando esta se fue de la casa se volvió la mujer de él, es decir, de su padrastro, y que así llevan dieciocho años. Jenny solo se enteró de eso al volver de la guerrilla. Le habían dicho que los dos niños que viven con ellos eran hijos de su hermana con un guerrillero. Y a pesar de esas disfuncionalidades, y de que sus hermanas no la tienen entre sus prioridades, para Jenny lo mejor de haber dejado la guerrilla es poder volver a estar con su familia.

Jenny se despide en la oficina del Bienestar Familiar donde este instituto nos ha permitido hacer estas entrevistas bajo su supervisión. Entra Ricardo, otro desvinculado de las Farc. Jenny y él prefirieron hablar conmigo por separado, parece que no quieren enterarse de lo que cada uno me cuenta, no quieren conocer información que pueda ponerlos en peligro.

El reclutamiento de Ricardo fue poco después de que él y su familia se mudaran de Real Cuembí, en la provincia ecuatoriana de Sucumbíos, fronteriza con Colombia, a la altura del Putumayo, para Puerto Asís. "Allá cultivábamos maíz, plátano, y cacao, pero no coca, porque el ejército de Ecuador no lo permite. Ellos patrullan de vez en cuando y por cada mata de coca sembrada toca pagar un año de cárcel. Nos vinimos a Colombia porque la guerrilla empezó a matar gente allá en Real Cuembí. Mataron a mi abuela. Allá viven puros colombianos. Cuando llegamos a Puerto Asís la guerrilla me empezó a citar. A los quince días me dijeron que el comandante de ellos había dado la orden de que yo tenía que irme a trabajar con él. Me dieron un día para que me presentara en un punto. Yo no le dije a mi familia porque me daba miedo que denunciaran el caso ante el ejército y les hicieran algo. Solo dije que me iba a una finca de unos amigos. No tenía miedo de que me hicieran algo porque no me negué a nada de lo que ellos me pidieron. Me presentaron a los jefes de entrenamiento, supe que se habían infiltrado en el ejército para hacer curso de soldados profesionales. Me enseñaron cómo hacer inteligencia. Yo volví a mi casa y seguí mi vida normal, estudiaba octavo por las noches y el resto del día trabajaba para la guerrilla. Con la información que yo conseguí la guerrilla mató a un funcionario de la alcaldía y le hizo un atentado a la hija del alcalde de Puerto Asís".

—¿Y usted no se sintió muy mal por eso?

—Puede ser mi culpa pero, jum, yo no fui quien lo planeó. Para mí es como si yo no hubiera hecho nada, yo no me puse a pensar si eso está bien o no, sino solo en que lo tenía que hacer. Claro que no lo volvería hacer, buscaría ayuda, pero no creo que le tenga que pedir perdón a la hija del alcalde, las que le tienen que pedir perdón son las Farc.

Ricardo suena frío al responder, poco consciente, desconectado de lo que podría considerarse la emocionalidad de una persona normal. Claro que su vida no ha sido normal, se nota que tiene pocos arraigos. Le pregunto si siente amor por Colombia, amor de patria.

—Yo nunca me he puesto a reflexionar sobre eso.

—¿Siente rabia porque el Estado no le ha garantizado lo básico?

—No.

—¿Llora, reza?

—No, lo que yo quisiera es que el Gobierno pusiera una universidad para las víctimas del conflicto. En el Putumayo no hay universidad, pero a los estudiantes les piden que saquen bien las pruebas de Estado como si hubieran estudiado en un colegio de las grandes ciudades. Cuando decidí salirme llevaba apenas cuatro meses de reclutado, fue una noche que me puse a tomar y pensé que las Farc no me estaban pagando nada por el trabajo que yo les estaba haciendo, y a veces no podía ir a estudiar. Fui a la Fiscalía en Puerto Asís, di información pero no me ayudaron. Me tuvieron todo un día esperando y luego me llevaron al Bienestar Familiar, de ahí me llevaron a un hogar sustituto por diez días, llamaron a mi mamá. Cuando ella se enteró de todo solo lloraba. Después me trasladaron a los Hogares Claret en Cali, allá éramos sesenta y siete desvinculados. Hasta el medio día hacíamos actividades y de una a seis estudiábamos, fueron tres meses así. Había unos que no sabían ni escribir. Luego me enviaron a un hogar sustituto en Bogotá y al año llegó mi familia. Ahora estamos todos juntos.

Jenny y Ricardo son dos de los cinco mil ochocientos diecisiete niños desvinculados de los grupos al margen de la ley en los últimos dieciséis años. Muchos de ellos dicen haber sido obligados, pero un porcentaje considerable aseguraba haberse ido por voluntad propia, ya que creyeron que esa era su mejor opción. El 83% de esos menores se desmovilizó voluntariamente, y el 17% fue recuperado por las Fuerzas Militares y de Policía. Hoy miles de niños y niñas colombianos siguen en condiciones similares, con las escuelas tan alejadas de sus casas o tan de mala calidad, que consideran que aprovechan mejor el tiempo si trabajan para ayudar a la economía familiar que en si van a estudiar. Es posible que hoy no estén siendo reclutados por las guerrillas en las mismas cantidades que antes, pero mientras haya narcotráfico, contrabando o minería ilegal habrá un negocio que requiere de obreros ignorantes, arriesgados, fáciles de manipular y difíciles de judicializar. Esa materia prima nace todos los días a borbotones. Cada día en Colombia cientos de niños y niñas llegan al mundo fruto de uniones entre menores de edad, de violaciones a menores de edad, no planeados o no deseados. La encuesta nacional de Profamilia de 2010 destaca que el 23% de los embarazos fueron reportados como no deseados y que el 20% de las adolescentes, entre quince y diecinueve años, informó haber estado en embarazo. La Fundación Restrepo Barco reportó en septiembre de 2015 que en Colombia hay ochocientos cuarenta y cinco mil huérfanos, de los cuales cinco mil trabajan en el servicio doméstico a cambio solo de la alimentación y vivienda que les dan sus supuestos benefactores.

En la guerrilla también hay buenos y malos: desmovilizada de las Farc

La agenda de Marcela* incluye visitas a rectores de universidades y empresarios. Algunos la reciben mirando el reloj pero tras unos minutos de charla saben que tendrán que posponer el horario de sus siguientes citas. Marcela se viste y maquilla muy bien cada día de trabajo, mas no para hacer lo que soñaba de niña cuando veía pasar aviones enormes por el cielo del corregimiento de Danubio, cerca de Garzón, Huila. "¿Serán tan grandes como esta casa?, ¿Darán comida ahí? Seguro no, se respondía a ella misma, usando como argumento el comentario habitual que oía de los adultos que habían rodeado sus ocho años de vida: 'Los ricos son tacaños'. Y claro, como los aviones son de ricos en los aviones no dan comida. Acto seguido se imaginaba adulta, trabajando como azafata en uno de esos aviones, sirviendo tinto a los pasajeros. Ese recurrente sueño de ojos abiertos se veía de pronto interrumpido por el ladrido de Comando, el perro que todas las mañanas acompañaba a sus hermanos a la escuela. Dos horas yendo, dos horas viniendo. Era su mano derecha, tan leal que varias veces mordió a quienes quisieron acercarse a los chiquitos, con tal de seguir al pie de la letra sus instrucciones: "Vaya Comando, me lleva los niños a la escuela, no deje que nadie se les acerque y me los trae buenos y sanos cuando salgan".

Cuando el sueño de ser azafata no lo interrumpía Comando, lo hacía la aterradora voz de su padrastro, que desde que ella tenía cuatro años la violaba. Mientras ese hombre analfabeta, desmovilizado del EPL y del M19, abandonado por sus padres cuando tenía ocho años de edad, con la responsabilidad de criar a sus tres hermanos, desfogaba con Marcela sus enfermos deseos sexuales, ella pensaba en cuándo regresaría su mamá. Todavía oía las palabras que le dijo el día que se fue, a escondidas del monstruo con el que la dejó: "Ahí quedan sus hermanos, usted verá si los deja morir del hambre". Llevaba dos mudas de ropa y las heridas de la última golpiza que le dio el marido cuando se enteró de que ella estaba planificando para no tener más hijos. Ya eran seis, el más chiquito tenía nueve meses. Marcela robaba caña para hacerle el tetero, y sal del ganado de las fincas contiguas para echarle a la mafafa, una especie de papa con la que alimentaba a sus hermanos. Lo que le pagaban por recoger rastrojo, o servir en las cosechas en las fincas no le alcanzaba para comprar más que eso. "Me pagaban la mitad de lo que le pagaban a los adultos".

Imaginando la dureza de sus días le pregunto a Marcela si nunca pensó en huir. "No, éramos seis chinos, no tenía a dónde ir, y pensar en ir a Florencia o a Garzón era como hoy pensar en ir a la luna. Además, lo que me pasaba a mí le pasaba a otras niñas que conocía, también las violaban. Para mí era algo normal". Así transcurrían sus días, así pasaron cuatro años, hasta que llegó una mujer hermosa, "con las uñas largas, pelo rojo, maquillada, con joyas. Era mi madre, ni mis hermanos ni yo la reconocimos".

La ilusión de que la vida cambiara con el regreso de esa madre se desvaneció casi de inmediato, pues la mujer volvió a hacer pareja con el padrastro de Marcela quien, aún así, seguía abusando de ella. Marcela se rebeló, le reclamó a su mamá, se fue de la casa, llegó a Garzón justo a la hora en que empezaba un concierto de los de Jorge Barón, "El *Show de las estrellas*. Cuando el concierto se acabó me quedé por ahí andando y me vio la policía. Como estaba sola me llevaron Bienestar Familiar, allá me di cuenta de que existía la televisión a colores. Estuve ocho días, fueron como días de vacaciones, pero aunque les expliqué a los del Bienestar lo que me pasaba en mi casa, llamaron a mi mamá y ella fue por mí". Por eso cuando meses después la guerrilla de las Farc visitó la casa de Marcela para pedir la colaboración de los campesinos "donando" un hijo por familia a las filas guerrilleras, no dudó en que esa era su mejor opción de vida. "Eso era normal por allá, mi papá biológico había sido reclutador de las Farc, había dejado embarazadas a siete mujeres, una de ellas fue mi madre. La única vez que vi militares los vi montados en chiva, una vez que atacaron a la guerrilla. Y nunca vi un policía en El Danubio. Para mí, irme a la guerrilla no se trataba de estar de acuerdo con ellos, sino que yo pensé dónde me va peor".

Y con las condiciones que vivía en su casa era fácil deducir que en la guerrilla no podría irle peor, así que se fue. "Ese día recogieron cuarenta y tres niños, era marzo de 2000, nos pusieron a abrir camino a punta de peinilla. Me gustó que empecé a aprender muchas cosas. Un día había que poner inyecciones para planificación familiar, el comandante preguntó quién sabía algo de enfermería. Yo levanté la mano, aunque no sabía, y empecé con una niña que me caía mal, y así fui ensayando. Luego me llamaron a hacer un curso de enfermería por tres meses. Después hice curso de explosivista, también de inteligencia. Disfrutaba de aprender".

—¿Pero de aprender cosas que le hacían daño a otros, como poner minas o dar información que sirviera para secuestrar gente?

Ante mi pregunta, Marcela se queda en silencio y tras unos segundos toma aire profundamente y responde: "Mire, lo primero que uno hace allá es llenar una hoja de vida donde se apunta el nombre de todos los familiares de uno. Le dicen que si Dios existiera no hubiera permitido que uno viviera tantas cosas malas, y que matar y secuestrar es algo que se hace por supervivencia. Uno llega allá apenas sabiendo sumar y restar, y de pronto unos pendejos empiezan a hablar con palabras que uno nunca había oído, que dizque burguesía y proletariado, así le muestran a uno las noticias. Uno aprende a odiar. A mí nunca me dijeron que en las minas podía caer un campesino como yo, eso era para el ejército, para los paras. Cómo no iba a odiar a los paras si una vez me metieron un revólver calibre 38 en la vagina y en el ano".

—La siguiente pregunta es obvia, y entonces, ¿por qué se fugó?

—Uno se va dando cuenta de que esa ideología no existe, porque mientras los de la tropa comíamos solo cubos de Maggie puro, los comandantes al menos comían arroz con lentejas. O, por ejemplo, se recogen cinco mil millones de pesos y uno no puede tomarse ni una gaseosa. Además, una vez asesinaron a una compañera porque decían que su belleza era un pacto con el diablo. Y vi morir mucha gente inocente, tanto civiles como militares y guerrilleros. La primera vez que quise salir fue porque me fregué la columna durante un operativo, intenté varias veces hasta que un día deserté con la compañera que estaba de guardia. Duramos tres días y dos noches huyendo, yo me le atravesé a un bus para que parara y me llevara a donde fuera, los otros carros no me habían querido parar. El conductor del bus me dijo cuando llegamos que estaba en Armenia, la Ciudad Milagro. Pensé: "Un milagro es lo que yo necesito". Estaba de camuflado, no tenía a dónde ir. Dos policías que pasaron en una moto me llevaron al hospital, allá me dijeron que tenía tres meses de embarazo pero que había perdido el bebé. Uno de los policías pagó la cuenta, me llevó a su casa, sus hijos me enseñaron cosas que yo no sabía, como comer con cubiertos. Me tuvo tres meses y luego me llevó al ICBF, allá fue bonito porque empecé a estudiar el bachillerato y también enfermería, contactaron a una tía pero ella dijo que si me llevaban a Florencia me mataban. Me enteré de que a seis miembros de mi familia los habían matado, a uno de ellos lo habían torturado poniéndole agujas en los testículos. A mi mamá la tenían secuestrada las Farc porque creían que la casa que ella había comprado había sido con plata que yo cobré para la guerrilla. Antes de desertar habíamos reclamado mil ochenta y tres millones, yo era novia del comandante de finanzas del Frente Tercero. Habíamos entregado mil millones para el Secretariado y dejamos ochenta y tres para la logística del frente. A mi mamá le mataron a su pareja, que ya era otro señor. Ella estaba secuestrada con un niño al que mataron, le hicieron abrir el hueco en el que la iban a enterrar, y la metieron ahí, con tierra hasta el cuello, mirando hacia el cuerpo del niño que asesinaron. Luego de que la soltaron, porque se pudo comprobar que la plata de su casa fue de un préstamo que hizo, estuvo en una clínica psiquiátrica. A mí me interceptaron los de las Farc en Armenia, me vinculé de nuevo al grupo para que no siguieran torturando a mi familia, ayudaba con labores de inteligencia. Quedé embarazada del médico que me atendió recién llegué a Armenia y me dio miedo que la guerrilla me hiciera abortar. Le conté mi situación a un amigo que tenía en la Sijín y me habló del programa de desmovilización. Armamos un plan para que yo me entregara en un operativo y me llevaron a Bogotá. Era el año 2006. Ya había tenido a mi hija, a ella se la entregaron al ICBF cuando a mí me capturaron pero luego me la llevaron a Bogotá y nos trasladaron a un sitio en La Mesa, Cundinamarca, con otros ciento sesenta desmovilizados. Al principio fue una experiencia terrible, me encontré a un comandante de las Farc, a una de las que tuvo secuestrada a mi mamá, y todos encontraban ahí a enemigos. Como a los veinte días uno de los del grupo cogió a otro a atacarlo con un cuchillo, uno de los psicólogos grita: "¡Ya no más! ¿por qué lo quiere matar?". El del cuchillo responde que el otro fue el que le mató al papá. El que lo mató le dice que lo perdone. Y todos empezamos a señalar a nuestros victimarios, a pedir perdón y a perdonar. Fue una tarde tenaz, pero al final de la noche estábamos todos abrazados. Los psicólogos nos dijeron muchas cosas que nos hicieron pensar, pero hubo una que se me quedó grabada: "*Quítense las etiquetas, ustedes ya no son farianos, elenos, paracos, ustedes son colombianos*". Convivimos en ese lugar dos años, hice amigos que habían sido paramilitares, tanto que fueron ellos los que me llevaron al médico una vez que me accidenté, varios años después.

Marcela es hoy promotora de reconciliación de la Agencia Colombiana para la Reintegración (ACR). Esta agencia creó un programa de contratación a sus propios reinsertados para que trabajaran en socializar con potenciales empleadores la necesidad de brindarles una segunda oportunidad a quienes dejan las armas. Estos promotores han vivido en carne propia el rechazo de compañeros de trabajo, de vecinos, de compañeros de estudio, y por ende han tenido que aprender a lidiar con él. "En la universidad, cuando estaba estudiando Contaduría, fue terrible. Un profesor al que la guerrilla le había secuestrado y matado al papá se enteró de que yo era desmovilizada porque en el programa nos hacen llenar unas planillas en las que conste que cumplimos con las clases. Me dijo que mejor cambiara de carrera porque yo podía ser la mejor alumna pero que si de él dependía nunca me iba a graduar. Llegué hasta sexto semestre. Luego el señor que me arrendaba la casa en la que vivía me echó porque me dijo que no quería vagabundas en su casa. Yo le expliqué que los policías que iban una vez por semana no eran mis novios sino que ellos me hacían seguimiento porque yo era desmovilizada de la guerrilla, y eso fue peor. Al tiempo me lo encontré en un Transmilenio y me pidió perdón. Me echaron de varios trabajos. Por ejemplo, en Medilaser, aunque yo era muy buena empleada, me sacaron a los nueve meses de haber entrado, cuando se enteraron de que yo había sido guerrillera".

Con todas esas vivencias, Marcela toca puertas para hacerles menos difícil el camino a otros que deciden salirse de la guerra, tiembla y suda cada que la recibe un funcionario. "El alcalde de Chiquinquirá es un coronel retirado, cuando le conté a qué iba me preguntó: '¿Y usted qué sabe de lo que está hablando?'. Pasé saliva, pensé en cómo va a reaccionar y le digo: 'Es que yo estuve del otro lado'".

Como si esos cuestionamientos fueran pocos, Marcela acepta los míos, su voz se oye como un clamor para no ser juzgada, las palabras le salen estrechas entre los dientes que aprieta al punto que se marca su quijada, y pienso que así se evidencia la rabia de haber tenido una vida tan dura. "¿Por qué me van a llamar victimaria? ¿Qué hicieron conmigo? Es que *en la guerrilla también hay buenos y malos, no defiendo ni a las Farc ni al Estado. El Estado puede quitarle gente a las Farc dando estudio y empleo*, las Farc pueden ser el putas, pero ¿si no tienen gente, qué son las Farc?".

Marcela hizo su servicio social preparando almuerzos en un comedor comunitario, le pregunto si con eso siente que ya pagó el mal que hizo. "Me gustaría saber qué más puedo hacer, pero estoy segura de que una cárcel no es el camino. Con los de arriba, los del Estado Mayor sí deberían ser fuertes, ellos sí estudiaron, sí tienen intereses económicos. No sé qué reparación sería que los lleven a la cárcel, debería existir la pena de muerte. ¡Y cómo van a pagar esos que yo vi intercambiar armas por droga, y que son de lo más alto de este país! *Los corruptos hacen tanto daño como los violentos.* Falta firmeza para castigarlos".

Marcela va perdiendo el miedo con los días, los problemas de su vida común y corriente van echando tierra a los problemas que le dejó la guerra. Ahora tiene otra hija, a la que le diagnosticaron una enfermedad del corazón, no sabe cuánto tiempo más podrá vivir. Se llenan sus ojos de lágrimas, se nota que no se siente cómoda llorando en frente de otros, se seca las gotas antes que rueden por sus mejillas y cambia el tema a algo que le ilumina el rostro, prepara su boda. Será con otro desmovilizado al que conoció en la ACR. Cree que merece por fin el amor, ya lo había encontrado pero murió en un accidente automovilístico. No era el padre de su primera hija, de hecho ese médico que la atendió en Armenia cuando dejó la guerrilla se enteró hasta hace muy poco de que tenía una hija con Marcela.

Él le reclamó, ella tenía la respuesta lista: "Puede verla cuando quiera pero no le dije que estaba embarazada de usted porque estaba dispuesta a perder lo único lindo que he hecho en mi vida, que son mis hijas".

Le digo que es cierto que los hijos son "lo lindo" de la vida, pero que ha hecho otras cosas lindas como perdonar a su madre por haberla abandonado. La ha nombrado varias veces mientras conversamos. No percibo rencor, a pesar de que fue por ese abandono que sucedieron todas sus desgracias. "Hay cosas que siguen doliendo pero *en vez de juzgarla veo en ella los errores que no debo cometer*".

CAPÍTULO 3

El amor no sabe de bandos opuestos

PENSÉ EN TERMINARLE CUANDO SUPE QUE FUE PARAMILITAR PERO PUDO MÁS EL AMOR

Para el sargento de la Policía Juan Carlos Trujillo*, oír que la mujer de la que estaba enamorado, a quien acababa de proponerle que se fuera con él porque lo iban a trasladar de Bogotá a Neiva, era una desmovilizada del paramilitarismo fue como un baldado de agua fría. La había conocido meses atrás como vendedora de un almacén de un centro comercial, nada le hubiera hecho pensar que la mujer de sus sueños tenía ese pasado.

"Cuando él me pidió que fuéramos novios y que me fuera con él, pensé que debía ser sincera", dice Martha Pérez*. "Le dije que tenía que contarle algo que era grave". Juan Carlos recuerda que Martha lloró, le dio vueltas al tema, le pedía que le prometiera que no la iba a dejar, le hizo jurar que lo que le iba a contar no iba a ser impedimento para que su amor continuara. Lo más grave que se le cruzó por la cabeza fue que Martha le fuera a decir que tenía un hijo, pero cuando le dijo que fue paramilitar por nueve años en Remedios, Antioquia, se le vino el mundo encima. "No sabía si salir corriendo, *pensé en mis valores, también en decirle que termináramos pero pudo más el amor.* Me acordé de cuando trabajé en el Magdalena Medio, una zona bajo la influencia de Ramón Isaza, alias 'el Viejo', y me dio rabia porque un día casi nos matan en la Hacienda Nápoles. Es que aunque a los paramilitares a veces los veíamos como amigos, también nos enfrentamos con ellos".

Martha nació en Yolombó, Antioquia. Sus papás se separaron cuando ella tenía tres meses de edad. Su madre no quiso quedarse con ella, así que su papá, quien trabajaba como conductor de tractomula, se la llevó para Bucaramanga. "Él me mantenía en un cajoncito que adornó muy bien, yo crecí a su lado andando por las carreteras de Colombia. Cuando terminé la primaria, a los doce años, no quise estudiar más porque solo quería andar trabajando con mi papá, me gustaba la plata. El día que yo cumplía catorce años mi papá me dijo que iba a hacer un viaje y volvía para celebrarme el cumpleaños, pero se quedó sin frenos yendo de Puerto Berrío a San José del Nus, en una bajada a la que le dicen Puerto Dolores. Cuando me enteré me fui para allá, no dejé que nadie lo tocara, llevé unas bolsas de basura y ahí fui metiendo sus pedacitos. Lo cremé, y aunque él me había dicho que si se moría quería que botara sus cenizas al mar, estuve tres años cargando con ellas, dormía con sus cenizas a mi lado".

Martha quedó con una pensión de trescientos noventa mil pesos, vivía con la señora que la cuidaba cuando su papá salía de viaje, y recibía ayuda de compañeros de carretera de su padre, otros "muleros", a quienes llamaba tíos. Cuando cumplió diecisiete años conoció a una muchacha que era la mujer de un comandante paramilitar, quien la convidó a trabajar en el bloque del nordeste antioqueño. "Me decía que allá no me iba a faltar nada, que debía aprender a manejar la nómina y que no tenía que coger armas. Pensé que no perdía nada, y cuando llegaba la plata, a veces en cajas ensangrentadas llevadas por jóvenes embarrados, no me ponía a pensar de dónde salía ese dinero, me hacía la de la vista gorda. El único día que usé uniforme fue el de la desmovilización, porque el del ejército que estaba a cargo de nosotros me dijo que ese era el símbolo de que yo había estado en el grupo".

Lo único bueno que hubiera podido dejarle a Martha el paso por el paramilitarismo fueron cincuenta millones de pesos que logró ahorrar del salario mínimo que le pagaron, pues dice que no tenía que gastar en nada. No obstante, ese dinero, más los ocho millones de pesos que le dio el Gobierno por desmovilizarse, se los gastó en comprar una moto en la que se accidentó y de la que no quedó nada.

"Esa noche que ella me contó que era desmovilizada hablamos hasta el amanecer, le he vuelto a preguntar muchas veces de esas historias porque las mentiras se pueden distorsionar mucho pero las verdades no. Sé que me ha dicho la verdad. Historias como la de mi esposa hay muchas. Ella vivía con la rabia de que su mamá la dejó y su papá se murió. Ella puede estar bien y de un momento a otro suelta las lágrimas. Yo la he ayudado a que se comporte y exprese mejor en sociedad, logré que acabara el bachillerato, y mi conclusión es que no hay que hacerles daño a las personas que quieren cambiar".

Martha y Juan Carlos decidieron mantener su historia en secreto para evitar ser discriminados. Les pregunto si ya piensan en ser padres. No dicen ni sí ni no. Pero él, desde su experiencia en la policía, dice que ve a diario jóvenes que se dejan tentar por la guerra, y desmovilizados que no aprovechan la segunda oportunidad que les dio la vida. Y ella, desde su pasada experiencia en la guerra, les dice a esos jóvenes que no se vayan a esos grupos a sufrir, y a las madres y padres, que eduquen a sus hijos con amor y comprensión. Hace una pausa y dice con certeza: "Yo voy a ser una buena madre".

El soldado me robó un beso cuando me desmovilicé

Laura* es rubia, tiene ojos verdes, la piel blanca y habla con una suavidad tal que nadie podría pensar que estuvo en la guerrilla. Más aún, su aspecto y maneras la llevarían a ser catalogada como la típica hija "de papi y mami". Justamente por eso su paso por las Farc fue más traumático de lo normal para una joven de su edad. "Me decían que tenía que volverme berraquita como la gente del campo. Yo era la que menos corría".

A los dieciséis años Laura vivía con su mamá y sus tres hermanos en Girardot. Su vida era buena hasta que la mamá se consiguió un novio, y Laura tuvo que empezar a soportar el acoso de ese padrastro. "Yo tenía un novio al que mi mamá me dejaba entrar a la casa, pero cuando mi mamá se consiguió a ese señor, él no quiso que mi novio volviera porque él me quería solo para él e intentó abusar de mí. Yo le dije a mi mamá pero ella no me creyó, estaba enamorada de él y no quería perderlo". Una amiga la invitó a irse para el departamento del Vichada, donde trabajarían como meseras. "Cuando llegamos a Tres Esquinas, en el Meta, había un retén de la guerrilla. Me dijeron que para poder entrar al Vichada tenía que quedarme tres meses con ellos. En ese momento mi amiga me dijo que no me había llevado para 'meserear', sino para hacer parte de la organización. Yo le pregunté por qué me había hecho eso si yo no le había hecho nada malo a ella".

Ya dentro de las filas del Frente 16 de las Farc, Laura se dio cuenta de que estaba embarazada de su novio de Girardot, y como desde que entró a la guerrilla supo que ahí no estaba permitido tener hijos, ocultó su embarazo, y cuando este fue muy evidente se negó a comer para evitar que le echaran algo en la comida que 'le hiciera venir' el bebé. "Un día pedí un vaso de agua y ellos me dieron Frutiño, ahí me habían echado una pastilla para provocar el aborto. Cuando me enfermé llegó un doctor de Brasil que me dijo que había dos placentas y dos bebés. El primero salió completico, al segundo lo vi despedazado".

Laura estuvo en las Farc desde el 2005 hasta el 2009, en ese período intentó fugarse tres veces. "La primera vez estaba haciendo curso de guerrillera, alcancé a llegar hasta la maloka de unos indios, que no me ayudaron por miedo a que la guerrilla tomara represalias contra ellos. La segunda vez alcancé a llegar hasta el Guaviare pero me encontraron y me hicieron devolver caminando descalza. Me puse tan mal que les dije que me mataran, que me hicieran consejo de guerra, pero el comandante Cepillo no dejó que lo hicieran. Y la tercera vez me alié con un compañero que estaba de guardia. Duramos cinco días atravesando el Guaviare desde el Guainía. Cuando llegamos al río Guaviare nos entregamos a un comandante del Ejército".

Ese día acabó su capítulo en la guerra en la que jamás soñó ni pidió estar. Le queda una cicatriz en un brazo, de un tiro que le clavaron durante un enfrentamiento con paramilitares. También los recuerdos del bombardeo de la Fuerza Aérea en el que cayó alias "el Negro Acacio", que dejó a otros dieciséis guerrilleros muertos y a quince heridos. Ella estuvo entre los diez que sobrevivieron. Se terminaron las caminatas cargando coca cristalizada para dejarla en la frontera con Venezuela, y las noches mirando las estrellas y pensando en los gemelos que abortó, mientras se preguntaba si podría volver a tener hijos.

Hoy tiene dos, el padre es el enfermero del ejército que la recibió cuando se desmovilizó. "Yo venía con hongos en los pies, por las botas. Él me estaba limpiando y de pronto me robó un beso. No le dije nada porque también me había gustado desde que lo vi. Cuando me recuperé me mandaron a desmovilizarme a Bogotá. Un día él me llamó y me preguntó si quería ir a conocer el Huila, le dije que sí. Pedí permiso para ir a visitar a mi mamá pero me fui a verlo a él. Estuvimos una semana juntos, regresé a Bogotá y a los quince días me devolví a donde él. En el trabajo lo molestaban, le decían que era insólito que se hubiera casado con una guerrillera. Cuando nació nuestro primer hijo él se retiró del ejército, donde duró siete años como soldado profesional. A veces discutimos cuando estamos viendo noticias, él defiende mucho su Ejército, y yo no es que defienda a la guerrilla pero también *pienso que la sociedad a veces es muy dura con los guerrilleros*".

Laura está validando el grado once de bachillerato, estudia Cocina en el SENA y sueña con ser médica. El reencuentro con su mamá fue emocionante, ella creía que su hija estaba muerta, pues la amiga de Laura que la reclutó le dijo que la habían fusilado por infiltrada cuando descubrieron que llevaba un chip implantado en un seno. "Me pidió perdón, ahí supe que cuando recibió esa noticia falsa de mi muerte dejó al marido que tenía. Yo también le dije que me perdonara porque estando en la guerrilla reflexioné sobre mi comportamiento con ella, le decía que era cansona y aburridora. Entendí que los consejos que me daba mi mamá eran por mi bien".

Mi esposo es policía, yo fui guerrillera. Somos una familia feliz

Pasando la puerta de su negocio lo primero que se ve es una foto del día del matrimonio, enmarcada y colgada en el sitio más llamativo de esa sala. Viéndola, nadie imaginaría que ella fue guerrillera y que él es un policía activo.

"Cuando me desmovilicé hice varios cursos que me llevaron a colaborar con la policía. Éramos desmovilizados de las Farc, del ELN y de los paramilitares, todos trabajando juntos con la policía. No nos preguntábamos mucho en dónde estuvimos en combate y esas cosas porque eso es buscar lo que no se le ha perdido a uno, pero sí pensábamos cómo es la vida que nos puso juntos y nos caemos bien, pasamos chévere, y antes nos hubiéramos podido matar".

—O sea, usted concluyó que se equivocó terriblemente...

—Sí, pero nunca me he arrepentido de haber estado en la guerrilla porque nunca tuve que hacer algo malo, como matar o torturar a alguien, ni cuidar a un secuestrado. Yo fui financiera.

—Pero usted ahora es negociante, y si alguien viniera a cobrarle vacuna como usted lo hacía con otros, ¿no cree que eso sería malo?

—No he pensado en que acá en la ciudad van a venir a cobrarme vacuna, pero igual uno acá tiene que pagar agua, luz, gas, y hasta por mirar televisión y por bañarse. Y no estoy defendiendo a las Farc, creo que se deben acabar, pero nunca vi a la Farc quitarle a quien no tenía, solo a los coqueros o a gente que ganaba plata; por ejemplo, cobraba mil pesos por una canasta de cerveza que un tendero compraba a cuarenta mil pesos y vendía a ciento veinte mil.

Uno de los policías con los que trabajó Marcela era un auxiliar que estaba prestando el servicio militar. Se hicieron amigos, la invitó a bailar, se volvieron novios. Él le dijo que quería presentarse para hacer carrera en la policía y ella le respondió que lo apoyaba pues iba a tener buen sueldo y beneficios, y que a ella también le hubiera gustado ser policía.

—¿Y hablan de su pasado?

—No, no tocamos ese tema, hablamos de salir adelante, de criar a nuestros hijos, de amarlos mucho. Un día algo me preguntó y le dije botemos el pasado y vivamos el presente.

—¿No le da miedo que a él le toque combatir a la guerrilla?

—Sí, sobre todo cuando estuvo en el Esmad, donde le tocaba combatir protestas campesinas. Es que en esas protestas la mitad de la gente es guerrillera y miliciana. Yo le digo que se cuide porque allá la guerrilla va a matar, o mandan mujeres a enamorar policías para sacarles información o matarlos.

—¿Y si él mata a un guerrillero cómo se sentiría usted?

—Lo miraría por el lado de que es un ser humano, ojalá no le toque o que sea por accidente, pero mejor si lo puede capturar para que mi marido no se convierta en un asesino.

Marcela se crió en San José del Guaviare. Dice que tuvo suerte de que su escuela quedaba cerca de su casa porque le tocaba ir a "pie limpio" todos los días a estudiar. Su hermana menor fue reclutada por la guerrilla una vez que salió de paseo a una zona más adentrada en la selva. Explica que se fue a buscarla y no la encontró pero que le tocó quedarse. Ya desmovilizada, se dio cuenta de que a su hermana la habían matado por intentar fugarse. Su hermana mayor fue asesinada por el marido, un familiar de alias "Romaña"; y su hermano también fue reclutado por la guerrilla. A él lo ayudó a fugarse después de que ella se fugó. Además, sus padres fueron varias veces desplazados por las Farc. O sea que haber sido víctima de esa guerrilla no la libró de ser victimaria en las filas de ese grupo. Por eso piensa que en los campos debe haber internados para que los niños estudien y no tengan chance de interactuar con la guerrilla. También pide compasión de la sociedad hacia los guerrilleros, "muchos hace años no ven a sus papás, tienen hermanos que no conocen, han sido campesinos que han tenido que dejar perder sus cosechas, no han podido ni imaginarse cómo es una ciudad ni las oportunidades que brinda. Niños que crecieron con una arepa tiesa como almuerzo, fueron a escuelas donde no había ni libros y mucho menos computadores, con profesores que solo enseñaban letras y números, pero que no entendían sus vidas ni su psicología. *Al niño del campo hay que tratarlo como al pétalo de una rosa para que se enamore del estudio y no de las armas*".

ÉL ERA CASA SOLA Y YO LO VOLVÍ CASA LLENA

Jéssica* era insoportable, agresiva, problemática; y Arbey*, calladito, bien portado. Se conocieron en el hogar para menores desvinculados del conflicto armado que queda en Dosquebradas, Risaralda. Él perteneció a un frente indígena, y ella al Frente Doce. Hoy en día son esposos, tienen dos hijos, él trabaja en una empresa de transporte público y ella como barrendera de la empresa de aseo de la ciudad donde ambos decidieron construir su familia.

"Entré a las Farc a los catorce años, por generación, tenía primos en el grupo. Eso era común entre los miembros del resguardo indígena Emberá Chamí. Estábamos en San Lázaro, en Riosucio, Caldas. Yo creo que el Estado ni sabe que existe eso por allá. Me agarró la policía un día que estaba recogiendo 'vacunas' en San Lázaro. Me dijeron que podía pagar mi condena en el cabildo, pero yo preferí quedarme en el hogar transitorio porque vi que llevaban a los muchachos a estudiar al SENA, les daban dotación de ropa, era como un segundo hogar y eso me empezó a gustar, *se me quitó la bobada de ser guerrillero. Es que esa gente del Hogar es tan preparada que cambió mi pensamiento*". Así resume Arbey su ingreso y salida de la guerrilla, en donde estuvo tres años y medio.

"Me crie en el barrio Nelson Mandela, de Cartagena. Un día vi a los paras matar a un muchacho. Cuando cogieron al líder de la banda que lo asesinó, mi familia y yo nos tuvimos que ir porque nos iban a matar porque pensaban que yo había dicho quién fue el asesino. Llegamos a Puerto Valdivia, en Antioquia, donde mi familia hacía diferentes trabajos de drogas ilícitas. Yo empecé a transportar coca a los trece años. Las Farc me pagaban doscientos mil pesos por cada viaje, así fui entrando en el grupo. En el Frente Doce yo tenía dos tíos y cuatro primos. Me cogieron un día que iba rumbo a Medellín, pensé que me iban a desaparecer, yo creo que me sapiaron, entonces decidí entregarme y entrar al Instituto de Bienestar Familiar", dice Jéssica al empezar a contar su historia como guerrillera.

Cuando Arbey llegó al Hogar de Dosquebradas, Jéssica ya estaba ahí. Dice que empezó a buscarle amistad porque él llegó "casa sola", o sea, no se relacionaba con nadie. "Lo convertí en casa llena", explica entre risas. "Yo era la más mal portada del hogar, tenía a toda la comunidad en contra, pero él me ayudó a mejorar mucho. El día que él cumplió dieciocho años me preguntó si me podía dar algo, le dije sí, y me dio un beso". Arbey se quedó en el hogar hasta que cumplió diecinueve años y como la directora del hogar no le daba permiso a Jéssica para salir a verlo, terminó escapándose del lugar para ir a vivir con él. "Le dije que nos tocaba coger la obligación a los dos porque ambos estábamos en las mismas", dice Arbey. "Fue muy duro porque salimos como de una guardería a defendernos por nosotros mismos. En la Agencia para la Reintegración terminamos el colegio e hicimos cursos en el SENA. Yo en Administración y ella como Auxiliar de Estilista, pero nos dieron lo del proyecto productivo y quebramos. Fueron dieciséis millones, dos en efectivo y el resto en máquinas para poner un Café al Paso. Nos tocó vender todo como por tres millones para al menos recuperar algo". "A veces pasábamos hambre", agrega Jéssica, "y también nos fue difícil encontrar un casa para arrendar porque nos pedían fiador, y quién iba a querer ser fiador de nosotros. Él me decía que me fuera a donde mi mamá mientras se nos mejoraba la situación, pero yo le decía que no, que éramos un hogar y que todo lo íbamos a vivir juntitos porque la unión hace la fuerza".

Esa quiebra ya es etapa superada, hoy ambos hablan con orgullo de sus trabajos. Jéssica cree que además del proyecto social que hizo como parte de los requisitos que hay que cumplir en la ACR, barrer las calles hasta que queden muy limpias y bonitas es su manera de reparar por el daño que causó. "Me siento tan tranquila con mi quincenita, así sea poquita. Hace diez años yo salía con dos o tres millones, ahora me gano el mínimo pero lo que le doy a mis hijos con lo que me alcanza para comprarles, ellos me lo agradecen con un amor que yo nunca tuve cuando era niña, y eso me llena el alma. Es que yo vine a tener muñecas y peluches cuando entré al hogar de Dosquebradas, ya estaba grande pero me gustaba peinarlas y jugar con eso. De niña mis juegos eran corretear marranos con mis hermanas, la gente nos decía 'las cachacas cochinas'. El día que cumplí quince años lo pasé solita, ni felicitaciones me dieron, pero mis cumpleaños ahora son hermosos porque este hombre, este negrito mío, y mis niños me llevan flores y el desayuno a la cama. *Dios me recompensó a pesar del mal que yo hice, por eso me siento con ganas de darle más al mundo.* Yo voy por la calle y veo un niño metiendo *popper* y pidiendo comida y pienso que fui causante de que esas cosas sucedieran. Pero también sé que cuando uno está en la guerra no piensa si lo que está haciendo está bien o está mal, sino solo en que hay que seguir órdenes. Me duelen los hijos que dejé sin papá", Jéssica interrumpe el relato para aclarar su voz y limpiar sus lágrimas. "Pero eso es el pasado, ahora tengo que pensar en mis hijos, en que ellos nunca pasen ni por lo mínimo de lo que nosotros pasamos".

Le pregunto a Jéssica y a Arbey si no han pensado en contar qué pasó con gente que ellos mataron en la guerrilla, a la que sus familiares siguen buscando. Se miran con desazón. Arbey dice que a él le pesa mucho un muchacho al que le tocó coger porque se voló del frente. "Él lloraba, me pedía que no le hiciera nada, lo amarramos como a un marrano, lo llevamos a un filo de una montaña y le dijimos que no le iba a pasar nada. Dos de nosotros se fueron a abrir el hueco para echarlo, pero le dijimos que se habían ido a comprar una gallina para darle de comer. Él quedó allá enterrado".

—¿Y por qué no busca a la familia del muchacho para que al menos sepa dónde ir a buscar los restos?

—No sé dónde está—.

Jéssica interrumpe la conversación: "Si fueran mis hijos, claro que quisiera al menos saber dónde están los restos, pero esto es un tema de supervivencia. Eso lo hicieron entre cuatro, a uno de ellos ya lo mataron. A Arbey le atormenta mucho eso, yo le digo que no fue su culpa porque él tenía otros tres detrás, y si no cumplía la orden, era su cabeza la que iba a rodar".

Esas son las atroces complejidades de la guerra. Jéssica y Arbey aceptan que afectaron civiles pero argumentan que el Estado puso a los civiles de carne de cañón al ofrecerles plata para que colaboraran. Aclaran que entienden que la población civil aceptó colaborar con el Estado porque la guerrilla azotaba con el cobro de vacuna al campesino que lograba progresar a punta de su trabajo. Arbey cree que al mayor de los hijos hay que empezar a contarle el pasado de sus padres, Jéssica cree que es mejor no hacerlo, le da miedo que lo use de excusa para entrar a la guerra. Prefiere aferrarse a la leve esperanza que tiene en el proceso de paz, y creer que si se firma, sus hijos tendrán un mejor futuro.

CAPÍTULO 4
¿Cárcel o segunda oportunidad?

El amor me hizo perder la guerra

"Me gustaban las armas, los uniformes, veía a los militares muy elegantes y con ese respeto que inspiraban". Por eso Marcos* no veía la hora de ser mayor de edad para poder entrar al Ejército, y hasta sacó una cédula falsa, o como él dice, la "chimbeó" para que lo aceptaran, pero cree que no pasó porque tenía una muela picada. Entonces no se aguantó y entró a los paramilitares. "Yo era de Urabá y tenía muchos amigos que ya eran paramilitares, uno de ellos me dijo que los pro eran que iba a ser respetado, y que podía portar el uniforme y el arma que tanto quería; y que el contra era que me podían matar si me portaba mal. Yo ya era pandillero del sector de Guadalupe, en Medellín, y por eso me buscaban a mí y a los que ya teníamos experiencia en pandillas porque conocíamos la zona. La primera salida fue con alias 'Doble Cero', del Bloque Metro, pero luego nos trasladaron a sesenta de nosotros a Nariño, a Bocas de Satinga y a San José, para limpiar 'la maleza' de la parte baja del departamento, con base en informantes. Se formó así el Bloque Libertadores del Sur de las Autodefensas".

Marcos es el séptimo de una familia de nueve hijos. El padre murió cuando él tenía cinco años, electrocutado por un cable de energía cuando, estando borracho, se subió al poste que lo sostenía. La madre, sola, cristiana, no pudo controlar a sus hijos, "no tuvo la fuerza, nos veía con cuchillos y nos decía que buscáramos a Dios pero no le hacíamos caso. Dos de mis hermanos se fueron a las Farc pero luego uno de ellos se salió y se volvió cristiano, y otro se fue a trabajar al Inpec".

La formación de Marcos para ser paramilitar duró tres meses, fue en la conocida "Escuela Corazón", donde entró a un curso con doscientos jóvenes. "Nos enseñaron que no podíamos portarnos mal con el pueblo, solo con la 'maleza', que había que mantener el orden público y poner orden en las calles. Y en cuanto a las técnicas para matar yo prefería el machete a la motosierra porque eso salpica mucho, claro que lo mejor es pegar un tiro. De todos modos, el fastidio por el olor a sangre se pierde por completo, se vuelve como oler cualquier cosa, como oler gaseosa. También se pierde el cargo de conciencia. Lo de la cooperación con el Ejército era de varias formas, ellos nos dejaban espacio libre para que transportáramos nuestra tropa, o se simulaba una especie de combate y como nosotros ya sabíamos quiénes eran los que la debían, los cogíamos y se los entregábamos al ejército". Pero a los nueve años de estar en esa vida Marcos vivió algo que se le salió de las manos. "Eso redujo mi capacidad de mando, enamorarme fue un error para la empresa, yo hasta ese momento solo había estado enamorado del uniforme. Al principio solo quería estar con ella como con todas las que había estado, por estar, por sexo, pero ella me enamoró. Y cuando tuvimos el primer hijo empecé a sentir cosas diferentes, ese muchachito fue el que me cambió el pensamiento".

Para entonces se dio la negociación de los paramilitares con el gobierno de Álvaro Uribe, y Marcos aceptó desmovilizarse, igual lo hicieron sus ochocientos compañeros del Bloque Libertadores del Sur, al mando de alias "Pablo Sevillano" y "Julio Castaño". "A los seis días de haberme desmovilizado me paró la policía y al revisar mi cédula aparecí como reo ausente por hurto simple. Fue de una vez que íbamos a robar unas pipetas de gas para hacer un atentado. Estuve veintisiete meses en la cárcel de Villanueva, en Cali, y mientras estaba preso pensaba solo en salir a buscar contactos, me hacía falta matar. Pero mi mujer siempre me aconsejaba, y cuando cumplí el tiempo para que me dieran el beneficio de casa por cárcel me fui a trabajar en la rusa (albañil). Firmaba el papel cuando iba el Inpec a verificar que estuviera en la casa y luego salía a trabajar".

Para fortuna de Marcos y de sus potenciales víctimas, la Agencia para la reintegración decidió darle una segunda oportunidad a los desmovilizados que, como él, no pudieron iniciar el proceso de reintegración cuando dejaron las armas, por tener cuentas pendientes con la justicia. "Cuando nos convocaron en el Coliseo de El Pueblo yo ya había hecho contacto para trabajar con las bacrim en La Guajira, pero mi mujer me dijo que aprovechara esa segunda oportunidad que me estaban dando para tener un proyecto productivo si cumplía con el requisito de formación para el trabajo y formación académica. Entonces hice tres cursos de cocina, mesa y bar, y luego entré a un proyecto de la Fundación Carvajal, que nos dio tres años de capacitación. Eso me hizo pensar en cosas distintas a lo que yo pensaba cuando estaba en las autodefensas, solo matar para sobrevivir".

Roberto Pizarro es el presidente de la Fundación Carvajal. Hace un tiempo uno de los miembros de su junta directiva le preguntó si había pensado en algo que la fundación pudiera hacer para cuando llegaran todos los desmovilizados que iban a llegar a Cali cuando se firmara un acuerdo con la guerrilla. Roberto consultó el programa de la Agencia para la Reintegración y decidió emularlo desde el sector privado. "Hay cosas que la rigidez de lo público no permite hacer, pero creamos el programa basado en los mismos principios que tiene la agencia: que estudien, que asistan a talleres psicosociales y que se capaciten en un arte o un oficio. Empezamos con ciento cuarenta muchachos en Cali y sesenta en Buenaventura. La mayoría habían sido reclutados a los doce años. Les pusimos profesores especializados en educación para adultos con baja escolaridad, y mientras que el programa de la agencia tenía un profesional para ciento sesenta desmovilizados, nosotros teníamos uno para sesenta. Trabajamos mucho con sus esposas y sus hijos para que los tuvieran entusiasmados en lograr un cambio en sus vidas, les ayudamos a conseguir trabajo pero no el que nosotros quisiéramos sino el que ellos decían que querían tener. A los empresarios que los contrataban les hacíamos acompañamiento para que se sintieran tranquilos. Mi balance es que solo un quince por ciento tiene demasiado metida la guerra en la cabeza, y algunos de esos porque tienen problemas de drogas y alcohol, a esos los metimos a clínicas de desintoxicación". De ese programa salieron también varios proyectos empresariales, al tiempo que se evidenció que si bien los desmovilizados son muy buenos trabajadores, les falta liderazgo y se les dificulta trabajar en equipo, por eso identificaron a los que mostraron el potencial. Marcos fue uno de ellos.

"La empresa se llama Agarraderas*. Además de la capacitación de Carvajal, usamos el capital semilla que nos dio la Agencia para la Reintegración, y recibimos apoyo de Usaid, OIM y Phillip Morris. Empezamos con un cliente comprometido en comprarnos, que fue Eternit. Jamás en mi vida había pensado en ser empresario, y menos asociado con guerrilleros. Empezamos cuatro de las AUC y cinco de la guerrilla. Yo soy el presidente de la junta directiva, el gerente suplente y también operario de planta. A uno ya lo sacamos por indisciplina, y tenemos tres empleados que no son desmovilizados. La primera factura que hicimos la tenemos enmarcada en la empresa. A veces me pellizco para entender que esto no es un sueño".

Roberto dice que la Fundación Carvajal ha ido retirándose poco a poco de la supervisión de las empresas que les ayudó a crear a los desmovilizados, en la medida en que ve que ellos ya solucionan solos los problemas que se les presentan. Por ejemplo, los socios de una de las empresas más exitosas de este proyecto, Maderas y Maderas*, que facturó mil cuatrocientos millones de pesos en 2014, entendieron que si perdieron un contrato con Bavaria, que además fue la que donó los equipos para que arrancaran el proyecto, no fue porque Bavaria los quiso perjudicar sino porque ellos tienen que ofrecer un producto competitivo.

"Vemos un problema y es que ellos salen de sus empresas, donde deben cumplir reglas, pero llegan a barrios donde las condiciones de inseguridad hacen que todo valga. En Colombia hay que hacer miles de proyectos como estos, no solo con desmovilizados. La Fundación Carvajal lo hace también con población vulnerable que no ha estado en armas, pero no podemos dejar a los desmovilizados de lado porque si no los ayudamos vuelven a echar bala. Y *las empresas pueden hacer esto sin afectar sus ingresos.* Carvajal en seis años ha gastado unos doscientos millones de pesos en este proyecto. *Eso es más barato que pagar escoltas o más impuestos al patrimonio*".

Le pido a Marcos que me muestre las manos, la piel es dura y áspera. Le pregunto si no le hace falta tocar las armas que tanto le han gustado. Me dice que sigue viéndoles la belleza pero que ya no ve ganancia en tener una.

—¿Y los muertos?

—Mi mejor reparación es trabajar en algo que me permite ganar un sueldo dignamente.

—¿Cómo les va a explicar su vida a sus hijos cuando crezcan?

—Va a ser duro, pero yo no tengo cargos de conciencia porque estoy haciendo lo correcto. Les diré que hice muchas cosas malas pero que por ellos dejé de hacerlas. Y con mi esposa tenemos el trato de que ella se queda en la casa con los niños para que no cojan la calle. Me siento muy bien con esta nueva vida, "súper", como se dice.

—Entonces el amor le ganó a las armas...

—*El amor me hizo perder la guerra pero me hizo ganar mucho más.*

Si todos los responsables tuvieran que pagar, Colombia tendría que volverse una cárcel: Jorge Ballén, empresario de Panaca

Jorge Ballén, exitoso empresario conocido por ser el gestor del Parque Panaca, cuestiona por qué muchos ven como delito haberle dado plata a las autodefensas pero no habérsela dado a las guerrillas. "Le he dado plata al EPL, a las Farc, a los paras. No había otro camino, no había autoridad ni respaldo del Estado, entonces fui cómplice de todos. Y pueden ponerse a buscar la verdad pero la verdad siempre va a ser a medias".

Así, pragmático y directo, Ballén, un enamorado del campo, creció jugando con los hijos de los mayordomos de las fincas de su familia, y a pesar de lo oposición de su madre, estudió Agronomía en la Universidad Zamorano en Honduras. "Es como el Harvard de la agronomía, fue creada en los cuarenta del siglo pasado por las multinacionales gringas para promover el negocio frutícola en el trópico". Su mamá se resignó a que no fuera médico, y cuando se graduó de agrónomo y lo contrató una multinacional bananera que en 1976 le iba a pagar un salario de mil doscientos dólares al mes, ella lo acompañó orgullosa al aeropuerto para que se fuera a Urabá. "Pero la hice llorar porque no cogí el avión, me devolví, le dije que no quería ser empleado, y a los cuatro años tenía una finca vecina a la de Mr. Howard, que era el señor que me iba a contratar". Como ha sido un hombre del campo se siente con la autoridad para hablar del conflicto colombiano. Dice que de los ocho mil guerrilleros que hay en las Farc, quinientos son narcoterroristas multimillonarios a los que no les cree sus intenciones de paz, y siete mil quinientos son secuestrados y esclavos de guerra a los que hay que educar para el trabajo. "La guerrilla ha sido el verdugo del campesinado, no el redentor social que dice ser".

Para no cruzar la raya entre ser un extorsionado por el terrorismo y un patrocinador de este, Ballén dice que ha usado la mentalidad del gato. "En Colombia estamos vivos los que no hemos sido bobos. Yo me fui de Arboletes cuando vi que si me quedaba tenía que tomar partido. ¿O mire quién era Mancuso, quién era Hazbún? Eran empresarios rurales forzados por el abandono estatal a tomar partido. Vendí todo y compré en el Quindío, donde solo había guerrilla en las cabeceras, y monté Panaca debiéndole el ochenta y cinco por ciento a los bancos, y como vi que hacía falta mano de obra calificada monté una escuela de formación para el campo, con un programa que dura noventa días".

Jorge Ballén dice que el circuito de formación a los campesinos es perverso, pues empieza con las armas, al cambiarles el azadón por el fusil que les dan cuando se los llevan a prestar el servicio militar, y que cuando terminan no lo quieren volver a cambiar por el azadón porque las muchachas del pueblo ya no desean acostarse con el del azadón sino con el del fusil, que luce poderoso. Entonces toman el fusil que les da la guerrilla, o el grupo paramilitar, o el de bacrim. "Un niño se monta en un burro en Acandí por dos horas para llegar a una escuela a que le enseñen álgebra y química, pero no le enseñan piscicultura básica, o sea, qué es lo que hay en las quebradas de los montes por donde pasa con su burro y cómo lo puede aprovechar. Le enseñan a irse del campo".

En la escuela de formación para el trabajo de Panaca hay un grupo de cuarenta desmovilizados de varios grupos armados, entre ellos una parejita que perteneció al ELN. Betsy* y Jaider* son el claro ejemplo de la problemática que explica Jorge Ballén. Jaider, quien entró a la 'Compañía María Eugenia Vega que opera en Antioquia', dice que ingresó a los quince años al grupo por la curiosidad que le despertaban las armas, y que pensó que eso era lo mismo que irse al ejército porque los milicianos le decían que iban a luchar por un nuevo gobierno. Marly, quien solo duró un año en la filas, cuenta que hizo hasta tercero de primaria porque le tocaba caminar una hora por el monte para llegar a la escuela y a sus papás les daba miedo que corriera peligro. “Lo bueno de la guerrilla es que allá uno aprende muchas cosas, aprendí a ser mujer, a conocer más de la vida, aprendí mucho más en un año de lo que toda la vida en mi vereda. Lo maluco es que toca extorsionar, matar, pero pues allá es con órdenes y toca obedecer. Pero al menos yo ya salí y ahora tengo la oportunidad de estudiar. Mis hermanos en cambio sí siguen allá en la finca, haciendo lo mismo todos los días. Si yo me hubiera quedado allá con mis papás, mi único futuro hubiera sido hacer los oficios de la casa”.

En el grupo de alumnos está también Carmelo*, quien duró treinta años, según sus palabras, sirviéndole a la subversión. “Era un niño en El Castillo, Meta. A los siete años mis padres me metieron a un grupo de pioneros donde nos ponían a jugar y nos enseñaban la ideología de luchar contra el Gobierno por el bien de los campesinos y los pobres. A los once me metieron a la Juventud Comunista, Manuel Cepeda Vargas dirigía el grupo. Y a los doce y medio me llevó la guerrilla. Mis papases no querían, aunque ellos eran comunistas, pero no valió oponerse. Así nos pasó a tres de los siete hermanos”. Carmelo fue por ocho años escolta de Manuel Marulanda Vélez, alias “Tirofijo”, en los años ochenta cuando se logró un acuerdo de paz entre el enviado del presidente Betancur, John Agudelo Ríos, y varios grupos guerrilleros. En el Frente 17 trabajó también para Alfonso Cano, pero a pesar de estar tan cerca de los jefes, al desmovilizarse, no le encontraron antecedentes judiciales. “Desde hace años quería salirme, no estaba de acuerdo con que le cobraran vacuna a la gente que solo tiene sus medios para vivir, pero uno allá adentro no puede contrariar las normas porque eso es un delito. Me daba miedo salirme por las represalias de la guerrilla y del ejército. Duré once años sin ver a mi familia, mis papás murieron y yo no pude ir al entierro, ni me enteré, me mandaron la foto de mi mamá muerta, quedó toda linda la viejita. Y tampoco supe sino hasta que me desmovilicé, que un hermano mío murió al pisar una mina que instalaron los del frente en el que yo estaba”.

Las historias de Carmelo son interminables, dice que Tirofijo era amoroso y bueno pero que los comandantes no siempre le hacían caso y por eso cometían errores con la población civil, en cambio dice que la muerte de Alfonso Cano no la lloró porque Cano por todo mandaba a amarrar a la gente. Su entusiasmo por la oportunidad que está recibiendo es inocultable, apenas está aprendiendo a leer y a escribir y ya le hace poemas de agradecimiento a Panaca y a las organizaciones que apoyan el programa educativo que está recibiendo. Dice que nunca votaría por un guerrillero para ningún cargo público porque se siente víctima de la guerrilla, y no ve la hora de acabar el curso para emplearse como mayordomo o administrador de una finca. "Los que ya estamos afuera vamos a servir de ejemplo para los que aún están adentro, pero *si la sociedad nos rechaza no se va desmovilizar más gente.* Por fortuna, y aunque no merezco nada, yo he recibido más de las personas a las que nos enseñaron a odiar que de las personas que nos enseñaron a odiar".

Jorge Ballén dice que mientras Carmelo, Betsy y Jaider se están desmovilizando, él se está movilizando. "La sociedad civil es timorata y por absoluta ignorancia sobre el conflicto no ha querido ayudar a solucionarlo. *Los desmovilizados tienen más voluntad de paz que nosotros,* el campo les sabe a mierda porque ha sido su campo de batalla y no su campo de progreso, pero si les enseñamos a ser porqueros, tractoristas, ordeñadores, galponeros, mayordomos, así sigan siendo analfabetas, si se les ayuda a conseguir un empleo rural van a estar más agradecidos que un citadino al que se le da un posgrado".

A LOS EMPRESARIOS HAY QUE HABLARLES EN SU LENGUAJE, EL DE LA COMPETITIVIDAD

Los tres son desmovilizados del paramilitarismo pero no se conocieron cuando estaban en las filas, solo ahora que se asociaron para tener un negocio propio. A días de abrir el local, una franquicia de una cadena de tiendas de barrio, Ofelia*, Gonzalo* y Olivo* piden perdón y recuerdan que su ingreso a las filas fue en condiciones desesperadas. "Yo tengo siete hijos, mi marido me abandonó. Trabajaba en una casa de familia pero la plata no me alcanzaba. En el bloque me ganaba cuatrocientos ochenta mil pesos mensuales, ahora la ACR me da trescientos cincuenta mil pero tengo la salud para mis hijos y vivo tranquila", así resume Ofelia su antes y después de las autodefensas en el Bloque Norte para el que prestó servicios de contrainsurgencia wayú. Gonzalo dice que tras cuatro meses desempleado, sin poder ejercer como albañil, que era lo único que sabía hacer, y con una hija recién nacida, aceptó el salario de trescientos cincuenta mil pesos que le ofreció el Bloque Elmer Cárdenas, en el Chocó. Estuvo cinco años sin llamar a su casa, al punto que su familia, creyéndolo muerto, le hizo un velorio. Y Olivo aceptó un salario igual que el de Gonzalo, que era más de lo que ganaba como embolador de zapatos. Sus servicios los prestó al Bloque Minero.

Los tres reservan sus nombres de pila porque temen que la sociedad los reciba mal y los ataque. Ofelia, por ejemplo, recuerda que cuando estaba estudiando en el programa para educación a los reinsertados, ella y otros desmovilizados estaban mezclados con desplazados, quienes no sabían que entre sus compañeros había excombatientes de grupos ilegales. "Cuando ya llevábamos siete meses estudiando juntos, el profesor dijo que hiciéramos una reconciliación con las víctimas y empezamos a hacer una trenza. En el proceso los desplazados se dieron cuenta de quiénes éramos nosotros y eso fue un desastre. Unos lloraron, otros dijeron que siguiéramos siendo amigos, y nosotros les pedimos compasión. El profesor renunció y nosotros nos salimos de estudiar".

Son las cosas que han pasado al ir construyendo sobre la marcha el programa de reintegración. Justamente, es por esa experiencia ganada que la agencia ha flexibilizado la manera como el sector privado se puede vincular con este programa de ayuda a los desmovilizados. María Claudia Trucco, directora de la Fundación Surtigás, una de las empresas que apoya la cadena de tiendas de barrio para desmovilizados, así lo explica: "Estas tiendas son una iniciativa de Fenalco Atlántico y Coltabaco que funcionan con plata de Usaid y la capacitación de la ACR. Nosotros no queríamos vincular reinsertados porque de alguna manera pensábamos que eso era vulnerar nuestro sistema, ya que eran ellos, antes de desmovilizarse, los que nos volaban los tubos del gas, pero decidimos intentarlo. Lo hicimos regalando secadoras y lavadoras a las tiendas, para que generaran un negocio de lavandería dentro de sus locales, que además a nosotros como empresa nos genera ingresos, ya que ellos consumen nuestro gas, y si venden lavadoras o secadoras a sus clientes, se las financiamos a través del programa Brilla, por el cual cobramos un interés. Al mismo tiempo, también apoyamos a víctimas del conflicto con programas como el de Jóvenes con Valores Productivos, en el que formamos ciento cuarenta desplazados y pobres extremos, que puedan ser nuestros proveedores directos, o ser contratados por nuestros contratistas, con los que tenemos un acuerdo voluntario para que contraten a ese personal formalmente, cumpliendo con todas las condiciones laborales". Le pregunto a María Claudia si esto, antes que un plan de la empresa para apoyar a estas poblaciones, no es una forma más de crecer su negocio. Dice que a los presidentes de las empresas hay que hablarles en su lenguaje, "son negocios inclusivos. En vez de decirles que hay que adoptar estos programas de manera obligatoria, hay que hacerles ver que con ellos van a ser más competitivos".

Antes de despedirme de Ofelia, Gonzalo y Olivo, les pregunto sobre la reparación a sus víctimas. Paran de limpiar el piso y los enfriadores que en un par de días ya estarán surtidos con los primeros productos que venderán a los vecinos. Aceptan que aún conocen verdades que no han contado pero dicen que no saben cómo contarlas a los interesados. "Yo desaparecí a la hija de una comadre mía porque ella era una guerrillera infiltrada en mi grupo y me di cuenta de que me iba a 'vender'. Yo sé que la mamá sigue sintiendo mucho dolor y que yo le podría decir dónde están los restos de su hija, pero si hago eso de pronto toma venganza contra mí. Es que de mi familia ya han matado a siete personas".

—¿Y por qué no le manda a decir eso con un cura?

—No se me había ocurrido, pero me ha dejado pensando.

Los desmovilizados no son monstruos: empresarias de Uniformar

"No queríamos recibir reintegrados en la empresa porque ya dormíamos tranquilas, pues estábamos haciendo un buen trabajo social al contratar madres cabeza de hogar, pero la profesional de Acopi nos convenció de contratar uno, una vez que fuimos a hacer una donación y le dijimos que estábamos buscando un mensajero. Así entró Luis y es lo más bonito que nos ha pasado en Uniformar".

Mónica Sánchez y Liliana Ospina se conocen desde el colegio y son socias de su empresa de uniformes hace dieciocho años, tienen sesenta y tres empleados y dicen que manejan su empresa como una familia porque las empresas son equipos que no se pueden deshumanizar. A Mónica la ha parado dos veces la guerrilla en viajes por carretera, una vez le quitó plata subiendo al alto de La Línea, y otra vez le sacó gasolina del carro, yendo hacia Medellín, esa vez estaba en embarazo. "Yo me oriné, fue un susto horrible". Hoy lamenta haber tenido que dejar ir de su empresa a un desmovilizado de la guerrilla porque la vocación de ese joven era la cocina y no la costura. Ella y su socia, a pesar de que sabían que podían perder a un buen empleado, le patrocinaron estudios de cocina para que pudiera dedicarse a lo que lo hacía feliz. Pero les queda Luis. "Luis es el único de nueve mensajeros que hemos tenido que no nos ha robado. El pasó un proceso de selección muy estricto, no solo por el filtro que hace la Agencia para la Reintegración para buscarles trabajo a los desmovilizados, sino el que nosotras le hicimos, pero no le preguntamos qué hizo él en la guerrilla, si secuestró, si mató; de su vida en la guerrilla nos hemos ido enterando por las entrevistas que le han hecho, por ejemplo, que lo reclutaron un día que estaba jugando fútbol y nunca más volvió a ver a su familia; a la que, por cierto, encontramos hace tres años".

Al contratarlo, ambas convinieron no decirles a los demás empleados que Luis era desmovilizado, pero un día por una actividad que hicieron salió a flote que a dos de las empleadas la guerrilla les había asesinado familiares. Además, como han contratado muchas mujeres de la comunidad indígena emberá, desplazada por la guerrilla, tuvieron un encuentro que las llevó a un momento de reconciliación que ellas describen como muy bonito. "Tenemos empleados que representan cuatro partes del conflicto y somos una comunidad en paz".

Liliana es callada y Mónica es elocuente; Liliana es cristiana y Mónica muy católica, votaron por candidatos distintos en las últimas elecciones presidenciales y por eso dicen: "Si podemos trabajar felices y bien nosotras que pensamos tan distinto, ¿por qué no va a poder hacerse lo mismo con el país que está dividido? Y si desde la empresa privada no aportamos, ¿cómo vamos a lograr la paz, si la paz cuesta plata?". Así contestan cuando les pregunto si están preparadas para pagar más impuestos para financiar el posconflicto, y enfatizan que Luis, como los otros desmovilizados que han tenido no son monstruos.

"A Luis lo incapacitaron treinta días y a los dos días vino a trabajar que dizque porque no quería perder el trabajo; ellos no conocen sus derechos. Acá con nosotras ha ido conociendo cuáles son sus derechos, formando su carácter. Qué dicha que Luis esté trabajando para nosotras en vez de seguir en la guerrilla. Si tanta gente se va a salir del conflicto, nosotros como empresarios tenemos la obligación de ofrecerles empleo digno. Y a los de la cúpula, pues no votaríamos por ellos, pero si pudieron crearse esta guerra tan berraca, ¿no podrán también hacer algo bueno muy berraco? *Si ponemos a trabajar a toda esta gente, ¿este país no sería un mejor vividero?*".

Tenemos que invertir con mayor riesgo y quizá con menor retorno: Fundación Social

Carmenza Labrador* luce un pantalón negro, ancho, plisado; y una camisa bordada con un ligero escote en la parte baja de la espalda. La confección de su vestuario es de tan buena calidad, la hace lucir tan elegante, que parece salido de la vitrina de un almacén de diseñador. Pero Carmenza vive en Bosa, un barrio marginal de Bogotá, y por supuesto no tendría cómo pagar lo que cuesta una prenda tan exclusiva, sin embargo cuenta con el talento para hacérsela ella misma. Su talento para coser es heredado de su madre, y ambas tienen fama, por eso cuando los paramilitares necesitaron una costurera que les montara una fábrica de uniformes fueron directo a buscarla. "Yo vivía en San Pedro de Urabá, tenía siete meses de embarazo, vivía con mi mamá porque mi esposo se había ido con otra. Ellos me llevaron unas telas y me pidieron unas muestras. Dos meses después de nacer la bebé me volvieron a buscar pero esa vez para que me fuera con ellos, me dijeron que me podía llevar a la bebé pero que a los otros dos hijos los dejara con mi mamá y que iba a poder salir a verlos cada quince días. Hasta ahí yo no sospechaba nada, pensé que estaba trabajando para el ejército. Un día llegó un señor que se presentó como Carlos Castaño, comandante de las AUC, me preocupé y le pregunté si las prendas que yo hacía no eran para el ejército. Me respondió que eran la misma cosa y que no me preocupara que nada me iba a pasar. Ellos no me obligaban a estar ahí ni me amenazaron, pero yo sí sentía que si me iba podía meterme en problemas o pasarle algo a mis hijos". Fueron cinco los años que Carmenza estuvo en el Bloque Héroes de Tolobá, con influencia en Córdoba y Urabá, sin embargo por un tiempo la llevaron con todo, máquinas y personal, a Buenaventura. Le explicaron que era menos riesgoso eso que mandar los uniformes hechos desde Córdoba hasta el puerto sobre el Pacífico. No resultó tan segura la movida, ya que la policía descubrió el lugar y capturó a todos los que estaban ahí. "Estuvimos cuatro meses en la cárcel. Las autodefensas pagaron los abogados y nos hicieron firmar que íbamos a seguir trabajando con ellos al salir, pues si no nos podíamos quedar cuarenta años en la cárcel. A la jueza le dijimos que no sabíamos para quiénes estábamos trabajando, que simplemente nos hacían llegar las telas y que nosotros hacíamos siempre el mismo número de uniformes de cada talla".

Cuando llegó la época de la desmovilización a Carmenza y los del taller les dijeron que ellos no se desmovilizarían porque su única arma era una tijera, pero un día los sacaron a las dos de la mañana y los llevaron a Valencia, en la vereda La Rusia, donde los concentraron quince días. "Yo iba bajo el mando de alias 'Don Berna'. Cuando empecé a ver que llegaban los de la Cruz Roja, la Defensoría del Pueblo y nos leían nuestros derechos, sentí que llegué a la libertad. Mi pasado judicial estaba limpio así que pude entrar a la Agencia Colombiana para la Reintegración y ahí me ayudaron a montar mi tallercito. Me quedé en Valencia pero a los dos años aparecieron las tales Águilas Negras a decirme que les hiciera uniformes, y como les dije que no al otro día pasaron disparando frente a mi casa. Tuve que irme a Medellín con mis hijos y allá monté un restaurante, pero me llamaron a decirme que ya me tenían ubicada, y decidí venirme a Bogotá. Acá trabajé dos años en una empresa de uniformes blindados, y con la liquidación, un apoyo de la Secretaría de Gobierno y capacitación de Coca-Cola Femsa a través de la ACR compré cuatro máquinas para montar mi propio taller".

—Usted ha recibido apoyo del Gobierno y del sector privado a pesar de haber hecho parte "de los malos". ¿Qué le dice a la gente que considera injusto que "los buenos" no reciban el mismo apoyo que recibieron los que estuvieron del otro lado, como usted?

—Me arrepiento de haber estado en eso. Yo lo hice por ignorancia, en el momento no vi otra opción para garantizar el estudio para mis hijos. Hubiera podido irme a trabajar a Venezuela, donde tengo familia, pero en ese momento no lo pensé. Pero mire, a mí no me dan contratos porque yo sea desmovilizada, a mí me dan contratos porque toco puertas y hago un buen trabajo, de hecho no todos mis clientes saben que soy desmovilizada.

Uno de los clientes que sí sabe que Carmenza es desmovilizada es la Fundación Social, que le compra parte de los uniformes para sus empleados. Eduardo Villar, presidente de la Fundación, dice que hacen esto teniendo cuidado de no cometer una injusticia en nombre de la justicia, es decir, en no desplazar proveedores que no han empuñado las armas para darles contratos a los que sí lo han hecho. "Nosotros podemos contratar cuatro desmovilizados como mensajeros pero eso no arregla el problema, por eso hemos decidido hacer cosas más estructurales. Como somos también banqueros, nos hemos arriesgado a prestarles plata a los desmovilizados para que saquen adelante proyectos productivos. El resultado ha sido bueno. Les hemos abierto cuenta a veinticinco mil desmovilizados, hemos financiado ciento diez créditos de consumo, a treinta y cinco les hemos dado tarjetas de crédito y a dieciocho les hemos financiado vivienda. Procuramos que al menos parte de los regalos de Navidad que damos sean fabricados por reinsertados y así también mandamos un mensaje a quienes lo reciben. Y en casos especiales hacemos donaciones directas como a uno que va en noveno semestre de Medicina y es muy inteligente, al que le dimos la dotación de elementos para estudio".

La Fundación Social ha acompañado procesos de apoyo a excombatientes ilegales desde hace veinticinco años, estuvieron con "elenos" de la Corriente de Renovación Socialista y con los desmovilizados del EPL durante el gobierno de César Gaviria, también con expandilleros de las comunas en Medellín. Esta experiencia les ha enseñado que *es más efectivo el trabajo individual que el grupal con quienes dejan las armas.* "Hay que aceptar que esas personas tienen un pasado, que hay que darles herramientas para que puedan funcionar en sociedad, y que eso supone un riesgo que hay que correr con o sin acuerdo de paz en La Habana. Hay que llegar a las zonas donde el hecho de que ya no haya guerra no quiere decir que haya paz, pues la gente de esas zonas sigue sin opciones de empleo, y sin la presencia del Estado.

A los empresarios nos toca entender que tenemos que invertir, no a pérdida, pero sí con mayor riesgo y probablemente con menor retorno. No en las ciudades ya desarrolladas como Cali, Medellín, Bogotá y Barranquilla, sino en las que el desarrollo depende de que nosotros lleguemos. La Fundación Social ya lo está haciendo con dos proyectos productivos en zonas donde por lógica empresarial no iríamos pues son zonas complicadas, pero creemos que tenemos la obligación de hacerlo. No podemos confundir de manera simplista el acuerdo de paz con la reconciliación, *podemos hacer reconciliación sin que haya acuerdo de paz, y puede haber acuerdo de paz sin reconciliación, lo que llevaría al fracaso del acuerdo*".

Como soy cocinero, estoy cocinando la paz de Colombia: chef Juan Barrientos

"Romero es el cocinero que más ha durado con nosotros en El Cielo. Él perdió a su mamá por un ataque de la guerrilla, también a uno de sus hermanos, y además perdió un ojo y una pierna por una mina antipersona, las tres pérdidas en diferentes circunstancias. Un día le dije que le tenía una misión muy difícil pero que no lo iba a obligar si no quería hacerla. La misión era conocer a los guerrilleros que mataron a su familia".

Así es como Juan Manuel Barrientos cocina la paz, pues dice que eso es lo que le corresponde hacer, como chef que es. Ese encuentro de Romero, soldado retirado del Ejército, también lo preparó hacia el lado de los victimarios, entre ellos una que fue reclutada por las Farc siendo una niña, cuyo trabajo en la guerrilla era poner minas antipersona. "Le expliqué que a los desmovilizados en la Agencia para la Reintegración los tratan como víctimas por el hecho de que fueron reclutados siendo niños, pero que al enfrentarse a la sociedad esta los trata como victimarios". El encuentro quedó registrado en video; Romero se pone a llorar, dice unas palabras, se quita su chaqueta y se la entrega a uno de los desmovilizados, al tiempo que le dice: "Acá empieza la paz de Colombia".

La imagen es, para decirlo en términos culinarios, solo la cereza de un pastel que Juan Manuel Barrientos empezó a preparar sin saberlo. "Cuando iba a hacer la primera comunión estaba muy entusiasmado con la fiesta con la que íbamos a celebrar, pero mi mamá me llevó a la casa de una señora a la que se le había caído el techo, y me preguntó si quería una fiesta o que usáramos la plata de la fiesta en repararle el techo a la señora. Obviamente no tuve fiesta de primera comunión".

Un segundo ingrediente de la receta lo encontró en la adolescencia cuando tuvo que enterrar al menos veinte de sus amigos en la Medellín de las bombas que dejaba la lucha de Pablo Escobar por no dejarse capturar. "Entre esos había desde amigos o papás de amigos que nada tenían que ver con el narcotráfico, también los que sí tenían que ver, y hasta gente de las comunas. O sea, era una ciudad donde los malos y los buenos se juntaban sin darse cuenta. Y de alguna forma todos eran víctimas, aunque algunos fueran victimarios".

En noviembre de 2007 Juan Manuel creó el restaurante El Cielo, época en la que la esposa del comandante de la Cuarta Brigada tenía la meta de hacer un pabellón para los soldados heridos en combate. Una de las cincuenta empresas paisas a las que convocó fue el restaurante de Juan Manuel. "En junio de 2008 inauguramos una cocina-escuela en la brigada, y empezamos a dar cursos, conseguimos becas, y luego dimos capacitaciones en No Violencia, porque hay que entender que los soldados deben aprender a dejar de ejercer la guerra, que es para lo que han sido preparados. Y así como al guerrillero le enseñan a odiar al soldado y al soldado al guerrillero, se les puede enseñar a dejarse de odiar. Entonces, si lo logran los que fueron enemigos en combate y están mutilados por eso, la gente del común se queda sin argumentos para no perdonar".

Juan Manuel tiene entre los empleados de sus restaurantes cuatro desmovilizados, dos esposas de soldados y un soldado retirado. Ahora está consiguiendo recursos para construir una cocina para capacitar desmovilizados. Dice que los generales de la República lo han apoyado pero que les preocupa que ponga al soldado y al guerrillero en el mismo nivel. Él argumenta que no se trata de igualarlos en su rol, sino en el nivel de conciencia para perdonar, para que así empiecen por *aceptar que el precio de la guerra ha sido el dolor, y que el precio de la paz será el perdón.*

¿SUFRIENDO YO POR SER MISIONERA?, ESTOY GOZANDO MÁS QUE USTEDES: MAGDALENA VARGAS PIESCHACÓN

Mientras sus compañeras soñaban con casarse, y unas cuantas, incluso miembros de su familia, con ser monjas, Magdalena se preguntaba si no había mujeres que pensaran como ella. "No me quería casar ni quería ser religiosa. Inicié mi misión a los veinte años en San Vicente de Chucurí, Santander, y a los treinta y ocho llegué a Quibdó con Usemi". Usemi es la Unión de Seglares Misioneros, son doce, y actualmente se encuentran en Medellín y Quibdó. Magdalena llegó a compartir la experiencia de vida con Leila Rosa Betancur, quien lleva treinta años en ese trabajo. El papá de Leila, a través del trabajo con sindicatos petroleros y bananeros, le inculcó conciencia sobre la justicia social, y de su madre recibió un legado de fortaleza espiritual. "Yo quería ser como María Cano, pero cuando mi papá murió yo tenía diez años y hasta ahí me llegó el mundo sindical. Si fuera por las enseñanzas de mi mamá hubiera sido monja, pero mi papá me alcanzó a dejar bien metido el gusano de que la Iglesia había sido responsable de bendecir una cantidad de atropellos. Por eso quiso ser ateo, aunque no pudo, pues también reconocía que había grandes sacerdotes. El hecho es que ambos me dieron una proyección comunitaria. En mi casa, por ejemplo, escondíamos familias conservadoras para que no las mataran, así que crecí con ese sentido de solidaridad", dice Leila.

Esa era su formación cuando Leila conoció a monseñor Gerardo Valencia Cano, llamado el obispo rojo de Colombia, al que tildaban de comunista porque fue el único en su jerarquía que asistió a las cuatro reuniones de la Golconda, que se basaban en la teología de la liberación, y quien se alejó de ellas cuando en estas se avaló la lucha armada, en los años sesenta. De ahí salieron sacerdotes como el cura Pérez o Camilo Torres hacia el ELN. Monseñor Valencia no hizo eso, él creó las Misioneras Laicas Ufemi, para resaltar la labor de la mujer en la Iglesia, que luego se transformaron en la Unión de Seglares Misioneros (Usemi). "El requisito era ser una mujer que supiera hacer algo. A cada una se le dejaba en un caserío, y debía hacer una obra material, una espiritual y una social".

Magdalena estudió nutrición y dietética y con ese conocimiento llegó a las ollas comunitarias de Quibdó. Ahí ha pasado diez años compartiendo y admirando la vida y trabajo pastoral de Patricia Patiño y Leyla Betancur, sus compañeras. Usemi tiene como enfoque a cientos de mujeres que sufren la combinación de pobreza, machismo y sumisión, tan evidente en esa zona del país. "Una mujer de las que acompañamos denunció al marido, que ya le había pegado siete veces. Lo metieron a la cárcel, lleva un mes ahí y ella y otras cinco compañeras sentimentales de ese hombre están locas por que salga, van y lo visitan. Pero al menos lograr que lo denunciara una de ellas es un avance para una comunidad en la que es tan difícil romper el cerco económico, social y cultural".

Le pregunto a Magdalena si no es muy frustrante un logro tan pequeño para un trabajo tan sacrificado como el que ellas hacen. Me responde con contundencia que con solo una persona que encuentre el camino de la dignidad ella considera que su trabajo ha sido exitoso. "*Es cierto que hay que cambiar las estructuras de la sociedad, pero ahora creo más en cambiar la conciencia del ser humano.* Cada uno desde su actitud mental y afectiva puede ser un trabajador de la paz. No es necesario que todos los que quieran hacerlo se vayan a aguantar hambre ni a que les piquen los zancudos".

En el barrio donde está Usemi la sensación de inseguridad se evidencia en las limitadas condiciones de pobreza. El taxista que nos lleva al lugar nos advierte que algo nos puede pasar, por eso le pregunto a Patricia cómo se las arreglan tres mujeres solas para vivir ahí, además con el resquemor que despiertan entre quienes son los generadores de la violencia a la que ellas hacen frente. "Acá el conflicto no es pasado sino presente, por eso nuestra fórmula es la resistencia. Cuando se sabe que el enemigo no se puede vencer, se trata de crear estrategias para sobrevivir mientras el contexto cambia. Eso solo lo puede hacer alguien que viene de afuera, como nosotras. Acá hay casos en que en una misma familia hay miembros de bandas criminales, paramilitares, guerrilla y ejército, y logran convivir. Para todos ellos, lo que cada uno hace es una forma de empleo, no tienen la culpa, lo ven como un salario. Un 'raspachín' de coca se gana dos millones de pesos en una semana mientras que a los pocos que encuentran trabajo honrado les pagan treinta y cinco mil pesos por el día".

Las tres, Leila, Patricia y Magdalena, han tenido que enfrentar la animadversión de grupos en disputa. Cuando hacía labor social en el corregimiento de Arquía, también en el Chocó, ante la advertencia de los paramilitares de que nadie quedaría con vida en ese pueblo, Leila escondió a la gente durante dos días al lado de una quebrada retirada del caserío. No se trataba de desafiar a nadie, sino de salvar a la población en medio del conflicto. *Por eso a los que juzgan les pregunta qué harían en esas mismas circunstancias.* No solo las de ella, sino las que afronta la población, que no tiene servicios públicos, que muchas veces solo come yuca con agua de panela una o dos veces al día. No llama a justificar que tomen las armas o que se vuelvan cómplices de grupos armados, solo llama a que cualquiera piense qué haría en la misma situación.

La Usemi de Quibdó atiende a unas ochocientas personas entre menores de edad y mujeres en diferentes programas de la zona. Directamente a la sede del barrio La Victoria 2, zona norte de Quibdó, acuden ciento veinte niños todos los días gracias a un convenio con el Bienestar Familiar y la Fundación Nutrir. Magdalena dice que en las ocho horas que esos niños pasan allá miran al mundo desde otra ventana, pues no son insultados ni maltratados como les ocurre a muchos en sus casas. Pero las tres son conscientes de que muchos no valoran su trabajo y explican que eso se debe a que cuando la gente se acostumbra a que se le dé sin pedírsele nada a cambio, quiere todo regalado. "Por eso no estamos de acuerdo con el auxilio de Familias en Acción sin acompañamiento, porque ha convertido a mucha gente en limosnera. Ahora todo el mundo quiere ser desplazado para que le den plata, mientras que hace doce años les daba vergüenza decir que eran desplazados. Hoy en día es difícil conseguir una minga para hacer una obra que necesite la comunidad, lo primero que pregunta la gente es cuánto le van a pagar. Y como todos esos auxilios se manejan con política, peor", dice Patricia, con la preocupación de que los proyectos de ayuda se quedan iniciados, o no se les hace seguimiento y el dinero invertido se pierde. Por hacer críticas cómo esa también resultan incómodas para algunas personas, pero no se callan porque están empeñadas en transformar conciencias, persona a persona, una por una, aunque los resultados no sean masivos.

Durante toda la conversación ha entrado y salido del cuarto Verónica, una niña de unos cuatro años, hija de una de las mujeres que presta sus servicios a Usemi, y que también recibe atención ahí.

La pequeña trata a estas tres misioneras como madres, las abraza, besa y consiente. Magdalena me dice que por eso cuando le preguntan por qué dejó todo lo que le ofrecía una familia económicamente acomodada para irse a sufrir en ese trabajo con los pobres, ella responde: "¿Sufriendo yo? ¡Estoy gozando más que ustedes!".

NO COMETÍ CRÍMENES PERO ME SIENTO CON LA RESPONSABILIDAD DE AYUDAR A RECONSTRUIR EL TEJIDO SOCIAL

La vereda El Arenillo en el corregimiento Ayacucho, La Buitrera, en límites entre Pradera y Palmira, vivió años de horror cuando llegó alias "Giovanni", un exguerrillero del EPL, entonces convertido en paramilitar, con el propósito de cortarle el paso a las Farc, que usaba la zona como corredor para sacar secuestrados hacia los departamentos de Tolima y Cauca. Giovanni estaba bajo el mando de alias "HH", comandante del Bloque Calima de las autodefensas. Me reúno con la comunidad en una capilla pequeñita y nueva, fue la obra que en gesto de reparación ayudaron a construir los desmovilizados de los paramilitares para reconciliarse con la comunidad.

"Acá celebrábamos todos los años el San Pedro y San Pablo, pero desde que ellos llegaron esa fiesta se acabó", dice María Correa, quien recuerda que entraban a su casa sin pedir permiso, usaban el teléfono y no le pagaban la cuenta. "Me llegó una factura de dos millones de pesos, como no me dieron la plata mandé a quitar el servicio de teléfono de mi casa. También me quitaban los pollos que yo criaba, y ni un peso me daban".

"Mi esposo me dijo 'no te metás con esa gente', pero yo le respondí que prefería que me mataran antes de que me convirtieran la casa en un burdel. Es que esa gente traía prostitutas y se acostaban con ellas en las piezas de la casa de uno. Además cogían las cosas de la tienda y no las pagaban, se llevaban los trastos de la cocina y no los devolvían, y aparte de eso no lo dejaban salir a uno al pueblo sino los miércoles y eso después de hacernos un interrogatorio sobre lo que íbamos a hacer", relata Enelia Almendra, otra vecina del Arenillo que tuvo que convivir con los "paras".

"Me tocó irme porque yo tenía mis hijas de trece y catorce años y no las podía dejar solas estando esa gente aquí. Se metían a ver televisión y uno no les podía decir que se fueran sino hasta que les diera la gana de irse. Me fui para la parte de abajo, en el pueblo, y allá llegaban a pedirme que les guardara armas. Cuando se fueron y volví a mi casa, la encontré desbaratada", recuerda Francisco Guejia, presidente de la Junta de Acción Comunal del Arenillo.

Marina Gaviria, la tesorera de la misma junta, también los padeció: "Me pedían las llaves del salón comunal para hacer fiestas, sacaban a la gente de las casas y la obligaban a bailar con ellos. Un día me dijeron que les pusiera una inyección y como yo me puse nerviosa me dispararon a los pies que para que se me quitaran los nervios".

Jenny Barragán recuerda que tocaba decir que sí a todo, a que les lavara la ropa o a que les hiciera almuerzo. Dice que aprendió a convivir con ellos y que les ponía conversa, por lo que al conocer sus historias entendió por qué eran así. Supo, por ejemplo, que varios querían vengarse. Esa cercanía con ellos la llevó a sabérseles enfrentar cuando no quiso aceptar propuestas de tipo íntimo. Hoy dice que hay que darles una segunda oportunidad.

Para Consuelo perdonar no es fácil, aún llora cuando recuerda que sus papás fueron asesinados porque salieron después de las seis de la tarde, sin saber que los paramilitares habían puesto toque de queda. Asegura que cuando los pararon en la carretera, los que los retuvieron llamaron al batallón de Palmira y que de allá les dijeron que eran guerrilleros. Un hermano de Consuelo, de nueve años, que iba con sus papás, murió de un infarto al ver que los mataban. Años después, el que mató a sus padres entró a su casa en la vereda el Arenillo, le pidió que no le fuera a desear el mal, ella le respondió que le había desgraciado la vida y que Dios vería que hacía con él.

Ofelia era vecina de Consuelo, Jenny, Marina, Enelia, María y Francisco. Dice que sufrió de una manera distinta la presencia de los paramilitares. "Un día llegaron a la una de la mañana con unos heridos y me dijeron que los atendiera. Les habían dicho que yo era enfermera. Los atendí contra mi voluntad porque me dijeron que si no los atendía no amanecía. De ahí en adelante ellos se pasaban en mi casa, les colaboré durante dos años, no me pagaron salario pero sí me daban bonificaciones. Y así como algunos dicen que sufrieron por lo que los paramilitares hicieron, hubo otros que recibían las reses y apoyos que ellos daban para fiestas de la comunidad, y hasta hubo niñas de la zona que tuvieron hijos voluntariamente con ellos. Cuando llegó el acuerdo de paz me desmovilicé con el grupo de Giovanni, no me da pena decirlo porque yo he aprovechado la desmovilización para traer acá a la vereda cursos del SENA en piscicultura, porcicultura, curíes y aromáticas, que han favorecido a la comunidad. Yo no cometí un crimen, pero como colaboré con ellos para cuidar mi vida, o sea que fui también una víctima, me siento responsable de ayudar a reconstruir el tejido social".

Ofelia prefirió vivir en otra zona del corregimiento desde que empezó a recibir amenazas de la guerrilla, que recuperó el corredor estratégico una vez se desmovilizaron los paramilitares. El acuerdo con la población fue poner una estación de Policía en la vereda para evitar el regreso de la guerrilla, pero los policías se volvieron blanco de los guerrilleros. El 4 de julio de 2006, seis de ellos murieron incinerados en un ataque con cilindros bomba perpetrado por las Farc. "Hace poco llegaron los del Clan Úsuga y me propusieron entrar, yo no quise. Pero así están las cosas, ellos queriendo entrar otra vez".

La capilla construida como símbolo de reconciliación se llama Nuestra Señora del Carmen. Los siete desmovilizados de la zona trabajaron en conjunto con la comunidad del Arenillo hasta terminarla. El sacerdote de La Buitrera sube cada ocho días a dar la misa, y a pesar del pasado y de los riesgos presentes, cuando el cura dice "démonos fraternalmente el saludo de la paz", antiguas víctimas y antiguos victimarios se dan la mano, se miran a los ojos y dicen: "La paz sea contigo".

Ya no nos da pena decir que somos desmovilizados

"Este mes vendimos diez millones de pesos, ¡cuándo nos íbamos a imaginar eso nosotros! Antes vivíamos esperando que llegara el sábado a ver si el patrón pagaba", dicen Arbey*, Élmer* y Verónica*, desmovilizados del Ejército Revolucionario del Pueblo (ERP), una escisión del ELN que fue extinguida hacia finales del 2007. Arbey duró diecisiete años en el grupo, casi toda la existencia de esa guerrilla, que lo reclutó cuando tenía doce años, habiendo hecho solo hasta segundo de primaria. Verónica, reclutada a la misma edad, había llegado hasta quinto grado. Estuvo cuatro años en el grupo que le hizo dejar a su bebé de cuatro meses de nacida con una familia de crianza; y Élmer logró desmovilizarse porque quien había sido su comandante, ya desmovilizado, le ayudó a escapar. Él también había estudiado solo hasta segundo elemental. Hoy todos son bachilleres y han recibido cursos de ventas en el SENA, por eso, luego de tres años de estar trabajando para una empresa de pegantes de construcción, decidieron crear su propio negocio imitando el producto. "Sabíamos que eso estaba mal pero queríamos progresar, empezamos con un préstamo de trescientos mil pesos, de los llamados gota a gota. Nos cobraban el diez por ciento de interés. Como los primeros días no lográbamos vender, nos tocaba pagar el préstamo con la mensualidad que nos daba la Agencia para la Reintegración, que empezó siendo de quinientos veinte mil pesos al mes y la terminaron bajando a ciento cincuenta mil. Nos echábamos las bolsas al hombro y salíamos así a vender a las ferreterías. Pedimos el capital semilla y luego de mandarnos a Acopi a evaluar la producción del producto, la ACR nos aprobó un capital de ocho millones de pesos a cada uno, no nos lo dio en efectivo. Solicitamos que con eso nos autorizaran comprar dos motos para repartir el producto, y para completar lo del mercado las usábamos también para hacer mototaxismo".

Los visito en la fábrica que tienen en un barrio popular de Barranquilla. Hay dos áreas: en una hay un escritorio con un computador y una mesa, y en la otra está la máquina para sellar bolsas y el espacio para fabricar el pegante de construcción y almacenarlo. Me dicen que empezaron con un RUT prestado pero que ahora ya tienen el de ellos, más el certificado de la Cámara de Comercio, cuenta de banco, papelería timbrada y demás. Entre un cliente y otro reflexionan sobre su paso por la guerrilla: "Perdimos el tiempo gratis, perdimos la familia y la juventud. No le tengo rabia a nadie", dice Arbey. "A veces le echo la culpa a mi mamá pero ella dice que no tenía la capacidad para sostenerme, y entonces culpo al Estado porque en ese tiempo la zona donde yo vivía estaba muy abandonada". Élmer agrega que a las víctimas les pide que entiendan que a ellos les lavaron la mente y que por eso es que la guerrilla necesita reclutar gente muy joven. "Para resarcir nuestros errores hemos pintado parques, colegios, hemos barrido calles, y claro que eso no recupera todo, a mí me dan deseos de ir a pedir perdón pero siento miedo de que me mate un familiar de una persona que yo haya matado".

Verónica, respecto a su hija que hoy tiene diez años, dice que le da confianza y le habla de todo sin pena. "Con mi mamá no tenía confianza, cuando me desarrollé no me atreví a decirle, me fui corriendo a donde una tía. Mi hija ya sabe de todo eso. No le cargo rencor a mi familia aunque yo desde los siete años lavaba platos, cosía, atendía a mis hermanos, y mi papá me llevaba a sembrar yuca que porque salían grandísimas cuando yo las sembraba. Una vez me pidieron disculpas, les dije que no pasó nada, me piden ayuda y cuando puedo les mando plata".

Verónica, Élmer y Arbey ya no se sienten raros de trabajar en algo legal, ya no se esconden. Dicen que sus vecinos en el barrio donde viven en Barranquilla los admiran pues los han visto progresar honradamente en su negocio, y por eso ahora no ocultan que son desmovilizados.

VOLVERSE GUERRILLERO NO ES LA ÚNICA FORMA DE COMETER UN ERROR

El nombre del equipo de fútbol de Derlyn* se llama Fénix, por el ave mitológica que renació de sus cenizas, como lo ha hecho ella después de seis años en las Farc bajo el mando de alias 'el Paisa' en la Columna Teófilo Forero, y de diez años desmovilizada. Desde niña, viviendo en el Caquetá, donde veía a la guerrilla pasar por su casa a diario, le interesaba la vida militar, pero como sabía que su mamá no tendría dinero para pagarle esos estudios, entró a un curso de milicias bolivarianas en el que quedó tan segura de que la vía para hacer la revolución era la armada que dejó el colegio. Cuando su mamá le ofreció la opción de irse a donde una tía en Bogotá o meterla a un internado, le respondió que ni lo uno ni lo otro porque su camino era la guerrilla. Su mamá respetó esa decisión, no obstante que Derlyn tenía solo catorce años. "En un secuestro lo que uno piensa es que se trata de familias ricas que no pagan lo que deben pagar, ese es el adoctrinamiento. Pero poco a poco uno va viendo cosas que decepcionan. Para mí lo más duro fue ver los fusilados, compañeros con los que uno ha compartido años, como a un socio mío (novio) porque dijeron que dizque era infiltrado. Y las cosas del día a día, como que uno toma agua del caño y los comandantes toman Gatorade".

Derlyn decidió volarse en 2005 con su socio. Dice que tomaron la decisión de un día para otro, un vez que el ejército estaba muy cerca, pero que prefirieron tomar un bus hacia Bogotá en vez de entregarse a la tropa, por miedo a que los mataran. Ya en Bogotá, cuando supieron que las Farc los habían ubicado, se entregaron a la Agencia Colombiana para la Reintegración. Ella hizo un Técnico en Enfermería, y ahora está estudiando Administración en Salud Ocupacional, además es Promotora de Reintegración. "Por eso se me ocurrió crear el equipo Fénix, para acercar a la comunidad a los desmovilizados, para que la gente se dé cuenta que *somos personas comunes y corrientes, que no tenemos que portarnos mejor que todo el mundo porque también nos da rabia, alegría y tristeza.* Yo reconozco que cometí un error pero la única forma de cometer un error no es irse a la guerrilla, todos cometemos errores; y aunque tengo secuelas porque aún sueño con sangre o que me pegan un tiro, al año de estar en el programa de reintegración yo ya había sacado toda esa rabia y había tomado conciencia del daño que hice. Y hay unos que la han embarrado, por ejemplo el papá de mi hijo fue a la cárcel porque lo cogieron con una granada. Sí, es cierto que a veces se cumple lo de que vaca vieja no olvida el portillo, pero entonces ¿qué hacemos?, ¿vamos a seguir así, juzgándonos toda la vida? Yo sé dónde hay siete u ocho cuerpos enterrados pero ni sé sus nombres ni quiénes son sus familias, entonces ¿cómo voy a decirles? Si a mí me hubieran mandado a la cárcel, ¡qué resocialización hubiera tenido!".

Derlyn me dice todo esto mientras organiza una venta de ropa usada en un colegio de Ibagué a donde empiezan a llegar familias desmovilizadas. Saca la ropa de las bolsas, la dobla, la acomoda, da órdenes a su grupo, y me cuenta su vida. El equipo Fénix lleva nueve meses de creado, en él también hay dos desplazadas por la guerrilla y dos personas que no han sido ni víctimas ni victimarias directas del conflicto armado. "Ellas no sabían mi pasado, a los veinte días de integrar el equipo les conté y me dijeron: '¿Verdad, marica?, bien china, me sorprende pero la felicito'".

"Me dejó como en *shock* la noticia, dije: '¡juemadre, yo con qué gente estoy tratando!'. Pero lo asimilé y traté de ponerme en el lugar de ella, además estoy estudiando Psicología, así que eso es parte de mi trabajo. Derlyn es una persona muy servicial, y seguramente por lo que vivió, es muy buena consejera. Yo trato de no tocarle el tema de su pasado en la guerrilla para que no se sienta mal", así habla de Derlyn una de sus compañeras en el equipo a la que le era indiferente el conflicto armado en Colombia antes de conocerla. Pero Lorena, también integrante del equipo Fénix, y víctima de la violencia, pues fue desplazada por la guerrilla, tuvo la misma sorpresa al enterarse del pasado de Derlyn y de otras desmovilizadas del equipo. "Claro, me sorprendí pero no siento rencor por ellas. Siempre he pensado que todos cometemos errores y que todos tenemos derecho a una segunda oportunidad. No las juzgo, ni tengo nada que perdonarles".

"Fue muy duro el día del campeonato decir que fui desmovilizada. Imagínese, si para cualquiera es difícil reconocer sus errores, piense lo que es reconocer este error".

—¿Y lo va a reconocer algún día ante su hijo?

—No creo, o cuando él tenga unos quince años.

—¿Qué le va a decir?

—Que su mamá en algún momento se equivocó.

Derlyn se empeña en sacar su equipo de fútbol adelante. Tiene la convicción de que si en muchos caseríos de Colombia hubiera una buena escuela deportiva, miles de niños nunca hubieran sido guerrilleros.

CAPÍTULO 5

Héroes del monte y de la vida

En el combate a los grupos al margen de la ley, desde el año 1996 han muerto 7.013 miembros de las Fuerzas Militares (Ejército, Armada y Fuerza Aérea) y de Policía; y 15.813 han quedado heridos. 6.904 de ellos han sido víctimas de minas antipersona, que los han dejado sin una o varias partes de su cuerpo, y a muchos con dificultades cognitivas. Por cuenta de esas minas, desde 1990, 5.466 han muerto. El presupuesto para rehabilitar a los heridos supera los 10.000 millones de pesos por año; y no obstante que estas personas quedan pensionadas para el resto de su vida, en la mayoría de los casos el monto de la pensión no les permite optar por dejar de trabajar. Deben entonces salir al mercado laboral, muchos con solo sus estudios de primaria o bachillerato y el aprendizaje del entrenamiento que recibieron mientras sirvieron a la patria. Una parte, como verdaderos guerreros y héroes, salen adelante y progresan; pero algunos se rinden ante la indiferencia que empleadores, vecinos y transeúntes muestran ante ellos, nuestros veteranos de guerra.

A la mayoría de guerrilleros se les puede perdonar: sargento Guzmán

Nelson Guzmán trabaja como chofer en la Fundación Matamoros. Conducir un vehículo es algo que creyó improbable cuando pisó una mina instalada por las Farc, luego de participar en un operativo para tratar de rescatar al papá de un parlamentario que fue secuestrado y asesinado por la misma guerrilla entre los departamentos de Huila y Caquetá. "Y justo me quedó en mil pedazos la misma pierna en la que me habían disparado con fusil en un combate con una cuadrilla de las Farc cuando estaba en el Batallón de Infantería 34. Estuve cuatro años en el Batallón de Sanidad, quedé con osteomielitis por las cochinadas que la guerrilla les pone a las minas para que hagan más daño, me quitaron diecisiete centímetros de hueso, y aunque me lo regeneraron de a un milímetro por día, cuando empecé de nuevo a caminar se me encogió tres centímetros".

Nelson entró a prestar servicio militar sin haber terminado el bachillerato, no le gustaba estudiar, pero sí la milicia. "Me reclutaron cuando Pastrana inició el Plan 10 mil, al que muchos le llamaban 'plan gamín' porque era a esos a los que se llevaban, pues casi nadie quiere prestar servicio, pero yo me quise quedar cuando terminé el servicio porque si no hubiera sido militar hubiera sido una persona muy frustrada". El día que pisó la mina pensó que moría y se imaginó a su madre parada al lado de su ataúd cubierto con una bandera de Colombia. Le pidió a Dios que le conservara la pierna, y por eso ahora que le ha quedado un poco torcida y sufre de dolor crónico, dice que esos son solo detallitos, al fin y al cabo Dios le dio lo que le pidió. Pero llegar a este punto de aceptación no fue fácil ni rápido. "Cuando a uno lo hieren lo que quiere es volver al área de combate, pero yo sabía que ya no me iba a poder volver a echar un equipo al hombro. Cuando llegué al Batallón de Sanidad en diciembre de 2002 había un hacinamiento tenaz, incluso a los mutilados les tocaba dormir en el suelo. Nos daban una colchoneta a las seis de la tarde y teníamos que entregarla a las seis de la mañana. Me la pasaba dopado con pastas para dormir, me levantaba a las dos de la tarde y me volvía a acostar a las seis. La novia que tenía me fue a visitar una vez y después de verme así no volvió ni a llamarme siquiera; es que yo antes era manga. Así duré un par de años, porque a uno cuando le pasa eso piensa que todo el mundo le debe algo, que el Estado tiene que darle todo, pero luego empecé a pensar qué iba a hacer cuando saliera si no tenía nada qué poner en la hoja de vida. No quería ser vigilante de un edificio, y decidí empezar a tomar cuanto curso dictaran en el batallón, desde validar el bachillerato, sistemas, hasta crochet y arte country aprendí; muchos no lo hacían que porque eso era de mujeres, pero yo no lo veía así sino como una forma de matar el tiempo, y al menos quedó de recuerdo la caja donde ponemos los huevos en la casa", agrega entre risas.

Nelson dice que lo que le pasó son cosas del oficio, que "dio papaya", pero que él hubiera matado al guerrillero si hubiera tenido chance, por eso asegura que no le tiene rencor al que instaló la mina, que lo pone todos los días en oración y que aunque no busca exguerrilleros para hacérselos amigos podría terminar siendo amigo de alguno si previamente lo ha conocido. Lo que sí no perdona es el ataque a la población civil. "Uno tiene un arma para defenderse, pero los niños y las mamás no. Yo vi muchas veces salir corriendo de sus casas a la gente, sin poderse llevar nada; o en la toma de Curillo, cuando a un policía que llevaba todo el día resistiendo le mataron a la esposa para obligarlo a salir de la estación; o a mi amigo Morales, que lo asesinaron con un tiro de gracia. *Creo que a la gran cantidad de guerrilleros se les puede perdonar,* sobre todo a los que se desmovilizan no porque los cogen en combate, sino porque se cansan de la guerra y entienden que cometieron un error. Pero de los de La Habana sí no hablo porque esos sí son malos".

Nelson pide a la sociedad que entienda que en Colombia son cientos de miles los soldados y policías que han muerto en combate o que han perdido sus miembros, y que todos ellos requieren oportunidades para salir adelante. No buscan venganza por lo que les sucedió porque saben que ese es el riesgo de su trabajo, pero sí quieren ser acogidos en sociedad con dignidad y ser reconocidos como los que allanaron el camino para que las Farc desistieran de tomarse el poder con las armas y decidieran sentarse a negociar. Y por si acaso, se empeña en que sus hijos solo estudien, para que no les pase como a él, que por estar trabajando y recibiendo plata desde los diez años, dejó el colegio. "Yo quiero que este conflicto se acabe, y no es frase de reina de belleza", dice con su permanente humor, "pero yo me esmero en que mis hijos estudien y quiero que vayan a la universidad, y ojalá a una de las buenas, para que no tengan que pasar por lo que yo he pasado".

Celebro otro cumpleaños el día que perdí mis piernas: sargento Pedraza

El sargento Francisco Pedraza celebra dos cumpleaños: uno el de su nacimiento, el 26 de septiembre de 1976, y otro el del día que una mina puesta por las Farc le voló sus dos piernas, el 2 de septiembre de 2004. "Fue en la Unión Peneya, Caquetá, tras una noche de tres horas de combate porque las Farc no querían que nadie viviera en esa población, pues era un corredor de narcotráfico. Teníamos que evacuar a los heridos. El accidente ocurrió a las siete de la mañana, las Farc minaron toda la vía de evacuación". El sargento Pedraza usa la palabra accidente, pues dice que fue durante la realización de su trabajo, no un atentado contra él, y quizá comprender esa realidad es parte de lo que le facilitó su extraordinaria recuperación. "Duré doce días inconsciente, de lo último que me acuerdo es de los murmullos de los compañeros preocupados porque no llegaban a sacarnos, y de pensar que mis hijos —dos mellizos de dos años y medio y un bebé de un año— iban a estar en mi sepelio con mi mamá y a decir cuando estuvieran grandes que la mamá los abandonó y al papá se lo mataron".

Este hombre perdió su matrimonio porque su esposa, cansada de tantas ausencias, lo puso a escoger entre su trabajo y su familia. Pero él, que fue criado con vocación de servicio, le dijo que no podía escoger, entonces ella decidió irse a España. El sargento se quedó con la custodia de los niños, quedaron en que se los mandaría cuando ella estuviera en condiciones de recibirlos, y mientras tanto su mamá, la abuela de los niños, se encargó de ellos. El día del accidente llevaba tres meses sin verlos. "Cuando me desperté en el hospital militar me dijeron que yo alcancé a ser reportado como muerto y que si no me llevaron al anfiteatro con los otros muertos con los que me pusieron fue porque empecé a toser. Ahí me explicaron que la pierna que me había quedado me la tuvieron que amputar porque se infectó. Estaba en el pabellón con mis compañeros que habían caído en la mina; 'el Flaco' estaba impresionante porque había perdido todo el maxilar, en el hospital le pegaron la lengua, otro perdió el pie derecho, otro tenía los pulmones perforados. Lo que pensé en ese momento fue que si quedé vivo fue por algo, por eso le dije a la psicóloga que tranquila que yo no me iba a suicidar, que además con esa cantidad de aparatos me quedaba muy difícil".

Los médicos le dijeron al sargento Pedraza que tendría que permanecer unos tres meses en el hospital, pero él consideró que podían ser menos. Dice que se puso juicioso con los ejercicios y el tratamiento, y que a los veintidós días, dos días antes de su cumpleaños, fue dado de alta. "Yo estuve alegre y les decía a mis compañeros que no podíamos hacer más duro el dolor de las familias con nuestra tristeza. Cuando entraron los mellizos a escondidas a visitarme me tapé los muñones para que no se impresionaran. Me preguntaron que si fue el 'pum pum', y les dije que sí, y uno de ellos me dijo '¡papito macho!', y otro día uno dijo que yo tenía las piernas chiquititas. Esos episodios me pusieron sentimental pero yo nunca quise llorar delante de ellos. Eso se volvió un problema porque los médicos decían que yo tenía que llorar". Lo que sí hacía llorar al sargento era el dolor del miembro fantasma, algo común después de una amputación. Por fortuna, él ha contado con el apoyo incondicional de su hermana, y con el de la gente que lo conocía, que lo recibió en el barrio Kennedy de Bogotá con una fiesta vallenata. Todo eso se ha sumado a su fortaleza natural para salir adelante. "Cuando llegué al Batallón de Sanidad vi que otros amputados estaban haciendo ejercicio y quise hacerlo yo también. A los seis meses hice la maratón de Miami y luego asistí a dos copas del mundo de handbike representando a Colombia; en la de 2009 quedé de quinto y en la de 2010 de octavo". Sus ejemplares logros no se limitan al deporte, el sargento Pedraza ganó una convocatoria para heridos en combate, hecha por la Embajada de Estados Unidos; así estudió inglés y ahora está cursando una Licenciatura en Lenguas Modernas en la Universidad Javeriana.

Con ese espíritu invencible el sargento Pedraza educa a sus hijos. Les advierte que no todo el mundo será solidario ante su condición. "A uno de mis hijos un compañero lo empujó que porque su papá está en silla de ruedas. Preferí no usar prótesis sino *stubbies* porque me incomodaban las prótesis. Una vez un señor en un banco me dijo que por qué no hacía fila. Son cosas que pasan, pero sí le pido a la sociedad que reconozca que nosotros también somos víctimas y necesitamos el apoyo, con oportunidades de parte de los empresarios, así como se las dan a los exguerrilleros".

—¿Usted cree que las fuerzas armadas sí están preparadas para convivir con los desmovilizados?

—En la Escuela Militar nunca me enseñaron a combatir por odio sino por supervivencia y por defensa de la población civil. El día anterior a mi accidente le estábamos dando suero a un guerrillero que resultó herido en el combate, yo lo hubiera podido matar, ¡qué tal que él hubiera sido el que puso la mina que me dejó sin piernas!, pero en esos momentos uno piensa en qué es legal y qué es ilegal. O una vez le estábamos dando comida a un niño guerrillero de doce años que aún así decía que no nos mató porque se le acabó la munición y que si lo llevábamos a Bienestar Familiar se iba a escapar. Otra vez auxiliamos a una guerrillera a la que sus compañeros dejaron tirada luego de que se le estalló la mina que estaba instalando. Yo no los veo a ellos con rencor, creo que así como yo defiendo la Constitución ellos defienden sus ideas, equivocadas o no.

—Y si se firma el acuerdo de paz, ¿qué les dice a los que tienen esas ideas?

—Que aprovechen la oportunidad y saquen lo bueno de lo que vivieron. Si uno de ellos me llega a atacar yo le recordaría que la guerra ya se acabó. Y cuando haya paz voy a volver al sitio de mi accidente para vivirlo sin guerra. Ahí se me terminó una vida y me empezó otra.

El sargento Pedraza, sin ayuda alguna, baja las escaleras hasta el parqueadero y se monta en el carro adaptado para que él mismo lo pueda manejar, y así como es asombrosa su independencia también lo es su sentido del humor.

—Sargento, deme su correo electrónico para estar conectados.

—Claro, <mochofrank@hotmail.com>.

—¿De verdad?

—Sí, yo no escondo mi discapacidad.

CAPÍTULO 6
El presente de los casos que fueron noticia

Justicia sería que los expatrien: Adela Correa de Gaviria

En la Gobernación de Antioquia no cabía una sola persona el día de mayo de 2003 en el que llegaron los cuerpos del gobernador Guillermo Gaviria Correa y del exministro, exgobernador y asesor de paz Gilberto Echeverri Mejía, asesinados por las Farc tras trece meses de cautiverio, junto a ocho soldados, por orden de alias "el Paisa", durante un operativo de rescate del Ejército en el municipio de Urrao. Desde el sitio de transmisión que teníamos para Noticias Caracol alcancé a ver sentada en una silla, frente a los féretros, a una mujer pequeñita, de pelo blanco, y un rostro bondadoso como pocos, sumido en el dolor: era la madre del gobernador. Llegué a hasta ella con mi camarógrafo y solo tuve valor para hacerle una pregunta: "¿Qué les dice a quienes asesinaron a su hijo?". Su respuesta se quedó en mi memoria como la primera semilla de una inquietud que desde entonces me acompaña y que ha crecido al punto de llevarme a escribir este libro, sobre algo que hasta entonces consideraba imposible. "Que los perdono, los perdono", me dijo doña Adela con voz temblorosa y la mirada hacia el cielo.

Once años después, Adela Correa de Gaviria me recibe en su casa, en Medellín, en la sala donde, según sus palabras, están todos sus muertos. Me explica quiénes son los de las fotos que reposan sobre un piano de cola y un mueble adosado a un pared: "Ahí está Gabriela White, una maestra", dice enfatizando esa palabra que recoge el legado de una de las familias más queridas de Frontino. "Tenía setenta años cuando las Farc la secuestraron y mataron. Esos son sus hijos, Félix Antonio y Bernardo Ernesto, también asesinados por las Farc en diferentes hechos". Y así sigue señalando otras fotografías con más amigos y familiares cuyas vidas fueron silenciadas por las balas. En frente del piano, sobre un tocador, están las cajas de madera con los restos de sus muertos más cercanos. "Aquí está mi esposo, Guillermo, y aquí mi hijo Guillermo", dice mientras pone delicadamente sus manos sobre ellas, como acariciándolos.

—Doña Adela, ¿cómo es que usted pudo decir el mismo día del sepelio de su hijo que perdonaba a las Farc?

—El perdón debe ser automático con la ofensa porque si el ser humano se queda odiando y deseando venganza se enferma.

—¿Cuando usted oye a los jefes guerrilleros decir que no se arrepienten de lo hecho y responsabilizan al Estado, no reevalúa ese perdón que les ha dado?

—No, el odio es un sentimiento que se apodera del ser humano y lo daña. No les deseo la cárcel porque la cárcel es un invento del odio y del miedo, una de las muestras más grandes de atraso de la humanidad. Espero que la ciencia y la tecnología puedan crear algo para que ni los criminales, que lo son por razones patológicas, tengan que estar encerrados entre rejas. El castigo no puede convertir a otros en criminales, pues la finalidad del castigo no es la venganza sino que no se vuelva a cometer la ofensa.

—¿Entonces, para usted, cómo se haría justicia?

—Los que han matado son apátridas, han sembrado las selvas con esas fosas innombrables a las que ni el nombre de los muertos les pusieron... no merecen la patria. Hay que alejarlos para siempre de la patria, las víctimas no merecemos encontrárnoslos en las plazas, en las calles ni en las playas. Hay que expatriarlos.

—¿A todos?

—Indudablemente muchos de ellos no son tan culpables como los del Secretariado, esos que se vayan involucrando poco a poco en la vida del país, pero los máximos responsables que reanuden sus vidas lejos de la patria, que no influyan en los destinos de la patria que ellos dañaron. Tal vez en otros cielos la vida les sonría, como decía el poeta.

—Dicen que han tenido motivaciones de justicia social...

—¿Creerse salvapatrias matando gente? Yo sé que errar es humano, pero ¡por Dios! Yo sé que este no ha sido un país ideal, sin embargo estábamos trabajando para corregir los errores que nos dejaron las guerras civiles, la Conquista misma.

—Cuando los alzados en armas responsabilizan de las injusticias de este país a las familias ricas y poderosas como la suya, ¿usted qué piensa?

—Lo hacen porque eso les dijo la "intelectualidad". Solo me duele la muerte de los que han caído, todo lo demás es subsanable. Somos víctimas porque el Estado prometió protegernos y no lo hizo.

—¿Cómo vivió el proceso judicial contra su marido* en el que le acusaban de haber financiado grupos paramilitares en el Urabá?

—Nos dolía mucho que él sintiera esa injusticia en el ocaso de su vida. ¡Cómo creerle a esa persona que lo acusó! Hay más de mil trescientas familias que viven de esa organización bananera que tenemos, contentas, bien pagadas. No tenemos complejos de inferioridad por haber construido desde abajo el capital que tenemos, que tampoco es mucho, comparado con otros.

—Usted también fue secuestrada, en el 83, cuatro meses, por el EPL. Luego su hijo Guillermo terminó dándole trabajo a uno de los líderes de esa guerrilla, a Jaime Fajardo Landaeta. ¿Cómo vio ese gesto?

—*Yo he considerado mi secuestro una experiencia valiosa de la que salí sin rencor*, convencida de que era una equivocación de esos jovencitos. Tenía cincuenta y cuatro años, estaba sana y fuerte, me encantaban la selva y los montes. Claro que fue una experiencia dolorosa. Mi hijo Guillermo estaba estudiando fuera de Colombia y no le contaron de mi secuestro, cuando se enteró tuvo una impresión inmensa. Pero él era un "ochavado", el 8, la figura perfecta del carpintero, un abridor de caminos, un ser totalmente armónico que se enamoró de la filosofía de la no violencia cuando la conoció por un abanderado del legado de Martin Luther King Jr. Cuando vi a Jaime Fajardo Landaeta trabajando con mi hijo, me alegró que un episodio doloroso como el de mi secuestro hubiera tenido un final sano y feliz.

—¿Usted es feliz?

—No creo que haya una persona totalmente feliz porque eso sería el colmo de la inconciencia. Ver partir un hijo en las circunstancias en que se fue Guillermo es un dolor inaguantable con el que no se vive, se sobrevive. Lo veo en todas partes, leo las cartas que escribió en su secuestro para su mujer y que ella nos las fotocopiaba ampliadas para que nosotros las pudiéramos leer. El día que recibí la noticia de su muerte las había leído unas horas antes y pensé ¿qué tal que esto sea lo único que me quede de mi hijo? Y cuando mi esposo puso a su gerente a darme la noticia —porque él no tuvo el valor para hacerlo—, y él me dijo que estaban muertos todos, yo, que estaba rezando, conservando un hilo de esperanza, pregunté: "¿Quiénes, los guerrilleros?". No pude entender qué había en el alma de esos seres humanos, que después de haber convivido trece meses con ellos, de haber recibido sus clases, pudieron dar la orden de matarlos y rematarlos. Este dolor es inaguantable, pero yo estoy rodeada de amor e imbuida en la religión, y por eso tengo la esperanza de que esto que hemos vivido es una prueba de que el espíritu humano trasciende.

*En 2010, ante fiscales de Justicia y Paz, Raúl Emilio Hasbún, alias "Pedro Bonito", declaró que Guillermo Gaviria Echeverri había hecho aportes voluntarios a los grupos paramilitares de Urabá, y el propio Echeverri pidió que se le investigara. El 5 de junio de 2013 la Fiscalía 51 especializada dictó resolución de acusación contra Gaviria Echeverri y Juan Esteban Álvarez. Los acusados y el Ministerio Público apelaron y la Fiscalía Delegada ante el Tribunal Superior de Medellín, en septiembre de 2013, revocó la acusación y precluyó la investigación.

Hace mucho dejé de ser víctima: Clara Rojas

Luego de casi seis años secuestrada, Clara Rojas lleva algo que parecía impensable durante su largo cautiverio: una vida normal, o casi normal. Tiene un trabajo relacionado con su carrera profesional y es una madre de familia que hace, como cualquier madre de familia, lo necesario para formar a su hijo en la manera en que cree que es la mejor. Y ella enfatiza: "Con la esperanza de que cuando esté grande entienda que su madre no tiene todas las respuestas y de que no me juzgue muy duro". Lo anormal de su vida es que debe reunirse con más periodistas de los que, quizá, ella quisiera, pero sabe que por el hecho de ser un referente de las víctimas de la guerra en Colombia, su visión de lo que ocurre en la mesa de negociación de paz entre el Gobierno y las Farc en La Habana, tiene mayor relevancia que la de un colombiano que no ha sido víctima directa del conflicto.

"Pude recuperar las metas de antes. Hace cinco años me lancé al Senado y no gané, entendí que no estaba preparada, pero en la siguiente elección sí obtuve la votación para ser representante a la Cámara, y aquí estoy en el Congreso". Además, su experiencia como directora de la Fundación País Libre la llevó a conocer tantas historias de víctimas del secuestro y de sus familias, que pudo ponderar la suya, a pesar de que muchos considerarían que hay pocas peores, por el hecho de que aparte de estar secuestrada le quitaron al hijo que dio a luz en cautiverio, y se vio ante la posibilidad de nunca recuperarlo. "En País Libre me di cuenta de que hay dolores más fuertes que el mío. Yo viví un proceso existencial muy importante. Al salir del secuestro me pregunté, ¿ahora cómo proyecto mi vida?, sabía que quería brindarle a mi hijo una niñez tranquila como la que yo tuve, sin amarguras. Sabía que para que un hijo sea feliz debe tener una mamá feliz. Tuve la ventaja de que mi hijo era un bebé cuando todo eso ocurrió. Eso nos daba la oportunidad de reconstruir la vida en función de la agenda de él y no de la mía".

Al quedar libre, Clara Rojas fue a visitar a alias "Martín Sombra", quien fue durante su carcelero durante un tiempo, y el de otros secuestrados en la selva, y fue capturado un mes después de que ella recuperara la libertad. "Cuando lo vi me preguntó que cómo estaba. Le dije que bien pero que mi niño tenía que ser sometido a operaciones por el trato que ellos le dieron durante el parto y en la selva. Me dijo que agradeciera que estaba viva. No seguí con ese tema porque ellos —los guerrilleros— tienen otra manera de pensar. Fui porque él me mandó razón con un periodista, decía que creía que lo iban a matar. Yo le dije que él tenía Fiscalía, juez, abogado y hasta una celda, garantías que él no nos dio a los que nos tuvo secuestrados.

Acepté ir por si esa visita podía servir para liberar a los que fueron mis compañeros de secuestro, y logré que accediera a reunirse con el comisionado para la paz".

Hechos como ese, que para Clara muestran que las Farc no están arrepentidas de lo que hicieron, la llevaron a vivir con sentimientos encontrados el anuncio de que se iniciaban nuevos diálogos de paz con las Farc. "Me impresionó cuando los oí decir lo que dijeron en la instalación de los diálogos en Oslo. Duré como una semana sin dormir bien, pero acepté que una cosa es lo que uno quiere y otra la realidad. Antes del secuestro siempre pensé que la solución al conflicto de Colombia era el diálogo, durante el secuestro quería que llegara el ejército y nos rescatara aunque hubiera fuego para los guerrilleros, pero después del secuestro vi que el presidente Uribe no pudo acabar con las Farc a pesar de su política de atacarlas. Entonces, la misma realidad lo lleva a uno a concluir que la vía para la paz es el diálogo, y es la paz lo que yo quiero para mi hijo".

El morbo que produce el hecho de haber quedado embarazada durante el secuestro —dijo un desmovilizado, que fue de uno de sus secuestradores—, y de lo mal que quedó su relación con Íngrid Betancourt, también ha llevado a Clara Rojas a buscar la manera de no dejarse afectar. "Soy espiritual desde niña, consolidé mi espiritualidad en el secuestro, y ahora que estoy libre la conservo de otra manera".

—Usted termina secuestrada porque decide acompañar a Íngrid al Caguán, a pesar de que ambas estaban advertidas de los riesgos. Y luego de que recuperan la libertad ella dice cosas reprochables de usted y usted hace lo mismo respecto a ella, ¿ya se perdonaron?

—Yo creo que yo ya la perdoné. La decisión de haberme ido con ella me costó muchas lágrimas, me reproché no haberla convencido de no hacerlo, pero empecé por perdonarme a mí misma. Entendí que estábamos en unas condiciones en que nuestra fortaleza, que es el intelecto, no tenía valor. Lo que valía era lo que no dominábamos, la fuerza, la rudeza, y eso derivó en situaciones que dañaron la amistad. Y después de lo que viví en el secuestro creo que pelear con Íngrid era lo de menos, *aprendí a no tomar muy en serio los agravios.* Guardo la esperanza de que un día nos tomemos un café, y aunque llevamos más de siete años sin hablarnos y ninguna ha tomado la iniciativa de dar el primer paso, eso está en manos de Dios. No es que me haya vuelto sabia ni mucho menos, pero como dice mi mamá, cuando las piedras no son para ti no las recojas. Son pildoritas para poder llevar la vida.

Y con ese mismo modo de pensar Clara les habla a las víctimas y a la sociedad civil: "Es respetable la postura de quienes quieren cárcel para los victimarios. En mi caso personal, cuando fui donde a alias 'Martín Sombra' me impactó verlo encerrado después de que se movía como pez en el agua en la selva. Le di la mano, por supuesto no se me ocurrió que debería darle un abrazo, pero tampoco me siento feliz por los años que le dieron de sentencia. Nunca me he planteado que el hecho de que él esté en la cárcel me sirva para perdonar o sanar. A mí lo que me interesa es que las Farc entreguen las armas y que no haya más víctimas, pero no les deseo el mal. Eso me da tranquilidad emocional, me muestra que ya rompí con ellos. Creo que uno no puede ser más papista que el papa, por eso pienso que la sociedad debe hacer el esfuerzo de entender y de involucrarse en la búsqueda de la paz, sin dejar de expresarse y proponer lo que piensa, pero respetando que otros piensen distinto".

Oyéndola me pregunto si es correcto llamar a Clara Rojas víctima de la violencia en Colombia. Con la respuesta que me da reafirma su línea de querer sacar lo mejor de entre lo peor: "Yo veo el vaso medio lleno, porque *también puedo decir que hay cosas positivas del secuestro* como que me dejó menos tímida y valorando aún más la vida. Pero lo que verdaderamente me ha ayudado es el cariño de la gente que quiero, haber sido acogida de nuevo en la sociedad. Es que las víctimas necesitan un poco de todo, en lo psicológico, en lo económico, en el acompañamiento del Estado. Pero uno decide dejar de ser víctima, *uno deja de ser víctima cuando recupera las riendas de su vida,* por eso yo hace mucho dejé de ser víctima".

Para poder perdonar no hay que olvidar: Óscar Tulio Lizcano

Tras ocho años secuestrado por las Farc, y siete de libertad, Óscar Tulio Lizcano dice que no quiere olvidar lo que vivió porque con las heridas abiertas se perdona más fácil, y porque perdonar facilita liberar el dolor. Óscar Tulio habla apoyado en las reflexiones recogidas en los años de cautiverio en los que para no enloquecer por la prohibición de hablar, les dio clases a los árboles, incluso poniéndoles nombres de sus alumnos a cada uno para poder relacionarse con "alguien". No en vano tituló *Años en silencio* el libro que recoge la historia de su secuestro. Lizcano habla también desde las reflexiones académicas que se ha hecho luego de fugarse gracias a la ayuda de alias "Isaza", el último de los diecisiete comandantes de las comisiones del frente Aurelio Rodríguez que lo vigilaron durante el tiempo que duró su secuestro. Isaza, en respuesta a que Lizcano —siendo representante a la Cámara—, le ayudó a su madre a conseguir una vivienda, le propuso que se fugaran juntos. La exitosa operación le valió una recompensa de mil millones de pesos y una nueva vida en París.

Ya en libertad, Óscar Tulio Lizcano hizo una maestría en Filosofía y Letras en la que con su tesis, "El perdón duerme con las palabras", concluye que quien no es capaz de narrar su propio dolor no es capaz de perdonar, y se pregunta si es posible encontrar un modelo ético del perdón a través de la tematización del dolor. Explica que no obstante el dolor es una experiencia personal, y el perdón un acto individual, ambos podrían ser narrados de forma que se genere una virtud política en el seno de una cultura para que se llegue a perdonar lo imperdonable. "Eso es lo que hay que hacer, perdonar lo imperdonable, que es la única forma real de perdón. Perdonar lo leve no es perdón, eso es solo reconciliación", dice con seguridad.

El primer paso para tematizar su dolor lo dio estando aún en cautiverio. "Comprendí las causas por las que muchas personas se van a la guerra. Otilia —una guerrillera— me decía: 'Viejo, nosotras fuimos violadas por nuestros padrastros, en lugares donde no había autoridad, ni las mamás nos defendían'. Al irse a la guerrilla encuentran un AK47, un radio, un comandante que las hace sus compañeras, con el que se sienten protegidas, y cuando vuelven a sus pueblos el padrastro se les arrodilla para que no lo maten. Es claro que buena parte de la culpa de esta guerra la tiene el Estado, por no hacer presencia y no garantizar autoridad. Muchos han llegado a las filas de la guerrilla sin saber leer ni escribir, cuando los reclutan los ponen a tomar dos horas diarias de clase sobre los estatutos de las Farc, pero eso no los saca de la ignorancia. Un día uno de ellos —Jofre, que llevaba veintisiete años en las Farc— me dijo: '¿Cierto que el petróleo lo siembran como el maíz y el fríjol?'. Y otro —Merejo, un comandante— me preguntó que ¡quién era ese señor tan famoso que nombraban en la radio, el tal referendo! Al mismo Rubín Morro, cuyo padre, militante de la UP, se lo regaló a Tirofijo cuando tenía cinco años como un aporte a la revolución, quien es un autodidacta, le pregunté un día cómo es que ellos bautizaron un bloque José María Córdoba, si Córdoba traicionó a Bolívar, siendo que las Farc tienen en sus estatutos la traición como una causal de fusilamiento. Le cambiaron el nombre al bloque por Iván Ríos".

Óscar Tulio Lizcano anda escoltado, con protección estatal, como muchos de los exsecuestrados. Su situación se tornó delicada cuando luego de la liberación regresó a su sitio de cautiverio para grabar un programa con desmovilizados que mostró cómo se vive en la guerrilla. Accedió incluso a volver a uno de los sitios donde estuvo recluido, y luego, siguiendo una recomendación del escritor Germán Castro Caycedo, al que consultó para elaborar el libro sobre su secuestro, pasó en canoa por el río que atravesó el día de su fuga. En el programa contó que la guerrilla le cortó la cabeza a un guerrillero de trece años —alias "Comidita"— en castigo porque se comía las provisiones, como el arroz crudo. Un día sus escoltas trataron de parar a Jofre, el más cruel de los carceleros que tuvo en la selva, cuando se le acercó en la pastelería La Suiza de Manizales para pedirle que le regalara cosas para su bebé que estaba por nacer. "Yo no me había dado cuenta de que se había desmovilizado. Él temblaba, me preguntó si todavía le tenía odio por el mal trato que me había dado. Le dije que no, lo miré a los ojos y sentí tranquilidad. Cuando me dijo que estaba esperando un bebé le dije que ahora sí iba a empezar a apreciar la vida, a valorar todas las vidas que quitó".

El dolor del secuestro es uno para el secuestrado y otro igual de grande o peor para la familia del secuestrado. En el caso de Óscar Tulio, su mujer, a quien él llama "la Barquerita", ve a las Farc como bandidos, no los perdona. Óscar Tulio dice que aunque las Farc es una organización que no resiste un análisis marxista de nivel teórico, apoya el proceso de paz y votará a favor del acuerdo, siempre y cuando sea claro que la guerrilla tiene unidad de mando sobre sus bases. "Yo siento rabia contra ellos pero no odio. Soy un conservador, fue Álvaro Gómez el que me metió a la política. Mis compañeros de partido me criticaban por decir que yo explicaba aunque no justificaba la existencia de la guerrilla. Sin embargo, como conocí el marxismo, puedo decir que las Farc son unas utilitaristas ideológicas. Hoy no hay quienes reemplacen a los del Secretariado de las Farc, de ahí para abajo muy pocos tienen conocimiento y cultura para sustentar un debate político o ideológico. Por eso creo que a las Farc, si no firman el acuerdo, le quedan pocos años de vida".

Lizcano separa su visión como ciudadano de su visión personal. Eso explica que diga que alias "Isaza" es su amigo, que hable con él de vez en cuando, y que le tenga enorme gratitud. Igual que, aunque dice que no comulga con aspectos del proceder del expresidente Álvaro Uribe, también le debe a este gratitud de por vida. Cuando Lizcano llevaba seis años secuestrado por las Farc, el EPL secuestró a su hijo menor —dice que ese fue su mayor dolor durante el cautiverio—, y Uribe logró rescatarlo luego de tres meses privado de la libertad. Fiel a su corte académico y reflexivo, y en proceso de preparación para empezar un doctorado en Filosofía, ya que dice que después del secuestro se aburrió de ser profesor universitario de economía y matemáticas, señala un pasaje de un clásico de la literatura para explicar la dualidad de sus conceptos: "Como dijo Homero en *La Ilíada*, la vida está por encima de cualquier riqueza guardada".

LA MALA POLÍTICA NO LIBRA A LAS FARC DE SER VICTIMARIAS: JAIME F. LOZADA

En la selva, durante los ocho años que pasó secuestrada, Gloria Polanco oía el programa *Voces del secuestro*, del periodista Herbin Hoyos. Una madrugada, ya en libertad, Gloria recibió una llamada de Herbin, le preguntó si quería hablar al aire con Elkin, alias "Genaro", un guerrillero raso, segundo comandante de la Columna Teófilo Forero de las Farc, quien asesinó a su esposo y dejó herido a uno de sus hijos cuando ella llevaba cuatro años secuestrada. Genaro había sido capturado y estaba preso en la cárcel La Picota de Bogotá. "No sé quién lloraba más, si él o yo. Yo me lo imaginaba apuntándole a Jaime y descargando en su cuerpo esa ráfaga que lo mató. Me pedía perdón, me decía que él no podía vivir en paz porque sabía el daño que nos había hecho, yo le dije que sí, que lo perdonaba, pero que no dejara más huérfanos ni viudas, ni más madres llorando la pérdida de sus hijos. Que le hablara a sus compañeros sobre nuestro caso, para que sirviera de símbolo de reflexión".

Gloria Polanco y sus hijos Jaime Felipe y Juan Sebastián hacen parte del grupo de catorce personas cuyo sueño fue interrumpido en julio de 2001, cuando las Farc, al mando de alias "el Paisa", irrumpieron en el edificio Torres del Miraflores de Neiva. Iban por Jaime, su esposo, entonces senador, quien se salvó del secuestro porque esa noche se había quedado en Bogotá. A los seis meses del secuestro a Jaime Felipe y a Juan Sebastián los separaron de su madre con el argumento de que los iban a dejar en libertad, pero los mantuvieron en cautiverio dos años más, hasta que su padre, vendiendo propiedades y haciendo préstamos, consiguió la primera cuota del dinero que las Farc le cobraban como extorsión para dejarlos libres. "Nos dijeron que a mi mamá la iban a liberar primero, y solo nos dimos cuenta de que se la habían llevado a otro punto de la selva cuando oímos por radio, meses después, sus pruebas de supervivencia".

Eso dice Jaime Felipe, quien hoy, como representante a la Cámara por el departamento del Huila, trata de seguir el legado de su padre. "Cuando lo asesinaron las Farc, dizque por error pues dicen que el atentado iba contra otro político de la región, mi papá era la figura más importante que estaba luchando por el acuerdo humanitario para intercambiar secuestrados por guerrilleros presos. Fue muy duro porque obviamente sabíamos que ya ni cuando liberaran a mi madre íbamos a tener a la familia reunificada".

Jaime Felipe dice que quizá él es el más radical de la familia respecto al perdón y a los beneficios que puedan recibir las Farc si se firma el acuerdo de paz. "Estamos dispuestos al perdón siempre y cuando se nos pida perdón, pero es que hasta ahora las Farc actúan como si nos hubieran llevado a un *camping*, o como si cuando nos amarraban por las noches eso hubiera sido un juego". Un segundo requisito es que le digan por qué asesinaron a su padre; y el tercero, que haya un mínimo de privación de la libertad para los responsables. "Aunque me encantaría que alias 'el Paisa' pagara cuarenta años de cárcel, prefiero que esté haciendo política en plaza pública a que siga echando bala. Pero ese derecho político solo lo deben poder tener una vez paguen algo de cárcel, nos reconozcan como víctimas y garanticen que no lo van a volver a hacer. Creo que esta es la misma postura que tendría mi padre, y yo hago esto en su honor, pedir que a las víctimas no nos traten como simple mercancía, si no la paz no será duradera, si no alguna de tantas víctimas se va a sentir en la libertad de tomar venganza. Yo no lo hice ni lo haré, a pesar de que cuando las Farc mataron a mi padre, a mí me llamó Salvatore Mancuso a ofrecerme los servicios de los paramilitares".

Gloria, una católica consagrada, dice que su tragedia es tan grande que hasta los propios guerrilleros en la selva se extrañaban de verla rezando el rosario todos los días a la misma hora, sentada en un tronco. "Siempre a las ocho de la mañana, y me preguntaban cómo podía creer en Dios si yo era la secuestrada que más estaba sufriendo. Me decían que si Dios existiera ya me hubiera sacado de allá. Yo les decía que lo que me estaba pasando no era cosa de Dios sino de los hombres, y que a Dios le daba gracias de que todos estuviéramos vivos, incluso ellos, los guerrilleros rasos, que estaban tan secuestrados como nosotros. Por eso cuando me enteré de la muerte de Jaime, y de que mi hijo estaba herido, y me desvanecí, grité y lloré, algunos de ellos tuvieron gestos de compasión conmigo, fueron a mi ritmo en las caminatas y me dieron una vela y un encendedor. El día en que Jaime fue enterrado yo le canté desde la selva, le prometí que iba a sacar a nuestros hijos adelante, que no iba a ser inferior a lo que él hubiera querido para ellos, y le dije que no se sintiera mal porque no me había logrado rescatar pues yo sabía que él había hecho todo lo posible".

La fuerza potenciada por su dolor, combinada con su fe, y con la realidad que veía entre los guerrilleros, como jóvenes que decidieron no seguir rogando que los dejaran entrar a la escuela a pesar de no tener zapatos, pues las maestras les ponían como condición que no fueran descalzos, fue lo que llevó a Gloria a que el día de su liberación saliera del secuestro con el firme propósito de perdonarlos. Por eso, con el rostro bañado en lágrimas, dice que ese llanto que evidencia que su dolor sigue vivo no significa que no haya perdonado, pero que el perdón que les dio tampoco quiere decir que no quiera que paguen, "no porque esté resentida con ellos, sino porque creo que el país debe ver que violar la ley tiene unas consecuencias, que no son darles el premio de vivir como si nunca hubieran hecho nada malo.

Porque si paga el que roba una gallina, cómo no van a pagar ellos, no sé cuántos años, pero algo. Ya la justicia divina es otra cosa, en esa es en la que yo creo".

Le pregunto a Gloria por la responsabilidad de los políticos en las carencias de la gente, que es justamente lo que sirve de argumento a algunos para tomar las armas. Su esposo se desempeñó como gobernador, cónsul y senador, entre otros cargos públicos, y las Farc siempre dijeron que los políticos a los que tuvieron secuestrados estaban envueltos en malos manejos de recursos, aunque lo hicieron de manera genérica y sin mostrar pruebas. "En la gobernación de Jaime hicimos mucho trabajo social, cada ocho días nos íbamos a los municipios a dar soluciones a los problemas. Él visitaba a las comunidades para solucionar los asuntos tanto del pueblo como del campo. Yo, su esposa, hacía brigadas de salud con las que pudimos detectar enfermedades y salvar vidas. Llevábamos médico, enfermero, odontólogo, ropa. Por supuesto que no se podía hacer todo, pero no tuvimos descanso, las navidades y fin de año siempre eran para ir a compartir con la gente y llevarles regalos".

Por esos mismos cuestionamientos, por el hartazgo general respecto a los vicios de la política, Jaime Felipe dice que su mejor aporte a la paz es hacer política sin malas prácticas, sin caer en tentaciones, que reconoce que las hay. Pero agrega que aun con esos vicios, la responsabilidad de las Farc no se diluye: "Tienen razón los que dicen que los partidos políticos también han sido responsables de la violencia en Colombia, pero eso no quiere decir que las Farc son víctimas y no victimarias".

Si fuera víctima, ¿qué quisiera que otros hicieran por usted?: general Mendieta

La misma indiferencia de la sociedad civil respecto a las víctimas, que atormentó durante los casi doce años de secuestro al entonces teniente coronel Luis Mendieta, es la que lo atormenta ahora. En una prueba de supervivencia enviada dos años antes de ser rescatado decía: "... No es el dolor físico el que me detiene, ni las cadenas en mi cuello lo que me atormenta, sino la agonía mental, la maldad del malo y la indiferencia del bueno, como si no valiésemos, como si no existiésemos...". Cinco años después de haber recuperado la libertad, el hoy general dice: "Hay gente que nos dice a los que estuvimos secuestrados que agradezcamos que estamos vivos, como si nuestro único derecho fuera el derecho a la vida. O porque luchamos por ser escuchados nos dicen que tenemos el síndrome de Estocolmo, o en mi caso, por reclamar los pesos que le hicieron falta a mi esposa mientras yo estuve secuestrado, nos dicen que quedamos locos, eso duele. Y eso me pasa a mí, que estoy bien, aunque sufro de apnea severa del sueño, todavía me dan pesadillas, o a veces me quedo como ido pensando a qué hora hay una explosión; pero los que han sufrido más, los que perdieron sus piernas, o quedaron incapacitados de por vida, no están tan bien como yo".

El general Mendieta ha cobrado notoriedad desde que empezó el proceso de paz porque es el que ha alzado la voz para denunciar que a los policías y militares secuestrados no los querían llevar dentro de los grupos de víctimas que fueron a la mesa de negociación de La Habana, y porque critica que quienes manejan el presupuesto para los afectados por el conflicto son personas que no lo han sufrido, pero dice que eso no significa que esté en contra del proceso de paz. "Yo soy escéptico por lo que pasó en procesos de paz anteriores, pero un legado de paz para el país es la razón de ser de la lucha de las fuerzas armadas. Los soldados y policías rezamos por la paz, es que somos los primeros afectados por la guerra, entonces yo apoyo el proceso. Y estoy dispuesto a perdonar, aunque *no me parece aceptable que les rebajen las sentencias a los guerrilleros, pero no voy a ser un palo en la rueda para la paz*. Lo que pasa es que a las víctimas hay que acompañarlas, darles sus prótesis, atención personalizada en lo físico y en lo psicológico, tanto para ellas como para sus familias, ubicarlas en viviendas donde no las maten, etc. Quisiera que las Farc dieran más en contraprestación a lo que ya se les ha dado, como empezar a entregar los restos de los desaparecidos, que entreguen a los que aún tienen secuestrados, reconocer a sus víctimas, pero sé que un proceso de paz es difícil, hay que tener paciencia, no se sabe cuánto puede durar. Lo otro es que en cuanto a la responsabilidad de los hechos las Farc van muy avanzadas, tienen sus colectivos de abogados e historiadores desde hace años para que cuenten la historia quede su versión de lo que pasó. Por ejemplo, de la toma a Mitú, en la que mis hombres y yo fuimos secuestrados,

Memoria Histórica iba a sacar un documental sin siquiera habernos preguntado a los sobrevivientes, sin haber ido allá, donde diecisiete años después de la toma la única presencia del Estado sigue siendo un cuartel militar y de policía, allá no han reconstruido la fiscalía, no han reconstruido las casas, la iglesia y la sede del obispado la reconstruyeron con los propios fondos de la iglesia. Además, quieren hacer que la policía pida perdón como institución, pero los crímenes cometidos por policías han sido de forma individual, no un accionar sistemático como organismo".

—¿Y están las fuerzas armadas preparadas para pasar de tratar a los guerrilleros como enemigos a protegerlos cuando se desmovilicen?

—Nosotros hemos cumplido en ocasiones anteriores. Yo tuve compañeros que fueron asesinados por el M-19, que sus familias no han sido reparadas, y eso no nos llevó a matarlos después de que firmaron la paz. A los del EPL, cuando pasaron a la vida civil, la Policía Nacional les ofreció escoltas policiales y hasta conductores.

María Teresa, la esposa del general Mendieta, quien además de soportar la ausencia de su marido por más de una década, tras la liberación de los políticos más renombrados detectó que los policías y militares pasaron a un segundo plano. Cree que antes de iniciar el proceso de paz se debieron construir las bases para la paz. "El derecho hubiera sido empezar en las universidades y colegios, trabajar en la imparcialidad de los medios de comunicación para no incendiar los corazones de los ciudadanos, pero yo veo este proceso muy complejo porque ni a las víctimas ni a los colombianos en general nos han educado para perdonar. Entonces, ¿qué sacamos con firmar un acuerdo de paz si la violencia interna de los individuos sigue ahí? Creo que hay que crear equipos interdisciplinarios que vayan a nivel veredal y departamental haciendo escuelas de reconciliación". Uno de los hijos de María Teresa y del general Mendieta dicta conferencias sobre la vivencia del secuestro como familia, en ellas invita al auditorio a ponerse una cadena cerrada con candado, amarrarse a un árbol, y tratar de hacer las labores cotidianas en esa condición, empezando por comer. Y les pregunta: "Si estuvieran en estas circunstancias ¿qué quisiera que otros hiciera por mí?". "Es que a las víctimas se nos exige que aportemos, pero no somos solo las víctimas las que tenemos que aportar", señala María Teresa.

¡Doce años secuestrado! Suena absurdo pero hay que decir que el general Mendieta no ha vivido la peor experiencia porque hay otros que duraron cautivos más tiempo que él. Lo veo al lado de su esposa y pienso cómo puede un matrimonio sobrevivir a esa tragedia. Las anécdotas del general me llevan a concluir que el poder de la fe es infinito. "En cautiverio soñé dos veces con la Virgen, la primera vez ella me dijo: 'Si quiere salir empiece a orar', y a los pocos días liberaron a algunos de mis compañeros por intercambio humanitario; luego volví a soñar con ella pero no me dijo nada; y tuve un tercer sueño, fue con Jesucristo en la cruz, que me dijo: 'Ya te puedes ir, ya te puedes bajar'. Eso fue antes de la Operación Camaleón, en la que nos rescataron a los coroneles Murillo y Donato, al sargento Delgado y a mí. Como tuvimos que esperar casi un día para poder salir del sitio, pensé que si no salía vivo, al menos mi familia iba a poder recibir mis restos".

Mendieta ha contado su experiencia ante medios de comunicación y auditorios de muchas partes del mundo. Cuando visitó los campos de concentración nazis entendió que en Colombia nos falta hacer lo mismo, conservar los sitios de tortura para que la sociedad civil no olvide y siempre rechace esa crueldad. Oyéndolo pienso que parte de su motivación para contar su historia una y otra vez es acabar con las causas que llevan a muchos a volverse guerrilleros. "Alias 'Bryan', uno de mis captores, es un muchacho al que sus papás abandonaron siendo niño. Lo recogió el ICBF y dice que allá le daban caldo con sardinas al desayuno, al almuerzo y a la comida. Se escapó y se fue para la guerrilla porque le ofrecieron darle pasta con arroz. A alias 'Felipe', la guerrilla le dijo que si entraba al grupo podía volverse piloto. Nosotros le tomábamos del pelo, le decíamos que cómo creía que la guerrilla podía cumplirle. Nos apuntaba con el fusil y nos decía: 'Pues no sé pero me tienen que cumplir'. El psiquiatra me ha dicho que yo tengo un daño porque ante cada cosa que hago después del secuestro recuerdo que secuestrado no la podía hacer y ahora las valoro mucho más. Por ejemplo, si uso una cuchara pienso: allá no tenía una, o si prendo la luz pienso que allá no tenía energía... No entiendo por qué la gente se suicida habiendo tanto por hacer".

Édgar no se dejó secuestrar mentalmente, yo aprendo de él: Susy Abitbol

A Susy Abitbol le brillan los ojos cuando habla de Édgar Yesid Duarte, su marido, secuestrado en 1998 por las Farc en un falso retén militar en el Caquetá, siendo capitán de la Policía. Ni la muerte de Édgar en 2011, en un operativo de rescate fallido —no obstante que en su última prueba de supervivencia él rechazaba cualquier intento de rescate porque lo consideraba una sentencia de muerte—, le quita ese brillo de la mirada. Le pregunto cómo puede irradiar tanta luz cuando la tragedia de esperar por trece años al hombre que amó debió haberle quitado toda su energía y esperanza: "Es una vida indeseable. Uno siempre cree que uno es el que más sufre pero, por ejemplo, las familias de desaparecidos sufren tanto o más que nosotros. Al menos con mi hija Viviana pudimos recibir el cuerpo, y todo lo que Édgar escribió en el secuestro. Por los colores y las expresiones que usó, en vez de transmitirnos tristeza nos transmite sabiduría. Leemos sus cuadernos, la biblia que él usó en el secuestro, lo que subrayó, y así aprendemos de él, por ejemplo, no habla ni mal ni bien de los guerrilleros, los llama 'pobres niños guerrilleros', porque no valoran la vida ni la libertad. Tenía recortes de modelos y reinas que aparecían en las revistas, yo sonrío con eso porque me lleva a pensar que a pesar del cruel cautiverio nunca perdió su sensibilidad de ser humano, y que las cadenas que le pusieron no le amarraron su mente. En las pruebas de supervivencia nos decía que aunque podíamos verlo acabado físicamente él estaba fuerte. Entones, si él estaba fuerte, ¿cómo no deberíamos de estarlo nosotras?".

Susy trata con delicadeza los montones de cuadernos, cartas, recortes y *souvenirs* que aún conservan el olor de la selva. Se le nota el amor y la admiración por ese hombre al que conoció a los diecinueve años y siguió a todas partes del país donde lo enviaba la Policía. El secuestro los separó físicamente pero la unió más a él espiritualmente, por eso se mantuvo aferrada a la idea de retomar su vida con Édgar: "A veces pensaba, como cualquier mujer que esté soportando desde los veinticuatro años la ausencia de su esposo, ante la posibilidad de recibirlo muerto, que no quería estar más sola. Eso de las esposas, sobretodo con las jóvenes, generaba un morbo y una deshumanización terribles, incluso por parte de las familias; todo el mundo era pendiente de ver si aguantábamos. Varias rehicieron su vida sentimental, las respeto y comprendo, la intimidad de las personas es innegociable. Yo adquirí una fuerza mental muy grande. Cada que empezaba un año me programaba, me decía que ese año lo iban a liberar y que yo lo iba a esperar ese año. Una vez me escribió un poema que se llama *Vuela libre*, en el que dice que mi libertad es su libertad, pero eso tenía el efecto de una psicología inversa, porque yo no volaba a pesar de mi fatiga y de mis debilidades, yo estaba secuestrada en libertad, y el deseo de verlo libre le ganó a mis sentimientos de mujer. También veía cómo ocurría lo inevitable con otros secuestrados que al ser liberados se divorciaban de las esposas que los habían esperado, y aunque pensaba que podía estar sacrificando los mejores años de mi vida, y que me podía pasar lo mismo cuando Édgar volviera, me dediqué a vivir el presente, a cuidar a mi hija, a compartir con las familias y a estudiar".

Viviana tenía menos de dos años cuando a su papá lo secuestraron. Susy trataba de no hablarle a la niña del secuestro para, según sus palabras, no dañarle la niñez. Cuando estuvo más grande Susy usó varios recursos para contarle que su papá estaba secuestrado, entre ellos una cartilla diseñada para esos casos por la fundación País Libre. Pero una vez apareció en un noticiero una prueba de supervivencia de Édgar en la que se veía encadenado, y Viviana la vio, "desde ahí se empezó a involucrar, me acompañaba cada ocho días a enviarle mensajes por la radio. Ella cumplió quince años en abril de 2011, y teníamos la idea de que ese año los iban a liberar. Ya después de tanto tiempo secuestrados, no pensábamos ni que la guerrilla los iba a asesinar ni que iban a poner sus vidas en riesgo con un rescate. Entonces fuimos aplazando la celebración para que su papá pudiera estar en la fiesta. La teníamos lista para diciembre, ella me decía que le iba a celebrar los quince cuando cumpliera dieciséis... En noviembre lo mataron".

Susy estudió Terapia Respiratoria, se especializó; y por tener a su esposo secuestrado se interesó en el tema de resolución de conflictos. Obtuvo el apoyo del Gobierno francés para estudiar en La Sorbona una especialidad sobre ese tema, y paralelamente acompañó la lucha por la liberación de Édgar. "Le mandábamos mensajes a pesar de la diferencia horaria, y después de su muerte nos devolvimos a Colombia para quedarnos porque creo que lo que pasó es un asunto del conflicto, no del país. No quise separar a Viviana de su país y de las familias. No podemos borrar la historia, y acá hay cosas importantes por hacer". Una vez enterró a su marido, al que le duele no haber visto muerto —pues solo pudo palparlo a través de las bolsas negras en las que lo trajeron a él, al sargento del Ejército Libio José Martínez, al mayor de la Policía Elkin Hernández y al subintendente de la Policía Álvaro Moreno, porque Medicina Legal dijo que los cuerpos ya estaban en avanzada descomposición—, Susy siguió trabajando en su profesión. "Cuando me llamaron de la Policía a decirme que me esperaban para una entrevista en el edificio Brigadier General Édgar Yesid Duarte fue muy conmovedor, se me vinieron las lágrimas, y entré a ese edificio que lleva el nombre de mi esposo, todos los días, por varios meses. Fue muy emotivo y también razón de orgullo pasar de ser la víctima, la esposa del secuestrado y asesinado, a ser la terapeuta que ayuda a otros policías y a sus familias que están en etapa terminal o con enfermedades crónicas. Al final fue también una terapia para mí".

Susy y Viviana han recibido propuestas para hacer un libro con el material que escribió Édgar en cautiverio. Susy cree que sería un manual de entrenamiento para situaciones difíciles, y muy enriquecedor para el actual momento que vive Colombia. Y en cuanto a su vida sentimental solo se dibuja una sonrisa en su rostro, mientras explica que cree que lo más sano es no cerrarle las puertas al corazón. No obstante, dice que con esta historia a cuestas aburre o asusta a cualquier hombre. También es consciente de que en sus circunstancias algunos pensarán que volver a amar es casi una ofensa, y otros entenderán que es un renacer de la vida. Por eso ella prefiere vivir el día a día, concentrada en ser una buena madre.

Respecto a la justicia, dice que como víctima piensa que no es justo que quienes han cometido delitos tan graves no paguen por lo que hicieron, pero que como colombiana cree que lo mejor es que el país viva en paz, aunque asegura que si hay impunidad esto tendrá consecuencias y traerá más víctimas.

—¿Cuál podría ser tu reparación?

—La guerrilla ya no nos puede devolver a Édgar, entonces que no cause más daño a otros ni al país. Es importante que también el Estado admita su responsabilidad para que dé garantías de no repetición, y que haga presencia con educación, cultura y oportunidades hasta en los rincones más lejanos del país. Y la sociedad nos puede ayudar a las víctimas si no olvida, tomando conciencia de que lo que hemos vivido nosotros debe servir para construir, inculcando valores en la familia, criando a sus hijos en ambientes sanos. Para eso no se necesita ser de ningún estrato social. El amor y la unión familiar no cuestan nada y generan beneficios muy grandes.

Le doy plata al guerrillero que ayudó a que yo quedara libre: Fernando Araújo

Fernando Araújo Perdomo estuvo seis años secuestrado por las Farc. Durante ese tiempo, como tantos secuestrados, se privó de ver crecer a sus hijos, y como también les ha pasado a algunos, perdió a su esposa, con la que solo llevaba siete meses casado al momento de su secuestro. Por eso, por haber sido ministro, miembro de una de las familias más prestantes de la costa Caribe colombiana, y por haberse fugado de sus captores, su caso es de los más emblemáticos del conflicto en Colombia. No obstante, Araújo explica que no se siente víctima. "Nunca me dejé secuestrar mentalmente. Yo seguí tratando de cumplir el objetivo principal de mi vida: crecer. Pero tuve que reorientar ese crecimiento a las actividades que podía realizar. Crecer internamente, aprender, hacer ejercicio, fortalecerme espiritualmente. Claro, no podía trabajar porque las Farc no me dejaban irme, pero en cuanto a mis hijos, sabía que yo tenía una familia que iba a velar por ellos, y me concentré en que todo lo que yo hiciera en los días de mi secuestro fuera motivo de orgullo para ellos".

—¿Tampoco es víctima por el hecho de haber perdido a su esposa?

—Haber perdido a mi esposa no me convierte en víctima. Ella tomó esa decisión libremente, también habría podido decidir esperarme. Sí, fue muy triste, pero eso mismo hacen muchas personas en la vida, divorciarse. Y si eso no hubiera pasado, yo no hubiera conocido a mi actual esposa, que es maravillosa. Yo me opongo al concepto de victimización de la sociedad.

Miro a Araújo y pienso que sus posturas suenan frías, que su reacción es diferente a la de la mayoría de los exsecuestrados que conozco. Quizá porque nota mi asombro decide explicar que se basa en lo que aprendió al leer dos libros, uno de ellos *El Hombre en busca de sentido*, del psiquiatra Viktor Frankl, quien estuvo en un campo de concentración nazi. Frankl es el creador de la logoterapia, que parte de la base de que ni lo social ni lo psicológico le roban a la persona su libertad y autonomía, y por ende una persona siempre puede elegir la actitud a tomar en cada circunstancia. El otro libro es el muy popular *Los siete hábitos de la gente altamente efectiva*, de Stephen Covey. El primer hábito es "ser proactivo", lo que explica como el hecho de que la conducta de un individuo va en función de sus decisiones y no de sus condiciones, y que es posible subordinar los sentimientos a los valores. Covey dice que lo que hiere o daña no es lo que nos sucede sino la forma como se responde a lo que nos sucede, y que incluso si hay un daño físico o económico, esa circunstancia difícil desarrolla el carácter y la fuerza interna.

Araújo cree que el actual proceso de paz no corresponde al momento de la historia que vive Colombia, pues considera que con la política que tenía el entonces presidente Uribe se hubiera podido llevar a las Farc a un punto de rendición y entrega digna de las armas. Rechaza la posibilidad de que uno de los miembros de esa guerrilla llegue a dirigir los destinos de Colombia porque dice que nada debe eximir a un asesino, ni la pobreza o inequidad, como tampoco se exime al que mata por un problema mental. Considera que darles otra categoría a los crímenes de las Farc muestra que la sociedad colombiana tiene pervertidos sus valores. "A cuenta de qué vamos a estar todos pagando ahora el asesinato de Gaitán, que ocurrió hace más de sesenta años. Es que uno de los guerrilleros que me tuvo secuestrado, uno joven, me decía que era guerrillero porque mataron a Gaitán, al que él ni conoció. Esos son los imaginarios que necesitan construir los del secretariado para reclutar jóvenes". Pero Araújo entiende que no todos en la guerrilla tienen la misma responsabilidad. Dice que mientras por Iván Márquez, que fue el autor intelectual de su secuestro, siente un enorme rechazo que no es rencor, por algunos de los que lo tuvieron secuestrado siente lástima y le duele que mueran o que vivan vidas sin futuro. Y en un acto que puede parecer contradictorio, Fernando Araújo envía dinero a la cárcel al guerrillero que confirmó la información que él ya había enviado en clave en una prueba de supervivencia, con datos sobre su posible ubicación; y que su captor era Alias "Martín Caballero". Con la información del guerrillero, el Ejército pudo empezar a planear el operativo que si bien no logró liberarlo, sí le permitió fugarse. "Está condenado como a veinte años de cárcel, y cuando me retraso en el giro me llama a cobrar. Lo hago por gratitud, no como un gesto de perdón. Considero que el perdón cabe cuando la persona que ha cometido un delito se arrepiente y tiene un propósito de enmienda".

La sonrisa de la libertad no me la quita nadie: Alan Jara

Con su mejor espíritu de pedagogo, Alan Jara inventó un método para sanar las heridas que dejó el secuestro: se reúne cada cierto tiempo con sus compañeros de cautiverio a hablar de esos años en la selva, pero solo de lo bueno.

—¿Y es que hay algo bueno en un secuestro?

—Sí, por ejemplo, todos nos aferramos mucho a Dios, reforzamos nuestra espiritualidad, aprendimos a darle valor a eso de que lo más importante es la familia, porque uno por andar trabajando no le dedica tiempo de calidad a la familia. Y los militares y policías sí que valoraron eso, ya que por su disciplina castrense el trabajo tiene que ser la prioridad. Pero además, reunirnos y ver que todos pudimos rehacer nuestras vidas nos muestra que el ser humano es capaz de superar todas las dificultades, nos hace ser más optimistas respecto de nuestro futuro.

Pero además de lo existencial recuerdan aspectos cotidianos, por ejemplo, las maneras que se inventaron para matar el tiempo. "Cuando llegué al campamento éramos veintiocho secuestrados, yo era el único político. Hicimos diez juegos, unos de cartas, otros de ajedrez. Les enseñé geografía pintando el mapa en una sábana, todo país nuevo que salía lo metía en África. La hora más dura, que era la del anochecer, la dedicábamos a contar historias, así nos contamos la vida varias veces. Yo les dejaba tareas de la clase de inglés, en vez de *homework* les ponía *cagework*, porque nos tenían en una jaula. Cuando nos juntaron con los políticos traté de invitarlos a ellos a las clases pero no quisieron. Le hicimos *baby shower* al hijo de Clara Rojas. Y cuando nos separaron me dieron la opción de dejarme en el grupo de los políticos pero yo no quise, aunque a ellos no los encadenaban mientras que a los policías, militares y a mí sí".

A pesar del ejercicio de recordar lo positivo del secuestro, Alan Jara reconoce que el hecho de haberse perdido siete años y medio de la vida su hijo lo llenó de rabia. "Un día fui al colegio por las calificaciones, y empecé a ver a niños de ocho, nueve, diez, once años, edades en las que yo nunca vi a mi hijo, y sentí mucha rabia. Yo también en el secuestro tuve el dolor de que mi madre muriera, murió el día que yo cumplí un año secuestrado. Ese día me quebré, pero pude hacer el duelo. En cambio lo de mi hijo me dio la dimensión de lo que me habían arrebatado y que era irrecuperable".

—¿Cómo manejó esa rabia?

—Pensando que si me quedaba con ella era como seguir secuestrado, y que eso no me conduciría a nada positivo. Y también me volví, como dicen hoy los muchachos, intenso para estar con él. Me levantaba temprano a hacerle el desayuno, así también le daba un descanso a mi esposa Claudia, a quien le tocó todo sola. El primer día no sabía si le gustaba el huevo o no, si frito o revuelto. Me dijo frito y yo no sabía si con la yema blandita o dura. Pensé que muchos padres también ignoran esas cosas de sus hijos, y no han estado secuestrados, solo que no les han dedicado tiempo.

Alan Jara y su familia viven en un apartamento que compraron con una indemnización que les dio el Estado al reconocerlos como víctimas, de esa manera se puede decir que recibieron una reparación, no obstante, dice que aún quiere saber por qué lo secuestraron, pero que es secundario si los responsables de las Farc que ordenaron y ejecutaron su secuestro pagan cárcel. "Se me iría la vida en eso. Si uno para la tranquilidad de uno lo que necesita es que otro sufra, creo que está equivocado. A mí la reparación que me interesa es que no haya más víctimas, si para ello hay que hacer unas concesiones de justicia transicional y penas alternativas, está bien, porque *no vale la pena que yo cobre por lo mío si a otros les va a seguir pasando lo mismo*".

Reelegido como gobernador después del secuestro, un día llegó a su oficina un desmovilizado que hizo parte del grupo de los que prestaban guardia mientras Alan estuvo en cautiverio. "Reviví la película, tuve sentimientos encontrados, pensé que él me hubiera podido matar si le daban la orden, pero también que si se desmovilizó fue porque estaba buscando rehacer su vida. Lo saludé sin rencor. Él estaba tan secuestrado como nosotros".

A propósito de su renovada responsabilidad como gobernador, le pregunto si ahora ejerce mejor ese trabajo que antes de ser secuestrado, me responde que no tiene culpas, que cuando fue gobernador en el 98 creó los internados para la paz, donde las madres podían dejar a sus hijos sin miedo a que fueran a ser reclutados. Reconoce que hacen faltan muchas cosas: "Sé que no puedo construir siete mil doscientos kilómetros de vías sino setecientos, y que donde no hay vías van a sembrar coca, pero no me pongo más cargas de las que puedo soportar. Lo que sí es distinto es que ahora soy más sensible a ver cada arbolito con su nombre propio y su problema, y no el bosque entero en toda su complejidad".

Viéndole esa sonrisa sin esfuerzo que lo caracteriza, que no sale solo de su recordada dentadura sino de sus ojos y demás gestos, me pregunto si ese rostro alegre estuvo escondido durante los años de secuestro. "La primera vez que sonreí en el secuestro algunos de mis compañeros me reclamaron, me preguntaron si es que estaba contento allá. Les respondí que la vida es llorar pero también reír, crecer, ayudar a otros. Eso fue lo que hice allá, y muchas veces logré reírme incluso estando encadenado. También lloré muchas veces, claro. Pero esta sonrisa la llamo la sonrisa de la libertad, no me la quita nadie, es una actitud frente a la vida".

Y sobre la actitud de quienes no ven positivo que haya un diálogo de paz, me dice que "los seres humanos hacemos hasta lo imposible para amargarnos la vida, tenemos tanta capacidad de hacer daño, y generalmente resultamos haciéndoles daño a los que más queremos porque son los que tenemos más cerca. Es casi antagónico que las personas que más han sufrido sean más propensas al tema del diálogo y la paz que las que no lo han hecho, pero también es cierto que hay que vender distinto el proceso de paz porque la gente lo está viendo como una manera de redimir a las Farc y no a la población afectada por esa guerrilla".

Que digan por qué los mataron y que también paguen cárcel: familia de diputado del Valle

El 28 de junio de 2007 las familias de los diputados del Valle del Cauca se enteraron de que sus familiares habían sido asesinados por las Farc diez días antes. "Nos reunimos en la casa de Fabiola Perdomo (esposa de uno de los diputados, quien había tomado la vocería de las familias). Ahí llegó el presidente Uribe, la gente del conjunto lo aplaudía, a pesar de nuestro dolor. Él nos mintió, nos dijo que ya estaba cerca el acuerdo humanitario, y esta es la hora en que no sabemos si es cierta la versión de que intentaron un rescate y que por eso la guerrilla los mató". Así narra ese momento Diana Echeverry, hija de Ramiro Echeverry, uno de los ajusticiados. Tenía diecisiete años cuando su padre fue secuestrado y su voz aún refleja la incredulidad de lo que ella considera un engaño. Y Rocío, su prima, quien era como otra hija para Ramiro, remata con resignación: "Lamentablemente nos tocaron ocho años en que la gente estaba ciega por Uribe". Ana Milena, esposa del diputado asesinado, desde un rincón de la sala de la casa de esta familia, en Palmira, las oye hablar. Cuando interrumpe lo hace con voz de resignación y para matizar las opiniones: "Hubo mucha gente que nos apoyó, pero otra que nos dio la espalda. Cuando recién los secuestraron algunos sacaron pancartas que decían 'que los tengan allá, por ratas', pero también hubo gente solidaria".

Ocho años después del fatal desenlace quedan las anécdotas de los esfuerzos por reconstruir la vida. Rocío recuerda que Ramiro, quien acostumbraba a hacer ejercicio, decía en broma que así se mantenía en forma para cuando lo secuestraran las Farc, a propósito de unas declaraciones de alias 'el Mono Jojoy' en las que anunciaba que empezarían a secuestrar políticos. Y luego, en tono serio, narra que el grupo de familiares de los diputados se desintegró tras el asesinato: "Solo nos buscaban para hacer política, y cuando fueron elegidos no nos volvieron a recibir, ni ayudaron con un puesto a la familia de Édison Pérez —otro de los diputados asesinados—, que estaba tan mal económicamente". Diana dice que siguiendo lo que su padre decía en una prueba de supervivencia, ella y sus hermanos se fueron del país, pero que regresó porque a pesar de todo ama a Colombia. Trabaja en la Alcaldía de Palmira y dice que es inevitable pensar en cuál sería su presente profesional si su padre no hubiera muerto, ya que él era el pilar económico y moral de la familia. Por esos vacíos, ella no concibe un perdón ni beneficios para la guerrilla en el marco del proceso de paz. "Yo exijo un mínimo de cárcel. No sería un buen ejemplo para futuras generaciones que alguien que mató, como el que mató a mi papá, no pague por lo que hizo". Las opiniones entre hija, madre y sobrina se dividen de nuevo. Ana Milena le dice de inmediato a Diana que si queremos la paz tenemos que ceder en algo. "Yo me alegré cuando empezó el proceso de paz porque no quiero que nadie repita la experiencia que nosotros vivimos. Lo que sí les pido a las Farc es que al menos les digan a otras familias dónde están los restos de los seres queridos que ellos les han asesinado, y que nos entreguen los escritos que dejaron nuestros familiares, para al menos poder tener algo de lo que ellos vivieron y pensaron en esos años en que estuvieron secuestrados". Rocío dice que cuando oye que a los de las Farc se les abre la posibilidad de hacer política piensa en Navarro Wolff y en otros exguerrilleros, y dice que ni le va ni le viene si los del Secretariado se vuelven políticos o si van a la cárcel, su único interés es conocer por qué dieron la orden de matar a los diputados, saber la verdad, ya ni siquiera para perdonar o buscar justicia porque dice que hace años entendió que se necesitaba el sacrificio de algunos de los secuestrados para que pudieran quedar libres los demás, y asegura que fue la conmoción causada por esa masacre en la que cayó su tío lo que permitió movilizar las liberaciones que se dieron posteriormente. Y con respecto al proceso de paz prefiere no opinar. "Yo estoy de acuerdo, pero me ha pasado que incluso compañeros de trabajo dicen: 'Cuál paz, qué paz. A esa guerrilla hay que darle duro, eso es una farsa'. Y yo ya ni intervengo porque sé que no voy a lograr cambiar ese pensamiento. *Así somos en Colombia: hasta que no nos pasa en carne propia no tomamos conciencia*".

Las veo con tantas heridas por cerrar que es evidente que no han tenido el acompañamiento necesario para apoyar su duelo. Diana dice que fue al psiquiatra pero que decidió que cada quien es el mejor psicólogo de uno mismo, y reconoce que en el esfuerzo solitario por hacer el duelo a veces tiene éxito y a veces no. Ana Milena y Rocío dicen que probablemente asistirían a terapias de reconciliación porque nada más con esta conversación han vuelto a sentir rabia y dolor.

ESTOY AGRADECIDA CON LO QUE ME PASÓ: ISABELLA VERNAZA, EXSECUESTRADA

"Yo qué voy a perdonar si de alguna manera estoy agradecida con lo que me pasó, pues yo estaba desvinculada de mi país". Isabella Vernaza fue una de las ciento sesenta personas secuestradas en 1999 por el ELN durante el asalto a la iglesia La María, y aunque su pensamiento es contrario al de la mayoría de las víctimas de ese hecho violento, y de ninguna manera indica que pasó bien los cinco meses que estuvo privada de la libertad, Isabella tiene argumentos de peso para reiterar lo que dice: "Yo llegué muy tocada del secuestro, me retiré del noticiero *Noventa Minutos*, en el que era gerente, y entré a la Corporación VallenPaz, que la acababa de fundar Rodrigo Guerrero, para atender las necesidades de los campesinos. Claro que cuando salí del secuestro y mi hermano me dijo que me habían liberado porque la familia pagó, casi me caigo al piso. Durante todo el secuestro yo discutí con un guerrillero llamado Fidel Castro, alias 'Profe Ernesto', que era líder sindical en Yumbo, pues él empezó como a adoctrinarnos. Y como yo había estudiado sociología, lo confrontaba, hasta que un día me dijo que yo le estaba faltando al respeto y me redujo mi ración de comida que para que viera cómo sufrían los pobres. Entonces yo entendía que mi secuestro era político, además así me lo dijeron desde el primer día, y desde los guerrilleros rasos hasta el comandante contaban que ellos eran víctimas porque les habían matado a sus familias. Varias de las guerrilleras no sabían leer y los secuestrados les enseñamos. De hecho, algo que me impactó mucho fue que a uno de los guerrilleros le dije que no se llevara a mi hijo Tomás, el mayor, que tenía catorce años, y el guerrillero me respondió que eso qué, que él tenía trece. Pero al mismo tiempo pasamos por cultivos de coca, y todos tuvimos que pagar para que nos liberaran, por eso fue que empezaron a soltar a los hombres, para que fueran a conseguir la plata para pagar por la libertad de ellos y de las mujeres que seguíamos en el monte. Por eso es que yo pido que nuestro secuestro no sea declarado político porque fue netamente extorsivo, y no me opongo a la justicia transicional ni a la participación política de los guerrilleros, pero sin privilegios, siempre y cuando la guerrilla reconozca sus delitos". A pesar de darse cuenta de que la guerrilla cambió los legítimos ideales de justicia social por un accionar criminal, Isabella comprendió en el secuestro el aislamiento, la pobreza, la ignorancia y el abandono con el que vivía la gente del campo, por eso al regresar, con otro grupo de secuestrados, crearon un seminario en la Universidad del Valle. "Fue para tratar de entender lo que estaba pasando. También fundamos la Corporación Humanitaria y Social Grupo La María. Hicimos un video a manera de sanación, en el que recreamos cómo fue el secuestro. El ejército nos acompañó y actuó disfrazándose de guerrilleros".

Alfredo, el esposo de Isabella, también secuestrado en esa toma, pero separado desde el comienzo en otro grupo que no se integró tanto como el de Isabella, comparte la idea de que de todo queda algo bueno, pero él sí no se cuestiona su rol en la sociedad. "Yo cumplo con mi trabajo, hago que con mi productividad se beneficien las familias de la gente que trabaja conmigo. Nunca pensé que me fueran a secuestrar, y menos por motivos económicos, si yo lo único que tengo es una casa, un carro y un trabajo. De estudiante en la Universidad Nacional de Medellín había 'voliado' piedra, leí *El capital*, nos cuestionábamos el funcionamiento de la sociedad, pero nunca estuve de acuerdo con el uso de las armas. El palazo que nos dieron económicamente fue duro, nos tocó volver a arrancar de cero. Todavía, dieciséis años después, estoy pagando la deuda de lo que pedí prestado para pagarles a ellos. No obstante, sí creo que la plata que se invierte en la guerra se debería invertir en crear soluciones para el campo".

A pesar de que la familia se desbarató porque cada hijo se fue a donde un tío diferente mientras sus padres regresaban del secuestro, Isabella asegura que en ese secuestro la victimización fue menor porque tuvieron el apoyo de monseñor Isaías Duarte Cancino. "Como unos días antes de nuestro secuestro fue el del Fokker de Avianca, y luego vino el del la Ciénaga de El Torno en Barranquilla, él vio que había que hacer algo, invitó a las familias para que crearan una 'zona de distensión' en la plazoleta de San Francisco, ahí llegaban otras familias a pedir apoyo. Por eso los que íbamos saliendo del secuestro no teníamos tiempo de sentirnos víctimas, llegábamos a ayudar a otros".

Para Juan Daniel, el hijo menor de Isabella y Alfredo, quien fue liberado en el grupo de niños y ancianos que el ELN dejó en la carretera en medio de la persecución del ejército a las pocas horas del secuestro, su experiencia sí ha pasado por el odio. "Yo sí siento que quedé con un trauma, nunca entendí por qué pasaba eso por plata. Me llevó a prestar más atención a las noticias, a querer estar mejor informado para entender la realidad. Y contar la historia me sirve para ir sanando".

Isabella y Alfredo no acostumbraban ir a misa. Dicen que en diecisiete años que llevaban casados por lo civil para la fecha del secuestro habrían ido solo unas tres veces a la iglesia, pero que la experiencia del secuestro los hizo más espirituales. Alfredo, aún en cautiverio, prometió que si lograban recuperar la libertad le propondría a Isabella casarse por la Iglesia. Así lo hicieron, en compañía de los compañeros de secuestro que, como dice Isabella, se volvieron tan importantes como los compañeros del colegio. "Fueron gente valiosa que hizo que la experiencia fuera enriquecedora. Aprendimos que realmente lo único que uno posee es lo que tiene en su cabeza y en su corazón". No esperan que les pidan perdón individualmente sino que la sociedad en términos generales se perdone, pero entienden que víctimas de otros secuestros, que estuvieron amarradas o que fueron violadas, sí necesiten ese perdón. Ellos se esmeran en poner su parte, Alfredo dice que estaría dispuesto a emplear desmovilizados en su empresa, y coinciden en que a los guerrilleros rasos se les den todos los beneficios. En el caso de Isabella, su aporte es crear conciencia sobre la necesidad de mejorar la vida de los campesinos. "Hay que ver a los campesinos con el mismo potencial que tienen los empresarios de la ciudad, pero han pasado más de quince años desde el secuestro y casi nada ha cambiado, ¡cómo es posible!, y hubo un paro agrario pero eso no consolida nada. Los colombianos no han tomado conciencia de que esos problemas tienen que ver con ellos".

¿Tendremos todos que perder un hijo para entender?: Martha Luz Amorocho

Cambiar la pregunta fue la clave de Martha Luz Amorocho para aceptar y entender la muerte de su hijo Alejandro y las lesiones de su hijo Juan Carlos. Alejandro murió justo cuando entraba al Club el Nogal para acompañar a comer a su hermano Juan Carlos, quien estaba en una de las cafeterías en el momento en que estallaron los doscientos kilos de C-4 y amonio puestos ahí por un infiltrado de las Farc. "¿Dejé de preguntarme ¿por qué?, ¿por qué si no le hemos hecho mal a nadie?, ¿por qué, si mi marido y yo damos empleo y apoyamos en lo que podemos a los que nos rodean? Entendí que eso no tiene un porqué, y como mujer de fe, pensando en mi modelo, que es la Virgen María, acepté que todos venimos al mundo con una fecha para partir. Por supuesto que no quería que la de mis hijos fuera tan corta, por supuesto que quisiera que el siete de febrero de 2003 no hubiera existido, pero la vida no se devuelve, por eso me empecé a preguntar ¿para qué?". Y esa pregunta se la trasladó a las Farc cuando viajó a La Habana en uno de los grupos de víctimas. "Les pregunté ¿para qué les sirvió la muerte de mi hijo?, ¿para qué les sirve lo que hacen contra la gente como nosotros?, porque lo importante no soy yo, ni mi circunstancia. Sé que todas las víctimas representamos a un grupo, sea el de El Nogal, o el de Machuca, pero todas sufrimos igual a pesar de ser de diferentes estratos, y aunque algunos pueden verme como 'la vieja petulante de El Nogal', no he sido lejana ni dejo que me traten con distancia diciéndome doctora o haciéndome distinciones. Mi hijo no vale ni más ni menos que ningún otro hijo. Y a las Farc también les dije que el hecho de sentirse víctimas no les da derecho a ser victimarios". Así como cuestionó a las Farc llama a todos los colombianos a entender y a aceptar que cualquier reparación será simbólica porque nadie puede devolverles la vida al punto en el que estaba cuando fueron aplastados por la muerte, el desplazamiento o el secuestro. "A los que dicen 'vivos se los llevaron, vivos los queremos' o a los que interpretan la justicia como ojo por ojo les digo que si pensamos así nos van a quedar debiendo toda la vida, y solo sembraremos resentimiento". Al decir esto, como cuando abrazó a un desmovilizado de las Farc con el que compartió en un foro sobre víctimas realizado en el Club El Nogal en noviembre de 2014, su preocupación es que no se entienda que ella legitima a las guerrillas, sino que llama a la sociedad a que tome conciencia de que cada quien tiene responsabilidad por acción u omisión en la guerra de Colombia, y por ende cada quien tiene que asumir un rol en la construcción de la paz. "Yo no empecé a pensar así luego de lo que pasó en El Nogal. Crecí sabiendo que mi bisabuelo por lado de padre, hace más de ciento veinte años, cuando tenía siete años, vio matar a su padre, a su madre y a otras cinco personas en el

Socorro, Santander. Tuvo que salir huyendo, fue un desplazado. Igual que mi abuelo por parte de madre, que llega a Bogotá en los cincuenta esquivando la violencia política en el oriente de Cundinamarca. Yo soy prueba de que a pesar de lo que vivieron decidieron salir adelante y formar familias útiles a la sociedad, pero una gran mayoría de colombianos se ha conformado con solucionar su problema y señalar un culpable, sin pensar en hacer algo para que no les pase lo mismo a otros. *Alguna vez le oí decir a alguien que en Colombia cada quien tiene una fundación que se llama 'mí mismo', y tiene razón,* nos importa un pepino lo que le pase al resto. Quienes enfrentan la ausencia del Estado y la inseguridad, en vez de exigir a sus dirigentes que cumplan con sus obligaciones, pagan mercenarios para que los cuiden, y luego se rasgan las vestiduras porque hay paramilitarismo".

Martha Luz dice que pensar así le sirvió para no detenerse a lamentar o a llenarse de odios y rencores cuando ella y su familia enterraron a Alejandro, ni cuando recibieron a Juan Carlos como un bebé, a pesar de que tenía veintidós años. No obstante, y habiendo visto la solidaridad de la gente en Nueva York cuando sucedieron los atentados a las Torres Gemelas, no dejó de causarle impresión oír que gente que pasaba por El Nogal dijera cosas como "huele a político corrupto chamuscado". "No me iba a poner a contestarles que en mi familia no éramos políticos, mejor me dediqué a dar gracias a Dios por todo lo bueno que nos pasaba en nuestras nuevas circunstancias. Por ejemplo, unos compañeros y profesores de Juan Carlos, en la universidad, nos lo recibían todos los días a las dos de la tarde y nos lo devolvían a las cinco. Así lo ayudaron a nivelarse para que se pudiera graduar a tiempo. Ellos lo llevaban a las clases, lo bajaban, lo subían, ¿dígame si esos no son motivos para agradecer? O cuando mi esposo llegaba a acompañar a Juan Carlos en el Hospital Militar, yo le daba su espacio para que hiciera su duelo individual, y tenía una amiga con quién irme a conversar, a reponerme, a tomar un café. Y entendí que el hecho de que yo estuviera en duelo no me daba permiso para maltratar a otros. Si uno reacciona mal, luego tiene que pedir disculpas y puede quedarse solo. Por eso cada noche yo llegaba a mi casa a devolver las llamadas a todos los que habían llamado a preguntar cómo estábamos". Ella dice que es cierto que la vida nunca volvió a ser igual después de lo que pasó pero que lo que sucedió no la inhibe de disfrutar y gozar, como le enseñó su propio hijo Alejandro, incluso decidió celebrar el día de la madre tan solo tres meses después del atentado. "¿Es que el hijo que me quedó vivo acaso no valía?, ¿es que mi mamá y mi suegra no merecían celebrar? A mí me enseñaron que la vida es de decisiones, y opté por enseñarle a mi hijo con mi ejemplo, es la única herencia que le puedo dejar. *Las circunstancias no son lo que marcan como soy yo, soy yo la que maneja las circunstancias de acuerdo a lo que soy*".

Cuando Martha Luz habló con las Farc en La Habana sintió que ya su corazón sanó y que perdonó. Además de apoyarse para ello en la fe, también lo hizo en varias terapias. "He probado 'Constelaciones Familiares', es para equilibrar el sistema familiar, para no repetir las historias. Y ahora me dedico a hacer acompañamiento del duelo a otras personas, para eso recibí y me certifiqué como practicante en reconexión y tuina, que sirven para preparar el cambio de conciencia y de rol en momentos de pérdida. También aplico lo que decía mi papá, que uno no puede andar con un alfilercito levantándose la caracha para ver si es cierto que su herida ya sanó".

Todo lo que Martha Luz dice no se traduce en que no quiera que los responsables de tantos actos violentos paguen lo que hicieron, pero usando un lenguaje de la vida cotidiana explica por qué las penas deben basarse en el "hagámonos pasito". "No estoy de acuerdo con el cese bilateral porque el papá de la casa es el papá de la casa, y para eso está la fuerza pública. Además, las Farc tienen que aceptar que la ausencia de Estado no justifica los métodos equivocados que han usado. Pero si su marido tiene una amante y usted también, y resulta que se encuentran todos en el motel, ¿no habrá que negociar para bien de los hijos? Eso es lo que viene siendo la justicia transicional, porque tan mal se portaron los que usaron la violencia como los responsables de la ausencia del Estado. Aquí lo que importa no es cuánto pasa en la cárcel cada uno de ellos, sino que los que están creciendo no se vuelvan ni víctimas ni victimarios. Para eso hay que dejar los intereses personales de lado. ¿Tendremos todos que perder un hijo para entender eso?".

No hemos perdonado pero estamos reconciliados con la vida: Gonzalo Rojas

El 27 de noviembre de 1989 a las 7:16 de la mañana, el avión de Avianca que cubría la ruta Bogotá-Cali explotó. Ciento siete personas murieron, seis tripulantes y ciento un pasajeros. Veintiséis años después de la tragedia, solo dos autores materiales han pagado cárcel por el crimen. Uno es John Jairo Velásquez Vásquez, alias "Popeye", quien salió libre a finales de agosto de 2014; el otro es Dandenis Muñoz Mosquera, alias "la Kika", condenado en Estados Unidos porque dentro de los muertos había dos nacionalizados estadounidenses. El crimen no ha prescrito, ya que fue declarado de lesa humanidad en 2009, pero los señalados como responsables intelectuales —Pablo Escobar, Gonzalo Rodríguez Gacha y Carlos Castaño— están muertos. Las familias de las víctimas, agrupadas en la Fundación Colombia con Memoria, sin embargo, creen que sobreviven algunos de los responsables. Gonzalo Rojas es director ejecutivo de la fundación, e hijo de una de las víctimas.

—¿Cuáles son los responsables del atentado al avión que ustedes creen que están vivos?

—Me gustaría que se iniciara por establecer la responsabilidad de algunas personas, por ejemplo la del coronel Homero González, de quien se entiende que siendo jefe de seguridad del candidato César Gaviria, le advirtió que no viajara en ese vuelo. También espero que algún día se logre establecer cuál fue el vínculo entre el cartel de Medellín, el DAS, y la policía, si hubo o no complicidad, pues eso es lo que ha dicho alias "Popeye", el lugarteniente de Pablo Escobar.

—Se sabe que Escobar, Gacha y Castaño planearon el atentado, ellos ya están muertos. Teniendo en cuenta eso, ¿cómo es su postura frente al perdón por la muerte de su padre?

—Yo me siento en paz porque a través de la fundación rindo homenaje a la memoria de mi papá, y ayudo a otras víctimas, pero no se puede dar perdón si los victimarios no se arrepienten, además, perdonaré el día que sepa a quién es que tengo que perdonar. Por supuesto que las víctimas no debemos asumir posiciones extremistas porque eso puede frenar la paz, pero el país tampoco puede relegar a siete millones de personas, que somos las víctimas, y seguimos a la espera de que se conozca la verdad.

—¿No siente la solidaridad del país?

—A veces pienso que solamente nos enfocamos en algunos fenómenos del conflicto armado y solo se visibiliza a unos sectores. Por ejemplo, *se habla mucho de que hay que acoger a los desmovilizados de la guerrilla o de cómo se les da una segunda oportunidad a los exparamilitares, pero el país no debe dejar solas a las víctimas.* En el caso de las ciento siete familias de las víctimas del avión nunca tuvimos siquiera acompañamiento psicológico brindado por el Estado, mientras que nuestro victimario Pablo Escobar recibió una cárcel con comodidades y hasta visita de jugadores de fútbol. Sus víctimas en cambio, éramos invisibles hasta 2009, cuando iniciamos la fundación luego que vimos cómo los noticieros de nuestro país reportaban los actos por el aniversario de los ataques a las Torres Gemelas. Pensé que ese también se había vuelto el día de la indiferencia del país con sus compatriotas, porque acá tuvimos un acto terrorista igual veinte años atrás, y ni la justicia ni la opinión hablaban de él. Se me ocurrió crear un grupo en Facebook para buscar a las familias de quienes murieron con mi papá, y entre quienes nos reunimos y creamos la fundación estamos setenta y cinco de las ciento siete familias.

—¿Y qué han logrado?

—Por un lado, hemos logrado conmemorar la vida. No queremos dar a entender que estamos sumidos en la tristeza, sino que las víctimas también podemos ser solidarias. También hemos logrado movilizar el caso, pues hasta ese momento todas las demandas se habían perdido. Trabajando articuladamente con la Unidad de Víctimas hemos logrado que, al primero de mayo de 2015, sesenta y tres familias de las víctimas del atentado hayan sido incluidas dentro del Registro Único de Víctimas (RUV).

—¿Alguien les ha pedido perdón?

—La hermana de alias "la Kika", el que está preso en Estados Unidos, nos dijo que tenía una carta de parte de él, que ella quería ir a leer durante la conmemoración que hicimos en 2013, cuando sembramos un árbol por cada víctima en el sitio donde cayeron los restos del avión, en Soacha, pero Federico Arellano y yo consideramos que muchas familias no estaban listas para vivir ese momento, la mayoría íbamos a estar por primera vez en el sitio donde cayó el avión. Ese era un momento de mucha intimidad, no era para revolver sentimientos. Los ciento siete árboles que sembramos en ese lugar, y los otros ciento siete que sembramos en la biblioteca Julio Mario Santodomingo, no indican que perdonamos sino que estamos reconciliados con la vida.

—Siendo realistas, desafortunadamente es posible que nunca se llegue a establecer quiénes son los demás responsables, ¿se van a quedar toda la vida centrados en ese objetivo?

—Somos conscientes de que la justicia no opera como queremos, pero no nos podemos quedar cruzados de brazos ni permitir que esa falta de eficacia de la justicia nos violente, tenemos que construir país. Creemos que, lógrese o no el acuerdo de paz, es inadmisible que siga habiendo expedientes de veinticinco años sin resolverse. Y hay otras cosas qué hacer, por ejemplo, a nosotros nos duele que nos hayan mostrado en televisión la vida de nuestro victimario, todos los días, en horario estelar, y de una manera que a nuestro juicio no lo mostró como el asesino que fue, no se tuvo en cuenta la opinión de las víctimas.

—¿Se refiere a *Pablo Escobar, el patrón del mal*?

—Sí, imagínese que el día en que nació mi hijo yo estaba llorando porque en medio de la alegría sentía tristeza de que mi papá no estuviera vivo para que lo conociera. Ese día, 28 de mayo de 2012, a la misma hora que el televisor de la sala de espera de la clínica mostraba el estreno de esa novela, mi hijo nacía, ¡qué paradoja! Y el día de la elección en que Santos ganó por primera vez la presidencia, yo fui jurado de votación, y otro jurado, compañero de mesa, un muchacho muy joven, tenía una camiseta con la imagen de Pablo Escobar y la leyenda Pablo Presidente, como si fuera algo muy *cool*. Eso me hizo sentir rabia, no con él sino con el país, porque hemos dejado que se transforme el imaginario sobre ciertos personajes. Esas novelas sobre narcotraficantes nos han hecho mucho daño, y aún así, tanto víctimas como la sociedad en general, las hemos permitido.

—Claro, los que no hemos sido víctimas no nos detenemos a pensar en eso pero deberíamos hacerlo... ¿Cómo vivió usted la noticia de la muerte de Escobar?

—A los ocho días del atentado al avión fue el del DAS, luego el de la 93, luego otro en Niza, por ende yo vivía con la zozobra de que me podía quedar sin mamá si ella caía en alguna de estas bombas, que eran el pan de cada día. Me generaba temor y angustia ver a Escobar en los noticieros. Cuando lo cogieron preso sentí un alivio, y cuando lo mataron y vi a la gente celebrando en las calles me senté en un andén a pensar qué sería lo que mi papá me hubiera dicho en ese momento, concluí que me habría dicho que no me sintiera alegre pero sí tranquilo.

—¿Cree que algo de la manera como usted educa a su hijo es resultado de haber perdido a su padre siendo tan niño, y a causa del terrorismo?

—Yo tuve por muchos años la ilusión de que mi papá iba a volver porque como el cajón en el que quedaron sus restos estaba sellado, o sea, yo no lo vi muerto, imaginaba que no era él al que enterramos. Y bueno, ya no sé por qué pero a veces me daba pena decir que mi papá había muerto en ese avión. El hecho es que haber perdido a mi papá siendo tan niño me hace vivir al máximo cada segundo que paso con mi hijo, y me siento muy contento cuando puedo revivir experiencias con él que tuve con mi papá, por ejemplo, uno de los recuerdos más lindos que tengo de él es un viaje a Cartagena. A mi hijo, estando bebé, me lo llevé a Cartagena en la misma fecha en que mi papá me llevó a mí. Y también lo involucro en las actividades de la fundación para que vaya generando conciencia, como en la siembra de árboles, porque quiero que sea un líder, una persona solidaria y sensible ante los problemas del país.

Sigo siendo liberal pero no odio a los conservadores: Benjamín Mateus

En Colombia ha habido entre dieciséis y doscientas amnistías e indultos según el historiador que se consulte, y el período de tiempo que se escoja. Una de las más significativas se dio entre 1953 y 1954, cuando el general Alfonso Rojas Pinilla, quien había dado un golpe de Estado, le dio este beneficio tanto a los militares como a los guerrilleros que participaron en la llamada violencia partidista que se desató en 1948, luego del asesinato del entonces candidato liberal a la presidencia, Jorge Eliécer Gaitán. Uno de los amnistiados, sobrevivientes de aquella época, es Benjamín Mateus, quien vive de la caridad de una familia humilde en Monterrey, Casanare, donde la plaza central tiene una escultura de Guadalupe Salcedo y sus hombres entregando las armas. Sus únicas pertenencias, además de unas camisas raídas, están en una bolsa plástica que protege unos papeles escritos con las coplas que él compuso en sus años de revolucionario, y unos cuantos recortes de periódico viejos. Y de no ser porque muestra con orgullo las cicatrices de las balas que recibió en la guerra, una muy visible porque es en el cuello, cerca de la aorta, don Benjamín no se diferenciaría de un campesino colombiano normal.

—Don Benjamín, usted fue uno de los miles de guerrilleros liberales del Llano que entregó las armas en septiembre de 1953. ¿Qué recuerda de eso?

—Entregamos las armas solo para que no mataran a Guadalupe (Salcedo, líder de las guerrillas del Llano) y a otros comandantes. Ellos nos convencieron, muchos no queríamos porque aunque nos decían que éramos los bandoleros del terror, así es como veía Pilatos a Cristo crucificado, o sea que nosotros sabíamos que lo que estábamos haciendo era para que el ejército dejara de quemarnos las casas y de matarnos la gente. Y cuando las entregamos no nos dieron nada, ni tierras, solo un papel donde decía que se entregó voluntariamente el revolucionario fulano de tal, y entregó su arma a la hora tal, comprometiéndose a cumplir con no volverse a meter en asuntos subversivos, ni grupos guerrilleros, y que si fuere sorprendido en ellos sería sancionado.

—¿Y usted pagó por sus muertos?

—No, cómo cree, si nos hubieran puesto a pagar todo el ejército que matamos, nunca hubiéramos hecho la paz. Por eso es que digo que hoy día no pueden hacer la paz porque dicen que van a poner presos a los guerrilleros.

—Pero me imagino que después sí quedó satisfecho de haber entregado las armas, ¿o no?

—Cuando mataron a Guadalupe, en Bogotá, unos años después nos dio mucha rabia, pero sí, claro, la paz es muy bonita, luego empezamos a trabajar, a comprar ganado, nos casamos.

—¿Qué piensa de sus compañeros que luego de entregar las armas volvieron a tomarlas para armar las Farc y el ELN?

—A mí me buscaron pa que me fuera con ellos, pero mi mujer me salvó, me dijo que nosotros estábamos bien, que qué me iba a ir a que me mataran.

—¿Alguna vez se ha encontrado con la familia de alguno de los soldados que usted mató o hirió?

—Claro, nos encontramos y charlamos, y eso ya todos amigos.

—¿Seguro?

—¡Sí! Una vez me encontré con uno de un grupo de soldados que cogimos y que los hicimos pelear del lado de nosotros. Habían pasado como veinte años, y nos pusimos a tomar cerveza y a preguntarnos por las familias.

—¿Pero usted sigue siendo Liberal?

—Toda la vida hasta morir, eso es lo mismo que ser católico. Puede ser muy excelente el pastor pero uno no se va a volver cristiano aunque le rueguen.

—¿Entonces sigue odiando a los conservadores?

—¡Nooo, qué!, el mismo día de la paz nos echamos el brazo y toda esa vaina.

Hijos de líderes emblemáticos asesinados

Algunos textos hablan de cuatro mil asesinatos y otros de cinco mil a líderes de izquierda tras la conformación de la Unión Patriótica (UP), un partido que nació como el brazo político de varias guerrillas luego de acordar la búsqueda del poder por la vía de las urnas en vez de por la vía de las armas. Algunos de esos asesinatos siguen presentes en la memoria de los colombianos por cuenta de la lucha de sus hijos; cada uno a su manera tomó las banderas de sus padres.

Preferí no entregar la vida por causas tan utópicas: Fernando Pardo

Jaime Pardo Leal, jurista y primer candidato de la Unión Patriótica, quien había sido tercero en las elecciones presidenciales de 1986, fue asesinado el 11 de octubre de 1987, su muerte golpeó tanto al país que se temía que su entierro se convirtiera en otro "Bogotazo". Del crimen fue responsabilizado el narcotraficante Gonzalo Rodríguez Gacha, alias "el Mexicano", pero solo fueron condenados algunos de los autores materiales, los hermanos William y Jaime Infante, y Beyer Yesid Ramírez. Su hijo menor, Fernando, quien tenía once años al momento de los hechos, dice que la Colombia de hoy es peor que la que su padre quiso cambiar, y que su lucha aún no ha dado frutos.

—Usted era un niño cuando mataron a su papá, ¿sentía miedo?

—Él sabía que lo iban a matar, por eso hasta tenía una cuenta de ahorros para dejarnos algo para cuando él faltara. Pero nosotros no pensábamos que lo fueran a matar porque los otros de la UP que habían matado eran líderes regionales que estaban desprotegidos. Nosotros tomamos precauciones, como dormir en el corredor de nuestro apartamento, pero la verdad es que mi papá se sentía intranquilo y desprotegido con los escoltas y por esa razón, el día de su asesinato, estaba sin ellos.

—¿Pero era consciente de las amenazas que él tenía?

—Él no era de la UP cuando el partido surgió. Después de que no lo reeligen como magistrado del Tribunal Superior de Bogotá es cuando lo llaman a que sea el candidato porque era visto como el puente entre la guerra y la paz, ya que era un representante de la sociedad civil y un defensor del Estado de derecho. Lo quería mucha gente. Álvaro Gómez decía que él era un contradictor formidable, debatía con gusto con políticos como Misael Pastrana, era muy cercano de los jesuitas, etc. Él identificaba a algunos sectores minoritarios de las Fuerzas Armadas y a algunos políticos como instigadores de la violencia. Tuvo un marcado enfrentamiento con los generales Rafael Samudio Molina y Fernando Landazábal Reyes, ambos ministros de defensa, y también denunciaba a Gonzalo Rodríguez Gacha y a Víctor Carranza, entre otros. Pero aun con esos enemigos, él me llevaba a sus actos políticos. Creo que fue ingenuo, él era un convencido de que se iba a lograr la paz.

—Su familia obtuvo una reparación administrativa de parte del Estado once años después del asesinato de su padre, ¿qué tanto ayudó eso a la búsqueda de justicia y reparación?

—Cuando a él lo matan estábamos convencidos de que iba a haber justicia, pero ni el presidente Barco ni la dirigencia del partido presionó esa investigación. Creo que en la dirigencia pensaron que morir era gajes del oficio. Además, los narcotraficantes tenían una cruzada contra los jueces, que solo llegaron hasta concluir que fue Gacha.

Y la reparación, que la logramos en segunda instancia, se hizo en una época en que los estándares indemnizatorios no contemplaban, como ahora, criterios de reparación integral a las víctimas. Además, el abogado que tuvimos que contratar para sacar esa reparación adelante cobró como cobran usualmente los abogados.

—Ante el actual proceso de paz, cuando se habla de considerar el narcotráfico como conexo al delito político, usted que se quedó sin padre en parte por luchar contra el narcotráfico, ¿qué opina?

—Mi familia y yo apoyamos de manera decidida el proceso de paz. Sin embargo, personalmente estimo que no deben ser considerados el narcotráfico y el secuestro como conductas conexas al delito político. Mi padre, quien fuera uno de los más destacados profesores de derecho penal, siempre rechazó semejante idea de conexidad. En todo proceso de justicia, así sea transicional, debe haber una lección de sanción a quienes han causado tanto dolor. Siempre criticamos el proceso de paz con los grupos paramilitares, pues se les dio un tratamiento de delincuentes políticos cuando sus delitos no tenían tal carácter. A ellos les dieron penas casi risibles. La ley no debió haber permitido esa condonación de penas. Tampoco creo que deban ser redimidas las penas de todos los miembros de las guerrillas. En algunos casos, las sanciones deben ser ejemplarizantes.

—El caso de Jaime Pardo fue declarado crimen de lesa humanidad, o sea que no prescribe, ¿si se llega a probar quiénes fueron los autores intelectuales, usted está dispuesto a perdonarlos?

—Creo que seríamos capaces de dialogar con ellos en un contexto de perdón en el país.

—Otros hijos, cuyos padres fueron asesinados en esos años aciagos, decidieron dedicarse a la política, continuar el trabajo de sus padres, ¿usted por qué no?

—Si bien mi papá dejó una huella muy grande, imborrable, y hay avances en materia de protección y respeto por los derechos humanos, Colombia es un país peor del que mi papá quiso cambiar. Yo pensé en hacer política al terminar mis estudios de posgrado en el exterior. Sin embargo, la política es un intercambio de favores, y como nosotros no tenemos nada que dar a cambio, salvo nuestra honestidad y las ganas de trabajar por un mejor país, preferí priorizar mi familia, y no entregar la vida por causas tan utópicas.

Si por amenazas no hay justicia, la paz es una mentira: José Antequera Guzmán

José Antequera fue asesinado el tres de marzo de 1989 y veintiséis años después de ese hecho no hay un solo condenado. El autor material del crimen fue ultimado por los escoltas de Antequera, inmediatamente después de dispararle a este líder político de la Unión Patriótica. Su hijo, José Antequera Guzmán, creó y lidera la organización Hijos. que nació en Argentina con la consigna "No perdonamos, no nos reconciliamos". La consigna de la organización en Colombia es "Verdad, justicia y memoria".

—¿Por qué ustedes nacen de una organización que tiene como consigna no perdonar?

—La organización Hijos (Hijos e Hijas por la Identidad, la Justicia, contra el Olvido y el Silencio) existe en varios países, e inició en Argentina con la consigna "No perdonamos, no nos reconciliamos", para significar que los hijos no están dispuestos a renunciar a la justicia social y a los cambios de poder, además de a la verdad, la justicia y la reparación. En Colombia nos enfocamos en esto sin dejar de apoyar la paz seriamente, pero tenemos dos problemas sobre el perdón. Uno es que nadie nos lo ha pedido, otro es que esto no es personal sino político. Por eso preferimos hablar de reconocimiento, de la verdad como base de la paz. Eso no tiene nada que ver con una pretensión de venganza, por supuesto.

—Muchas víctimas deciden perdonar...

—Hay muchas concepciones sobre el perdón, pero lo que está en juego es la convivencia pacífica y la democracia. Esto no puede condicionarse a la voluntad de las víctimas de darse la mano con sus perpetradores. Insisto, el conflicto es un problema político.

—El crimen de su padre está impune, ¿si aparecen los responsables, estaría dispuesto a que fueran amnistiados?

—No nos podemos negar a las amnistías, indultos o penas alternativas *per se*. La amnistía es una conquista de los oprimidos que se han revelado, y es una conquista de la sociedad que busca mecanismos para hacer realidad la paz. Lo que es innegociable es la verdad, que es lo que efectivamente permite la convivencia pacífica y la democracia.

Pero las opciones personales sobre el perdón se deben respetar, incluso las que se nieguen a ello.

—Entiendo que como hijo y como activista no esté dispuesto a renunciar a la verdad, pero ¿y si esa verdad despierta nuevas violencias?, ¿se ha planteado la posibilidad de esperar hasta que los perpetradores no tengan capacidad de generar nuevas víctimas con tal de no ser descubiertos?

—La justicia es la ruptura de la posición dominante de los perpetradores frente a las víctimas en esa relación de poder que es la violencia. La verdad a la que aspiramos es esa que hace justicia, si la sociedad la acompaña y produce consecuencias de no repetición, a pesar de las amenazas. Si eso no es posible, porque resultan más fuertes las amenazas, la paz es una mentira, la democracia es una mentira, la Constitución es una mentira, y la razón de ser del Estado resulta un fracaso.

—Eso suena como una postura radical, quizá idealista, para la realidad del país. No digo que no tenga razón, pero ¿no ve un punto medio?

—La verdad es irrenunciable, y eso lo tiene que entender este país. No es un problema de elección, sino de dignidad. Que eso parezca idealista y radical solo demuestra el terrible estado al que hemos llegado. Y si no nos van a cumplir con eso, que nos digan de una vez y se quiten la paloma del pecho.

—Usted tenía solo cinco años cuando su padre fue asesinado, ¿por qué se dedicó a terminar el legado que él dejó inconcluso?

—El legado de mi padre no es suyo, sino el producto de una lucha histórica. Nosotros hemos entendido a nuestros muertos más allá de nosotros mismos como hijos e hijas, en un contexto más amplio. Allí, el valor de quienes han sido asesinados buscando la solución política del conflicto es especialmente relevante, pero su memoria está perdida. El problema es que *nos han traicionado tanto la esperanza de paz que la gente ha estado dispuesta a cualquier guerra, y la guerra se ha degradado tanto que otros han estado dispuestos a cualquier paz.* Pero abandonar ese propósito sería dejar que los victimarios consoliden su objetivo, que no es solo matar a la gente sino sus ideas y el proyecto que esas ideas representan.

—Me ha hablado desde su visión política, pero ¿qué hay con su visión personal, un hijo que crece sin su padre?

—Me considero una persona feliz, como tanta gente que busca la felicidad en este mundo lleno de dificultades. Pero, por ejemplo, cuando fui a La Habana en la primera delegación de víctimas no pude evitar llorar al regresar porque hubiera querido tener a mi papá para contarle.

La izquierda tendrá que hacer un mea culpa, *pero nada justifica el genocidio contra la* UP: *Iván Cepeda*

Manuel Cepeda Vargas fue asesinado el nueve de agosto de 1994. Dos exsuboficiales del Ejército fueron condenados a más de cuarenta años de cárcel pero recibieron beneficios judiciales que les permitieron quedar libres a los siete años de pena, por el crimen del último congresista de la UP que quedaba vivo y se había resistido al exilio. La Corte Interamericana de Derechos Humanos condenó al Estado colombiano por acción y omisión, y le ordenó reconocer su responsabilidad en el hecho. La familia del dirigente político, abogado y periodista recibió el perdón del Estado que, también por primera vez, aceptó que la justicia no fue diligente en establecer la responsabilidad de los autores intelectuales. Iván Cepeda, su hijo, hoy senador, cuya bandera es la búsqueda de la paz con reconocimiento para las víctimas, sigue buscando que se reconozca la verdad que él dice que ya encontró respecto al asesinato de su padre.

—¿El perdón que le dio el Estado en qué medida hizo justicia y sanó el dolor?

—El reconocimiento oficial ha sido útil, pero falta mucho para que se reconozca lo que pasó con la Unión Patriótica. El camino hacia la reconciliación es largo y tortuoso, en España llevan setenta años y no han podido. Lo que sí creo es que podemos llegar a una situación más igualitaria. El perdón y la reconciliación son el final de estos procesos, no el comienzo.

—Carlos Castaño y alias "Don Berna" reconocieron la responsabilidad de los paramilitares en el crimen de su padre, ¿por qué eso no ha llevado a que se conozcan los autores intelectuales?

—A Castaño lo absolvieron por el asesinato a pesar de que él mismo lo confesó. Y alias "Don Berna" me dijo, cuando lo visité en la cárcel en Estados Unidos, que a Narváez, del DAS, solo le faltaba portar el brazalete de las AUC, y que era él quien les daba a los paramilitares la lista de las personas que debían matar. Narváez niega eso. Lo que no ha dicho Don Berna es quiénes en la cúpula militar y en el alto Gobierno ordenaron asesinar a mi padre. El fue el asesinado 2.444 de los miembros de la UP.

—¿Pero usted ya sabe quiénes fueron?

—Seis meses antes del asesinato, mi padre hizo un debate de control político en el Congreso en el que acusó al general Harold Bedoya Pizarro y al entonces coronel Rodolfo Herrera Luna de conformar grupos paramilitares y de diseñar el plan Golpe de Gracia para concretar el exterminio de la UP. También varios líderes del movimiento político denunciaron ante el Gobierno el plan de exterminio pero no se les prestó atención. Varios años después yo fui a la cárcel Picaleña a hablar con un informante civil del Ejército, quien me dijo que el asesinato de mi padre había sido el examen de ascenso que el coronel Herrera Luna les había puesto a los suboficiales Hernando Medina Camacho y a Gil Zúñiga. Luego se obtuvo la prueba reina, el arma con la que accidentalmente se mató la hija de Zúñiga, a sus cuatro años, resultó tener la misma aguja percutora del arma con que asesinaron a mi padre. Después conocí a un tío de Medina Camacho, quien era militante de la UP y me dijo que en su familia había de todo, y que su sobrino, que además fue escolta del presidente Virgilio Barco, fue entrenado por Gil Zúñiga haciéndole ejecutar campesinos a los que consideraban guerrilleros, en áreas que definían como subversivas.

—Entonces usted cree que la orden fue del coronel Rodolfo Herrera, quien ya murió, siendo brigadier general. ¿Cree que llevar a ese alto nivel el esclarecimiento de la verdad contribuye a la paz?

—Buscar la verdad engendra dificultades y riesgos pero es lo más benéfico para la paz, y es necesario para que la paz sea sólida. El conocimiento de la verdad es el fundamento de la no repetición de la violencia. Creo que todos los autores de hechos graves deben afrontar su responsabilidad. Primero a través del reconocimiento de la verdad y luego ante la justicia, que en un contexto de búsqueda de la paz debe flexibilizar sus procedimientos y penas.

—¿Y con eso se acaba el problema?

—En el momento en que se acabe la guerra todos deberemos cambiar de actitud en aras de la reconciliación. En mi condición de defensor de derechos humanos he asumido una posición de exigencia radical de sanción para los máximos responsables de crímenes de lesa humanidad. Pero ante la posibilidad de lograr la terminación del conflicto armado que padece Colombia desde hace más de medio siglo, estoy dispuesto a contribuir a encontrar los caminos que hagan compatible la justicia y la paz, a promover la reconciliación y el entendimiento para crear las bases de una sociedad democrática.

—¿Por qué usted se enfoca tanto en encontrar las responsabilidades del expresidente Uribe en los hechos violentos que han afectado a la izquierda?, ¿cree que él es responsable del crimen de su papá?

—Hasta ahora no he encontrado relación del expresidente y senador Uribe con el caso del asesinato de mi padre. Pero Uribe no es un huérfano vengador de la muerte de su padre, es un líder de la extrema derecha de Colombia y del continente, que no ha vacilado en usar toda clase de métodos contra sus adversarios políticos.

—¿Usted es un huérfano vengador de la muerte de su padre?

—El problema no es solo quién mató a nuestros padres, sino qué clase de país hemos tenido y qué clase de país queremos. Mi padre, como miles de militantes de la UP, un movimiento legal, fue asesinado por miembros del Ejército y del paramilitarismo. Eso muestra que el régimen político colombiano no ha sido democrático.

—¿Y la izquierda está dispuesta a pedir perdón por sus equivocaciones, como la falta de rechazo abierto al uso de las armas?

—La izquierda es una pluralidad de fuerzas. Algunos tendrán que hacer un balance y un *mea culpa*, pero nada justifica el genocidio contra la Unión Patriótica y contra otros movimientos sociales. La izquierda de Colombia ha sido la más perseguida y exterminada del continente.

Acepto algo de impunidad pero no renuncio a la memoria: María José Pizarro

Carlos Pizarro Leongómez fue asesinado el 26 de abril de 1990 durante su campaña a la presidencia por la Alianza Democrática M-19, cuando iba en un avión. Tras años de conversaciones con los gobiernos de Belisario Betancur y Virgilio Barco, Pizarro había dejado las armas y promulgaba "palabra que sí" a cambiar entre todos la historia de Colombia. El jefe de las autodefensas, Carlos Castaño, confesó que fue autor del crimen, no obstante eso y los señalamientos a dos agentes del DAS, el delito sigue impune. Los restos de Pizarro fueron exhumados en 2014 para tratar de encontrar más elementos de investigación, cinco años después de que el hecho fuera declarado un crimen de lesa humanidad. María José Pizarro, una de sus hijas, quien ha hecho dos documentales sobre su padre, dice que está dispuesta a sacrificar justicia pero no verdad.

—El país conoce al guerrillero, al "comandante papito", ¿es el mismo para usted, que es su hija?

—Yo soy más la hija del comandante guerrillero que del candidato a la presidencia. Él fue guerrillero veinte años y candidato cuarenta y cinco días. Solo vivimos como una familia normal cuando estuvimos en Cuba luego que lo amnistiaron al comienzo del gobierno de Betancur, únicamente de esa época tengo fotos de niñez con él. A mí no me leían *Caperucita Roja* sino *Cien años de soledad*, por eso es que le hago una pintura a Fidel Castro con Remedios la bella y los personajes de la obra. Pero en Colombia, mi padre a veces llegaba con el pelo de otro color, o rapado o disfrazado. Tuve cinco apellidos distintos, me bautizaron varias veces para facilitar que expidieran nuevos registros civiles, para mí era una cosa detectivesca, luego entendí que mis padres hacían eso porque no querían que les quitaran a los hijos como pasaba con los guerrilleros en los países del Cono Sur. Solo hace cuatro años pude recuperar mi identidad para inscribirme como parte civil y reactivar el proceso judicial que estaba quieto. Mi madre no presionó para que lo movieran porque temía que nos hicieran algo. Es que a nosotros no nos protegieron mientras que a los Galán les dieron embajada en Francia.

—Usted lleva años recogiendo los pasos de su padre, ¿lo ha encontrado parecido al que tanta gente lloró cuando lo mataron?

—En Colombia hordas lloraban e idealizaban a mi padre, y yo necesitaba encontrarme con el ser humano real, el que también se equivoca. Para entender quién era me fui a los dieciocho años, sola con mi perra, a un viaje de cuatro años por América Latina, luego fui a

España, hablé con exmilitantes de izquierda de todos los países, todo eso mientras limpiaba casas como cualquier migrante. Al volver creé la Fundación Carlos Pizarro. Mis padres me enseñaron con amor y dulzura por qué luchaban, yo entendía que era para que otros niños pudieran tener lo que yo tenía, y entre más investigo descubro que no me estaban engañando.

—Ser hija de guerrilleros no debió ser fácil. ¿Reprocha por eso a sus padres?

—Antes me preguntaba por qué decidieron tener hijos si se iban a meter en eso, pero cuando fui mamá los entendí y les agradezco por no haber renunciado a sus ideales por tener familia. Y a pesar de no haberlos tenido en la cotidianidad, me formaron con el ejemplo. Ellos no fueron terroristas, en mi casa había armas pero nunca me permitieron tocarlas ni me dijeron que yo tenía que ser revolucionaria como ellos, siempre me dijeron que tenía que escoger mi propia vida.

—¿Su abuelo, que fue almirante de la Armada, les perdonó a los hijos, tres de cinco, que se hubieran alzado en armas contra el Estado?

—Cuando él se entera de que mi padre es guerrillero, que es cuando lo cogen preso, dice que lo único que no le perdonaría es que traicionara a sus compañeros. Seguramente no lo compartía ideológicamente, y le habrá dolido mucho porque muere de cáncer cuando sus tres hijos están en la cárcel. Pero creo que mi abuelo fue quien más influyó en mi padre, de hecho a pesar de que mi padre escogió el bando contrario al de mi abuelo, siempre se mantuvo fiel a sus enseñanzas: el honor, el respeto por la palabra y por la ética en la guerra. Él les rendía honores militares a los derrotados en combate. Además fue seminarista, con actitud mesiánica y valores cristianos.

—Matan a su papá, no se prueba quiénes y usted sigue esperando pacientemente a que haya justicia. ¿No pensó en vengar la muerte?

—Mi papá no estaba en el monte porque odiara a nadie, luchaba por sus ideales y por transformar nuestra sociedad. Los que hicieron eso de formar un ejército porque les mataran al padre fueron los Castaño. Nunca pensé en la lucha armada, ni la comparto, pero tampoco critico a mi padre, no creo que se haya equivocado al escoger las armas porque eso sucedió en el contexto de la época, las guerrillas eran movimientos políticos militares que surgieron en todos los países de América Latina, recuerde que él formó el Batallón América, que era una unión de varias guerrillas del continente. Y cuando las armas dejaron de responder a la época él renunció a ellas. Lo que no entiendo es por qué lo matan cuando ya había dejado las armas, eso fue una traición.

—La gente que fue víctima del M-19 seguramente no ve a su padre como un héroe, ni lamenta su asesinato...

—Yo coordino la participación de las víctimas en el Centro de Memoria Histórica, hasta ahora nadie ha venido a decirme que es víctima de él, pero sé que el M-19 estuvo en una guerra que dejó víctimas civiles, mi padre nunca negó esa responsabilidad. A mí me daba un miedo terrible acercarme a los familiares de las víctimas de la toma al Palacio de Justicia, pero tengo una relación cordial con varios de ellos, entiendo su dolor. Por otro lado, lo que no acepto es el tono de agresividad porque mi espíritu es conciliador, y porque decidí no utilizar los mismos códigos de odio y venganza que usualmente mueven a Colombia. Si me pusieran al frente a quien dio la orden de matar a mi padre no le haría nada porque no soy su igual. A lo largo de todo este proceso he hablado cordialmente con militares que seguramente se enfrentaron a mi padre. Al enemigo hay que ponerle una cara con la que uno se pueda reconciliar, entender que ese enemigo tiene hijos, familia, ideales, aunque uno no los comparta.

—Su padre ya no está, ¿qué pasa con las víctimas de él que quieren que les pidan perdón?

—Yo pediría perdón en nombre de mi padre, sé que él lo haría porque no eludía sus responsabilidades, y estoy segura de que yo podría llegar a un mutuo entendimiento con quienes se vieron afectados por el accionar del grupo que él comandó, pero yo no soy quien tiene que perdonarlo a él, eso deben hacerlo los que se sienten afectados por el accionar del M-19. Y en ese momento exigiré que se diga la verdad porque hay responsabilidades de todos los bandos, incluido el Estado. No pretendo justificarlo, pero acá nadie habla de la violación a los derechos humanos a miembros de la insurgencia, muchos de sus hijos ni saben dónde están los restos de sus padres, no se sabe de las torturas, violaciones, desapariciones, persecuciones y amenazas. Los insurgentes no se benefician de la Ley de Víctimas, aunque los hayan torturado y desaparecido, en cambio los militares sí, y yo no creo que los militares sean víctimas, lo que no quiere decir que no se les deban reconocer sus derechos fundamentales, y por supuesto que no estoy de acuerdo con que hayan sido objeto de secuestros de quince años, pero es que no entiendo en qué momento en este país se volvió tan maravilloso ser víctima, yo no me autodenomino así porque no me parece una palabra dignificante sino pobretona. En este país los que hemos sido afectados por el conflicto debemos pasar de ser víctimas a ser ciudadanos en el ejercicio pleno de nuestros derechos.

—Hace dos documentales, una exposición fotográfica, una fundación, ¿eso no es estar viviendo una vida que no es la suya?

—Mi mamá me dice que no me deje de construir a mí misma, pero no creo que viva bajo la sombra de mi padre, yo no tengo sus fotos por todas partes, tengo mis hijos y un esposo que nada tiene que ver con esta historia. Esta decisión de buscar la verdad, reconstruir la memoria y buscar justicia me ha costado la relación con algunos miembros de mi familia que me dijeron que ellos decidieron perdonar. Pero al Estado le quedan muchas preguntas por responder, ¿quiénes tomaron la decisión de asesinar a un hombre como mi padre y por qué?, ¿por qué el caso sigue en investigación preliminar después de veinticinco años?, ¿por qué el sicario que mató a mi papá era primo del que mató a Bernardo Jaramillo, y el escolta que mata al sicario de mi papá viene de la escolta de Jaramillo?, ¿cuál es la responsabilidad del Estado por acción y omisión? Hay que desclasificar los archivos de inteligencia militar, ver la relación de la cúpula militar con las órdenes de matar a las dirigencias y a las bases del M-19, que fueron tantos como los de la UP. Y ahí viene la pregunta, ¿yo a quién voy a perdonar?, ¿a Castaño, al sicario, al Estado por no haber esclarecido los hechos en todo este tiempo?

—Usted está empeñada en buscar hasta el último detalle de la verdad, ¿cree que eso en realidad ayuda a la paz, no le preocupa que pueda profundizar más la guerra?

—No decirnos las verdades es lo que ha prolongado la guerra, creo que esta sociedad ya está preparada para escuchar la verdad. Pero decirnos la verdad debe servir para sanar, no para prolongar más la guerra. Creo que así pensamos la mayoría de las víctimas, que además respaldamos el proceso de paz. No entiendo la posición de algunas víctimas y de sectores de la sociedad de oponerse al proceso o que tienen actitudes poco conciliadoras, por supuesto que no nos pueden quitar el derecho a recordar y a querer a nuestros muertos, pero tenemos que hacer sacrificios por la paz. Claro que tiene que haber un castigo, es muy difícil responder si de cárcel, porque yo que tuve a mis padres en la cárcel sé cuáles son las condiciones en esos lugares, ¿acaso los paras están saliendo mejor de la cárcel de lo que entraron? Yo creo que quienes han destruido este país y su tejido social —paramilitares, militares, guerrillas y Estado— son los que deben reconstruirlo y reparar a la sociedad.

—¿Pero entonces usted está dispuesta a sacrificar justicia y también verdad?

Apoyar el acuerdo de paz no significa renunciar a encontrar la verdad, ni que las mamás renuncien a encontrar a sus hijos. Sé que, como se dice, tal vez en este instante coyuntural tendremos que tragarnos muchos sapos, pero en el largo plazo, así pasen veinticinco años más, voy a buscar la verdad, y si lo sé yo lo va a saber todo el mundo. Quiero que la verdad se enseñe en los libros de los colegios, que se reivindique la memoria de nuestros seres queridos. Yo creo que *hasta que no comprendamos que en esta guerra todos hemos perdido, no vamos a empezar a ganar.*

En el caso de mi padre hubo justicia, porque amnistía es justicia: Yesid Reyes

Alfonso Reyes Echandía, jurista, presidente de la Corte Suprema de Justicia, murió durante la toma y retoma del Palacio de Justicia, el 6 y 7 de noviembre de 1985. Aunque en una súplica para que cesara el fuego, que aún retumba en la memoria de los colombianos que la oyeron por radio, Reyes Echandía decía estar rodeado de gente del M-19, las investigaciones sobre su muerte indican que las balas que recibió no eran de armas utilizadas por esa guerrilla. Su familia recibió una reparación económica, y el reconocimiento de que la fuerza pública se extralimitó en el uso de la fuerza para recuperar el Palacio, que hoy lleva su nombre. Su hijo, Yesid Reyes, jurista también, en función de su cargo como ministro de Justicia, explica que la amnistía no es un mal ejemplo para la sociedad.

—A mucha gente le indigna que justamente quienes deben administrar justicia son los que proponen rebajas de penas, entienden eso como falta de justicia....

—Tenemos un concepto muy cerrado de la justicia. Mucha gente identifica justicia con derecho penal, y este con cárcel. Pero la justicia no es algo en blanco y negro, va desde altas penas privativas de la libertad hasta ausencia de imposición de penas, por eso están confundidos quienes piensan que justicia es igual a cárcel. Hay que ponerle imaginación a esto, pensar solo en la cárcel demuestra poca imaginación.

—¿Usted habla solo como abogado y como ministro, o también como víctima?

—Como víctima, por la muerte de mi padre. Yo quise que los responsables fueran a la cárcel hasta que se decretó la amnistía para ellos. La amnistía es una forma de justicia, como lo es una reclusión de solo fines de semana, o nocturna, o la cárcel misma.

—¿Pero con una amnistía o con rebaja de penas incluso para los delitos más execrables, como el asesinato, el secuestro, la desaparición, no se le da un pésimo mensaje a la sociedad? ¿A los potenciales y futuros "malos", que pensarán que no importa qué hagan, no perderán algo de lo que más valoran, como la libertad?

—¿Le parece mal ejemplo que con el M-19 hayamos sido capaces de reconciliarnos después de haber combatido con ellos durante tantos años? El tema no es la pena en abstracto, sino la finalidad según lo que se necesite, y Colombia desde hace mucho tiempo necesita la paz. Con el M-19 se consiguió a través de mecanismos jurídicos como la amnistía y el indulto, y nadie puede dudar hoy en día que ese proceso de paz fue efectivo.

—Pero ahora que comienzan a salir los que fueron paramilitares y que estuvieron ocho años en la cárcel por los beneficios de la Ley de Justicia y Paz, mucha gente critica que esas bajas condenas no sirvieron para que se acabara el fenómeno del paramilitarismo, que migró hacia el de las bandas criminales...

—Primero hay que decir que la Corte rechazó darles tratamiento de delincuentes políticos a los paramilitares con el argumento de que ellos no tenían fines altruistas ni querían tomarse el poder, pero *yo creo que la Corte se equivocó, pues considero que sí se debió admitir ese tratamiento político para los paramilitares.* También hay que decir que la gente critica otros tipos de acuerdos como los que la justicia adelanta con narcotraficantes, pero es importante destacar que con ellos no se negocia que se puedan quedar con sus fortunas hechas por el narcotráfico, o sea, no se les premia. Lo que se negocia es rebajarles sus penas a cambio de admisión de responsabilidad y colaboración. Y los aportes que han hecho a través de ese compromiso, tanto los narcotraficantes como los paramilitares, han sido importantes para que la sociedad haya logrado conocer muchas verdades.

—También les cuestionan que no han dicho toda la verdad, pero desde su punto de vista, ¿por qué es tan importante la verdad?

—Es importantísima para acabar de pasar la página. En la época en que mi padre es asesinado no se exigía verdad, al M-19 no se le exigió verdad, solo sabemos que mi padre murió en el intercambio de disparos que se dio cuando se tomaron el cuarto piso del Palacio. Sigo con esa incertidumbre permanente —comprensible desde el punto de vista humano— de saber cómo murió, alguien tendrá que saber esa verdad. No he hablado con los exmiembros del M-19 sobre ese tema, pero quizá alguno de ellos la sepa.

—¿Pero por qué no la ha buscado?, siendo ministro hasta le quedaría más fácil...

—No la voy a buscar porque si alguien estuviera interesado en decirla ya la habría dicho. El M-19, el presidente Betancur, quien la sepa...

—Entre la reparación económica que su familia recibió y el reconocimiento del Estado por excederse en el uso de la fuerza, ¿qué fue más útil para que ustedes se sintieran reparados?

—La reparación económica fue importante para mi madre, que ha podido vivir de eso el resto de su vida. Para los hijos no porque ya éramos profesionales en ese momento. Y el reconocimiento del Estado, de que se equivocó, nos da también la tranquilidad de que se hizo justicia.

—¿Qué opina de que algunos de los que fueron miembros del M-19 cuando esa guerrilla provocó los hechos que a la postre llevaron a la muerte de su padre, estén libres, como Petro en la Alcaldía, Navarro en el Senado; mientras que miembros de la fuerza pública a los que les correspondió enfrentar ese ataque estén pagando cárcel, como el coronel Alfonso Plazas Vega y el general Jesús Armando Arias Cabrales, condenados a treinta y a treinta, y cinco años de cárcel, respectivamente, por desaparición forzada?

—El mismo Navarro ha dicho que eso no le parece justo, pero solo se puede amnistiar a quien acepta su responsabilidad en el hecho que se pretenda amnistiar. En el caso de los miembros de la fuerza pública, ellos no han aceptado su responsabilidad, luego, no podrían ser objeto de una amnistía.

—Y en el plano no jurídico, el del perdón, ¿usted perdonó a los que mataron a su padre?

—Con el tiempo se van racionalizando las cosas, se supera el dolor. Yo perdoné a quien sea que haya causado la muerte de mi padre. Ese perdón individual es lo que las víctimas podemos aportar porque la suma de los perdones de las víctimas es el perdón del país, y eso es lo que nos llevará a una vida social armónica.

Masacres y desplazamientos

Montes de María

La reconciliación no es con los victimarios, es entre la comunidad: Soraya Bayuelo

Ya son más de dos décadas en las que los casi quinientos mil habitantes de los Montes de María, una región que comprende siete municipios del departamento de Bolívar y ocho del departamento de Sucre, han visto la muerte a manos de las guerrillas, el paramilitarismo, el narcotráfico, y la fuerza pública. Desde hace unos años, aliviados por la entrega a la justicia de los líderes de las autodefensas, trabajan en resucitar. Lo hacen apoyados en sus tradiciones culturales, los cantos, los cuentos, los bailes, y un poder de asociación particular que ya les deja varios logros. Por ejemplo, las primeras sentencias de reparación colectiva, y el Museo Itinerante de la Memoria y la Identidad de los Montes de María, o como ellos decidieron llamarlo "El Mochuelo". Soraya Bayuelo, desde el Colectivo de Comunicaciones Montes de María, lidera el proyecto.

—Son muchos frentes que atender, Soraya, que les devuelvan las tierras, que puedan retornar, que les ayuden con proyectos productivos, que los responsables digan la verdad y paguen, reconstruir el tejido social. ¿Cuál es la prioridad?

—Sí, acá hubo ciento cuatro masacres en las que fueron asesinadas mil trescientas personas. La primera fue en la vereda El Cielo, del municipio de Chalán, en 1992. Tenemos doscientos treinta y cuatro mil desplazados, y de doscientas sesenta y cinco mil setecientas hectáreas que abarcan los Montes de María, veinticinco mil cambiaron de dueños por el despojo de tierras, después de haber logrado la titulación de ellas durante los setenta a través del Incora. Es que luego de la desmovilización de los paramilitares llegó un ejército de paisas a comprar las tierras a huevo, como en un teatro de operaciones. Pero contra lo que más luchamos es contra el estigma, porque se hizo creer que somos o éramos guerrilleros. Los medios de comunicación repitieron eso como loros, y eso no es cierto.

—¿Por qué se ensañaron todos los grupos con estas tierras? Se supone que los paramilitares aparecieron para sacar a la guerrilla, pero no lo hicieron...

—Esta tierra es un corredor estratégico para movilizar todo, droga, todo. Tiene al río Magdalena a la derecha, al canal del Dique al norte, al mar Caribe al occidente, más puertos y aeropuertos, más los acuíferos subterráneos más grandes del Atlántico, que están en Ovejas, Sucre, más diecisiete minerales en el subsuelo, según un estudio del Banco Mundial. Hay setenta solicitudes para explotación minera en los Montes de María.

—Usted viene trabajando por la cultura desde antes de que empezaran las masacres, ¿cómo hizo para continuar con esa labor durante el régimen paramilitar?

—Después de que las Farc hicieran estallar cuatro bombas en una noche, los paramilitares nos pusieron en toque de queda, a las seis de la tarde teníamos que encerrarnos en las casas. Eso desafió nuestro trabajo porque teníamos la costumbre de amanecer en la banca rota del parque de El Carmen de Bolívar, trabajando en lo cultural. Pero logramos mantenerlo, creamos "El Lunes Pinta Bien". Todos los lunes nos reuníamos a pintar sin hablar, se podía tocar el miedo. Todo lo hacíamos en silencio, hasta enterrar nuestros muertos, y eso cuando nos dejaban recogerlos.

—¿En su familia también hubo muertos?

—El 5 de julio de 1998, a las cuatro de la tarde un domingo, mataron a mi hermano Milton Rafael Bayuelo Castellar. Fueron los paras con gente de la Dijín, que iban detrás de otros muchachos pero se equivocaron. Luego, en el 2000, el Frente 37 de las Farc le puso un artefacto explosivo a una ferretería en la que los dueños no querían pagar vacuna, en ese momento iba pasando en una moto mi sobrina María Angélica Roncallo Bayuelo y sus compañeras Íngrith Johana Ochoa y María Claudia Hernández, todas entre los trece y catorce años. Se quemaron vivas.

—¿Los responsables fueron condenados?

—En mi familia no nos cabe el odio, cuando eso pasó nos reunimos y decidimos que no íbamos a poner un denuncio porque nada ni nadie nos iba a reponer lo que perdimos. Pero ese hecho causó tal repudio en la población, sobre todo entre la juventud, que hasta se cancelaron las fiestas del pueblo. A mí me empezaron a amenazar y me fui a Cartagena seis meses, pero decidí volver a trabajar con la comunidad.

—Usted también fue a La Habana en uno de los grupos de víctimas, ¿eso sirvió para los propósitos de reconciliación?

—La reconciliación no es con los victimarios, la reconciliación es entre la comunidad, para sacarnos este miedo que nos dejaron grabado hasta en el tuétano. Hubiéramos querido que los paramilitares, que solo estuvieron ocho años en la cárcel por hacer masacres que duraban tres días, hubieran dicho toda la verdad. Algunos de ellos están saliendo hasta profesionales de la cárcel mientras que muchas víctimas, por el despojo y el desplazamiento al que las llevaron los paras, no pudieron mandar a sus hijos a estudiar. Y en La Habana les dije a los de las Farc, si tuvimos que poner tantos muertos para que hubiera paz, listo, pero necesitamos ser reparados.

—Y la reconciliación entre la comunidad la están haciendo con "El Mochuelo"...

—Sí, es el Museo Itinerante de la Memoria. Le pusimos así porque es el nombre de un pájaro típico de los Montes de María, cuyo canto ha inspirado letras de canciones del folclor popular. Vamos a todos los pueblos de la zona con la carpa de El Mochuelo y las fotos, videos, y objetos que recogen la memoria de los asesinados, del desarraigo y de la lucha colectiva por la reparación simbólica. Queremos derrotar el olvido y promover la reflexión sobre los hechos que azotaron estas tierras.

—¿Qué efecto ha tenido la exposición?

—Reconstruir la confianza entre la sociedad, ayudar a los retornos, no obstante que la situación sigue siendo muy difícil. Acá han asesinado a dieciséis reclamantes de tierras. La gente que retorna lo hace a riesgo, y porque se cansa de vender chitos en las esquinas de Cartagena o de Bogotá.

—¿Y entonces?

—No vamos a perder la dignidad, vamos a seguir trabajando en esto, desde la cultura, haya o no acuerdo de paz.

Hemos hecho valer nuestros derechos pacíficamente: Gabriel Pulido

El 10 de marzo del 2000, dos semanas después de la sangrienta masacre de El Salado, famosa entre otras cosas porque los asesinos jugaron fútbol con las cabezas de los muertos, los paramilitares de alias "Jorge 40" llegaron a Mampuján, una vereda del municipio de Maríalabaja, en el departamento de Bolívar. Luego de amenazar durante seis horas a los más de seiscientos habitantes, a los que les decían que no quedarían vivos ni los perros, pasó lo que esta comunidad de fuertes creencias menonitas considera un milagro, el cumplimiento de una profecía. Años atrás, una de las mujeres de la vereda, había dicho en lenguas de Dios que Mampuján sería historia pero que nadie perecería. Varios aseguran que vieron dos ángeles sobre el filo de la montaña, al lado y lado de la luna, justo antes de que el comandante paramilitar que los amenazaba recibiera una llamada en la que le dieron la orden de irse y no matar a nadie. Solo tendrían que irse todos en el transcurso de la noche. Gabriel Pulido fue uno de los últimos en salir de esas tierras que la comunidad había venido heredando desde 1872, sin necesidad siquiera de titularlas.

—¿Y pensaron que, al menos, mejor desplazados que muertos?

—Sí, eso era ganancia. Se llevaron a siete personas y las devolvieron al otro día con el mensaje de que podríamos volver solo si lográbamos que fuera instalada una base militar en el pueblo, creíamos que eso lo íbamos a tener en ocho días pero esta es la hora en que no la han puesto. Esa noche los paramilitares siguieron para la vereda Las Brisas, municipio de San Juan, allá mataron a once personas. Los acusaron de ser auxiliadores de la guerrilla, es que la guerrilla usaba estos pueblos como corredor para sacar secuestrados, pero nosotros no éramos guerrilleros. Claro, si llegaban a decirnos que les matáramos una gallina y les preparáramos un sancocho lo hacíamos porque nos daba miedo negarnos.

Ustedes no solo no reciben la ayuda ni de ejército ni de policía, a pesar de que pudieron alertar sobre lo que estaba pasando, sino que no son bienvenidos en la zona urbana, en Maríalabaja, a donde llegan a buscar albergue...

—A diez minutos estaban el ejército y la policía. La policía cuando supo respondió que no nos iba a pasar nada, ¡qué raro que la policía sabía que los paramilitares no nos iban a matar!, y el ejército llegó en la mañana cuando ya estábamos haciendo el éxodo, a decirnos que nos quedáramos que nos iban a proteger. ¡Cómo íbamos a aceptar, si escoger a cualquier grupo armado era echarse de enemigo a los otros! Caminamos cuatro kilómetros y medio hasta el municipio, cargando a los ancianos en hamaca, en fila india, con lo que cada quien podía cargar... hubo mucho llanto.

—¿Alguien los ayudó?

—Nos tomamos una escuela y la Casa de la Cultura de Maríalabaja. Al principio mucha gente fue muy generosa pero otros nos trataban con desconfianza porque creían que éramos guerrilleros, es que eso salió diciendo en los noticieros el comandante de policía. Nos dejaban carteles en los que escribían que nos fuéramos. Al tiempo el alcalde hizo un acuerdo con el dueño de un lugar donde funcionaba un prostíbulo y ahí nos acomodamos, pero el señor nos sacó cuando el alcalde dejó de pagar los arriendos.

—Pero ahora están en un nuevo Mampuján, al que ustedes llaman Mampujancito...

—El padre Salvador Mura logró que un amigo Búlgaro le donara treinta millones de pesos para comprar un lote para construir un nuevo pueblo. Eso fue un año después cuando ya varias familias estaban afectadas por el hacinamiento, hubo incluso abusos sexuales. El hecho es que cada familia puso diez mil pesos y así completamos para comprar siete hectáreas. A cada grupo familiar el tocó un lote de nueve metros por dieciocho. Pastoral Social nos dio cuarenta cambuches de plástico de cuatro por tres metros y ahí vivimos hasta que cada quien pudo ir construyendo su nueva casa.

—Y aún en esas condiciones lograron mover el proceso judicial, lograron la primera sentencia dentro de la Ley de Justicia y Paz, y la primera de restitución de tierras...

—Cuando salió la Ley de Víctimas en 2005 vimos la oportunidad de iniciar un proceso de reparación, yo aprendí sobre derechos de los desplazados en el marco de la Ley 387 del 97 en la Universidad San Buenaventura, a través del grupo de investigación del cual hacía parte la doctora María Giselle Serrano.

—Pues hasta lograron reparación económica y que los paramilitares les pidieran perdón...

—Ellos empezaron a confesar en las audiencias de justicia y paz su responsabilidad en las masacres de los Montes de María, y nosotros paralelamente a asistir a las audiencias nos preparamos para reclamar nuestros derechos sin afectar a otros, o sea, para hacerlo de manera pacífica. En eso nos ayudó mucho, tanto los grupos que creó la Comisión Nacional de Reconciliación, como el abogado Ricardo Esquivia. Él nos enseñó que alguien con odio no puede controlar su cuerpo ni su cabeza ni su corazón, al punto que cuando fuimos a las audiencias con alias "Diego Vecino" y alias "Juancho Dique", ellos no se encontraron con nuestro reproche. Nuestra consigna fue tocarles el alma en vez de las armas, para que entendieran que nada justificaba lo que nos hicieron. Alexander, uno de nosotros, le regaló a Diego Vecino dos biblias; y la comunidad, que estaba viendo eso por videoconferencia, aplaudió. Algunos se salieron y dijeron que no perdonaban, los que sí perdonamos estamos tranquilos. Luego la sentencia de enero de 2012 los obligó a pedir perdón, como no se estaba cumpliendo esa parte, hicimos una marcha pacífica hasta Cartagena, y a los cuarenta días los trajeron al nuevo Mampuján, y pidieron perdón.

—¿La reparación económica fue de plata que devolvieron los paramilitares?

—Ellos entregaron quinientos diez millones de pesos en camionetas viejas y fincas que nadie ha comprado. Si están arrepentidos tienen que ser coherentes con la reparación, recuerde que en la Biblia dice que Saqueo devolvió cuatro veces lo que había robado recaudando impuestos. Los diecisiete millones de pesos que nos dieron a cada persona —mil cuatrocientos siete porque también reconocieron a las víctimas de las Brisas y San Cayetano— fueron por la sentencia de la Corte.

—¿La estigmatización como guerrilleros, que es lo que más les duele, ya no la tienen?

—Yo tengo mucha piedra con los medios de comunicación porque, por ejemplo, *El Universal* de Cartagena, después de que ocurrió el desplazamiento tituló grande que el director de la Policía dijo que nosotros éramos guerrilleros. Pero cuando la Corte obligó en su fallo a que rectificaran, sacó un artículo tan chiquito como las letras de 'el tabaco es nocivo para la salud', ¡y en esa misma página había una noticia grande que decía: 'Una perra muerde a su dueño!'. Nos quejamos con el fiscal y su reacción me sacó el Gabriel Pulido porque dijo que lo de nosotros tampoco era como para titular que había empezado la tercera guerra mundial. Le digo esto para que comprenda que la institucionalidad no ha entendido aún qué es lo importante para las víctimas, en este caso recuperar el buen nombre. Por eso no ha sido fácil construir un proceso pacífico.

—Ahora pueden volver a Mampuján viejo, pero ya no todos quieren. Y entiendo que desde la semana después del desplazamiento han ido a tratar de mantener los cultivos que tuvieron que abandonar...

—Pues ahora la idea es que estas mismas condiciones de seguridad que hemos tenido en lo urbano nos las den en lo rural. Porque acá algunos quieren quedarse, sobre todo los jóvenes, porque ven más oportunidades para estudiar o trabajar, pero imagínese que usted es un pez que lo sacan del río y lo ponen en una pecera muy bonita y limpia pero pequeñita, ¿no será que quiere volver al río? Acá nosotros tenemos electricidad y agua potable, pero dependemos de que la quiten o la pongan los de la empresa, allá teníamos dos arroyos, y cuando crecían porque llovía, nos echábamos a nadar.

—Pero ya no todos querrán devolverse a trabajar en el campo, empezando por usted, quizá...

—Yo hice hasta tercero de primaria, pero con esto del liderazgo que he asumido para hacer valer los derechos de la Ley de Víctimas, he terminado compartiendo sobre derecho con los abogados, entonces quiero volverme un abogado.

—Seguro lo va a lograr...

—Ojalá, pero también le digo a la gente que no nos mire solo como desplazados, nosotros teníamos una vida antes de que tuviéramos que desplazarnos. Yo les he dicho a los empresarios que nos miren como gente con talento y habilidades que puede servir a la economía de la sociedad, y de hecho, por haber sido víctimas hemos desarrollado capacidades que son fortalezas. La verdadera reparación se da cuando la víctima es incluida en la sociedad.

Haciendo tapices dejamos de llorar, y aprendimos nuestros derechos: Juana Ruiz

Pasar de vivir en extensiones de tierra grandes, donde la comida no se compra en supermercados sino que se cosecha y se comparte con los vecinos, al hacinamiento de un albergue, cambia por completo los roles de la familia y la comunidad, y tiene consecuencias inesperadas que profundizan y revictimizan a los desarraigados. Juana Ruiz, líder de Mampuján, encontró en el quilting *una herramienta para recuperar lo perdido.*

—Juana, usted no fue desplazada de Mampuján pero termina totalmente involucrada en la reconstrucción de esta comunidad...

—Yo había sufrido el desarraigo siendo muy niña cuando mi mamá me llevó a Caracas porque se fue a trabajar en una casa de familia, y me dejaba quince días seguidos con una señora que no me trataba bien. Había sufrido también el abuso sexual. Pero termino en Mampuján porque conocía la comunidad, y Alexander, que ni era mi novio todavía, era de Mampuján y me dijo que quería casarse conmigo. Eso fue cuando estaban todavía en los albergues. Yo le dije que no era oportuno casarnos pues no teníamos en dónde vivir, entonces empezamos a ser novios y nos casamos cuando todavía no teníamos casa pero sí los cambuches que nos dio Pastoral Social.

—Eso es mucho amor, Juana, pero difícil comienzo para un matrimonio.

—Imagínese, eran muy difíciles nuestras condiciones, incluso estando embarazada pasamos hambre. Nunca me imaginé que fuera a vivir eso, es que yo con mucho esfuerzo había logrado graduarme de Nutrición y Dietética en la Universidad del Atlántico, y se supone que uno estudia para vivir mejor.

—Era dura la situación de las mujeres...

—Sí, sufrían de violencia intrafamiliar por el cambio de rol de los hombres, que como buenos costeños, eran machistas. Y como ya ellos no eran los que proveían el sustento porque se habían quedado sin tierra para sembrar, sino que eran las mujeres las que montaban negocios de venta de comida en las esquinas, eso lastimaba el ego de los hombres.

—Ahí es que aparece lo del *quilting*...

—Pedimos ayuda al abogado Ricardo Esquivia, que de su fundación nos mandó dos psicólogos que nos enseñan a sanar el trauma, el estrés, y a recordar sin dolor. Así, hicimos una adaptación de la técnica del *quilting*. Con los dibujos en los tapices de tela escribimos nuestras vivencias, mientras cosíamos íbamos trabajando en autoestima, proyecto de vida, y derechos de las mujeres. Al primer trabajo que hicimos le pusimos "Mampuján, día de llanto", lo donamos por veinte años al Museo Nacional. Después de esa terapia dejamos de llorar y nos sentimos sanas, empezamos a hacer tapices con otras historias, creamos la Asociación para la Vida Digna y Solidaria; y ahora nos contratan para hacer tapices de temas alegres o de folclor. Y también mandamos los tapices a la sala de Justicia y Paz del Tribunal Superior de Bogotá y Cundinamarca, para que los pusieran durante las audiencias a los paramilitares. Nos dicen que ellos los vieron, agacharon la cabeza, y no dijeron nada.

—Juana, ya los responsables del desplazamiento de Mampuján y las masacres de la zona cumplieron su tiempo de condena. ¿Tiene miedo de lo que vayan a hacer al volver a la libertad?

—No, de lo que tengo miedo es de que si a ellos el Estado no les garantiza condiciones de seguridad y dignidad vuelvan a coger las armas y se afecte el actual proceso de paz con las Farc. Y queremos trabajar con las familias de ellos porque detrás de cada postulado (paramilitar que se acogió a la Ley de Justicia y Paz) hay una familia que no escogió la guerra, y que sufre y es estigmatizada.

La muerte del aguacate ha hecho que renazca la vida de la comunidad: Ricardo Esquivia

Ni los paramilitares sacaron a la guerrilla, ni la guerrilla libró a los campesinos del asedio paramilitar. Cada grupo se ubicó en una zona del territorio, y con ello estigmatizó a los habitantes, que terminaron por enfrentarse entre ellos, como si fueran militantes de alguno de esos grupos armados. En los municipios de la zona alta de los Montes de María dominaban los frentes 35 y 37 de las Farc, al mando de alias "Martín Caballero"; y en los de la zona baja dominaba el Bloque Héroes de Los Montes de María bajo las directrices de Edward Cobos, alias "Diego Vecino"; y de Rodrigo Mercado Pelufo, alias "Cadena". El cultivo de aguacate era el medio de sustento para buena parte de la población, cuando la producción cayó de nueve mil a cinco mil hectáreas, los campesinos de cincuenta y dos veredas, enemigos sin quererlo, se vieron forzados a trabajar conjuntamente, y por esa vía se dieron cuenta de que no tenían razones para enfrentarse. El abogado y también campesino, Ricardo Esquivia, ha asesorado este proceso.

—Tuvo que morirse el aguacate para que estas comunidades descubrieran que eran enemigos sin razón.

—Pues sí, un hongo se comió cuatro mil quinientas hectáreas del cultivo, la situación se hizo crítica en 2010, entonces los líderes empezaron a reunirse. Si lo hacían en zona de influencia guerrillera, los de esa zona se hacían responsables de la seguridad de los líderes que asistían en representación de la zona de influencia paramilitar. Y al principio hablaban solo de lo del aguacate, pero luego empezaron a contarse sus historias y eso desembocó en un festival de reconciliación, con varios proyectos para construir la memoria a partir de las tradiciones, que son los valores de la comunidad. Y ahora trabajan conjuntamente para exigir atención del Gobierno, por ejemplo en septiembre de 2014, miles de campesinos que antes ni se miraban estuvieron dos días cogidos de las manos sobre la Troncal del Caribe, para demandar del Gobierno lo que necesitan.

—Lo cuenta como si eso hubiera pasado por arte de magia, pero sé que no ha sido fácil.

—Cuando el coronel Adrián Dávila, encargado de consolidar la zona después de la muerte de alias "Martín Caballero" y de unos veinticinco guerrilleros más, crea Fe en Líderes. No participan los campesinos de la zona de alta montaña porque todavía los veían como guerrilleros, y cuando se empezaron a involucrar volvieron a aparecer panfletos en los que los acusaban de ser auxiliadores de la guerrilla. A mí, por ejemplo, me revivieron un proceso que tenía desde hace años, por el que me había tenido que exiliar un tiempo en Canadá y en Estados Unidos. Desde que uno se vuelve sospechoso no le quitan el mote de encima, yo nunca pude volver a San Jacinto, donde tenía mi finca de cien hectáreas, se las di a la Asociación Nacional de Usuarios Campesinos. Me ofrecieron un chaleco antibalas y ochocientos mil pesos mensuales para transporte pero no acepté porque yo he trabajado siempre por la no violencia, así que no voy a aceptar que me ayuden los que están armados.

—Entonces la violencia sigue.

—Estamos tratando de hacer un blindaje para que la violencia no regrese. Hay varios grupos, como uno de jóvenes provocadores de paz, son dos mil quinientos que trabajan en enseñar que es posible lograr cambios y hacer política sin violencia. La religión ayuda aunque solo el cinco por ciento de la comunidad es religiosa, lo que pasa es que se nota más porque como los sacerdotes católicos salieron por amenazas, los que quedaron fueron los pastores evangélicos, que eran miembros de la misma comunidad.

—¿El aguacate se salvó?

—El Gobierno ha invertido casi trescientos millones de pesos desde 2013 para salvar el cultivo, pero ese no es el único trabajo por hacer. Hay que apoyar mucho a las mujeres jóvenes porque el único trabajo de la zona es el del campo, que a muchas no les gusta; y la única diversión es el billar, que ellas tampoco juegan. Entonces o se van a trabajar de empleadas del servicio o se embarazan tempranito, ese es su entretenimiento.

CAPÍTULO 7

Mujer, superar el dolor sin desear venganza

El 49 % de las víctimas de la guerra en Colombia son mujeres, ese porcentaje comprende a las directamente asesinadas, torturadas, desplazadas y violadas; y a las viudas, huérfanas y madres que han quedado en esa situación tan inaceptable que ni siquiera tiene nombre: la de perder sus hijos porque los asesinaron o desaparecieron. Y aunque cada caso tiene matices muy particulares, al hablar con ellas, en diferentes partes del país, sin importar su condición social, de inmediato se encuentra una constante en la forma de reaccionar a los hechos violentos. Muchas son capaces de poner por encima de su propio y legítimo dolor el deseo de evitar que otros seres humanos padezcan lo mismo, y la voluntad de sacrificar su inmediato deseo de justicia en aras de priorizar un trabajo solidario y pedagógico que cure las heridas de sus comunidades, y por esa vía, las de su propia alma.

AYUDÉ AL ASESINO DE MI HIJO, LAS VÍCTIMAS DEBEMOS TRANSFORMAR EL DOLOR EN ALGO BUENO: PASTORA MIRA

Pastora Mira prefirió mantener limpias sus manos que vengar la muerte de su hijo tras ser violado y torturado, no obstante que hubiera podido matar a uno de los asesinos sin levantar sospecha.

"¿Uyy, que hace este *man* aquí si lo matamos hace unos días?", fue la frase que pronunció un joven paramilitar cuando vio la foto del hijo de Pastora. Ella le estaba curando las heridas con ayuda de su hija y de una vecina enfermera, en su propia casa. "Yo lo vi renegando en la calle porque sus compañeros lo habían dejado botado cuando llegó la Fiscalía, a pesar de estar herido. Le dije que dejara de decir malas palabras y que yo lo ayudaba. Como había que aplicarle unas inyecciones, lo entré al cuarto de mi hijo, al que había acabado de enterrar, allí se quedó dormido, y cuando despertó y dijo eso, me quedé sin aliento, dije: 'Mi Dios, ayúdame, que no sean mis oídos los que escuchan esto sino los tuyos. Le dije que ese muchacho de la foto era mi hijo, y que él estaba en su alcoba". La vecina enfermera le dijo a Pastora que podía aplicarle una inyección al muchacho para que se muriera, Pastora se negó, su hija le gritó que era una cobarde. Y en medio del dolor, ahondado por esa situación desafiante, le pasó el teléfono al muchacho y le dijo que llamara a su madre.

—¿Por qué hizo eso Pastora?

—Es lo que yo hubiera querido que hicieran con mi hijo durante esos quince días en que lo estuve buscando y ni los mismos paras, que lo estaban torturando amarrado a un palo, me dieron razón.

Además le dio ropa limpia, que era de su hijo, plata para que llegara hasta el hospital, y la bendición. Tres meses después el muchacho paramilitar se desmovilizó, cayó en las drogas, y a final de ese mismo año fue asesinado a unas cuadras de la casa de Pastora.

No ha sido la única vez que Pastora sufrió la muerte, su primer marido fue asesinado cuando ella tenía veinte años; ni ha sido la única casualidad que la ha puesto en situación de perdonar, su padre fue asesinado por conservadores chulavitas cuando ella tenía seis años. "A los dieciocho años yo trabajaba en un corregimiento donde conocí al señor Zenón Gutiérrez. Se estaba pudriendo en vida, para entrar a su casa había que taparse la nariz pues la herida que tenía en una pierna estaba nauseabunda. Tenía cuatro hijos que se estaban muriendo de hambre porque él no podía trabajar y la esposa tampoco porque tenía que cuidarlo a él y a los hijos. Yo les conseguí ropa y alimentos, cuando fui a llevárselos, la mamá de él le dijo: '¿Sabés quién te está ayudando? ¡Uno de los tantos huérfanos que dejaste'".

Así que fue la propia vida la que le enseñó a Pastora que albergar odio y desear venganza no tiene sentido, por eso, luego de que le asesinaran a dos de sus cinco hijos, de que tuviera a una hija desaparecida por siete años, y de que a otra más la usaran como escudo humano durante unos combates, dedicó su oficio de concejal al trabajo social. "Creamos el Centro de Acercamiento para la Reparación y a la Reconciliación, donde además de enseñarles a las víctimas a hacer cumplir sus derechos a nivel institucional, les digo: '¿No que dizque detestás tanto a tu enemigo?, ¿entonces por qué lo pensás todo el día como si lo adoraras? Soltalo, que con ese sentimiento te estás metiendo en tu propia cárcel, transformalo en algo positivo para vos, a través del servicio a otros'".

Pastora no niega que sintió "un fresquito" cuando capturaron a los otros asesinos de su hijo. Cree que haber logrado eso en un país donde escasea la justicia es de algún modo un premio a su decisión de no haber hecho justicia por su propia mano. Concluye además que para buscar venganza hay que armarse a tal nivel que se termina lanzando dardos a los que no deben nada. Y cuando llega la fecha en que su hijo cumpliría años, Pastora llora, pero dice que no es de dolor sino de ausencia; y también da gracias porque él no es uno de los doscientos desaparecidos de los que lleva la cuenta en San Carlos, su municipio, un símbolo tanto de la guerra como de los esfuerzos de paz. El informe de Memoria Histórica, entregado en 2010, da cuenta del desplazamiento de veinte mil personas —el ochenta por ciento de sus habitantes—, por la disputa territorial entre las guerrillas de las Farc y del ELN, contra los bloques Metro, Cacique Nutibara, y Héroes de Granada, de las autodefensas. Treinta y tres masacres y ciento setenta y dos víctimas de minas antipersona marcan el paso implacable del conflicto que tomó como foco al municipio debido a su riqueza hídrica, que lo hace epicentro de la generación del treinta y tres por ciento de la energía que se produce en Colombia. No obstante, la población recibió el Premio Nacional de Paz por resistirse a la guerra, por exigir sus derechos para poder retornar, y por, como dice Pastora, tratar de recuperar la humanidad del ser, a pesar de que este fue pisoteado y carcomido por quienes prefirieron el poder.

Me mataron a mi hijo, yo lo hice renacer en este árbol: Lucía Urrea

El hijo que las autodefensas le mataron a Lucía Urrea el 3 de diciembre de 2001 hoy es un árbol del bosque que otras madres, huérfanos y viudas sembraron en compañía de desmovilizados de ese grupo ilegal, como señal de reconciliación. Los exparamilitares, que además de sembrar el bosque también construyeron la sede de la junta de acción comunal del Barrio Villa Juliana en Villavicencio, no fueron los que directamente dispararon a su hijo, pero sí dispararon a los hijos de otras mujeres que ella no conoce. Por eso, y aunque los autores materiales e intelectuales del rapto y muerte de Luis Albeiro Torres no han confesado su crimen, a pesar de que Lucía les ha pedido ante los fiscales que lo hagan, ella asegura que ya los perdonó.

"Yo siento mucho dolor porque perder un hijo es una situación muy dura, además yo quedé a cargo de sus tres hijitos, mis nietos, y uno de ellos se me volvió drogadicto, pero por esas cosas de la vida nos ofrecieron que si queríamos recibir en el barrio a unos desmovilizados. Nosotros ni sabíamos qué era eso pero a los de la Junta de Acción Comunal nos explicaron que eran personas que habían estado en la guerrilla o en los paramilitares. Cuando nos dijeron eso ni fuimos capaces de proponérselo a la comunidad, fueron los mismos de la ACR (Agencia Colombiana para la Reintegración) los que contaron y dijeron que esos muchachos podían construir o un parque para niños, un sitio deportivo o una caseta comunal".

María Elisa Chaparro, la presidenta de la junta del barrio Villa Juliana dice que antes de iniciar el proyecto la comunidad recibió un curso de reconciliación de las Escuelas de Perdón y Reconciliación (ES.PE.RE.), en donde los prepararon para el perdón. "En 2012, un desmovilizado de las Farc nos contactó porque necesitaba cumplir las horas de trabajo social que le exigía la ACR y nos dijo que había un programa nacional. Con Lucía fuimos y hablamos con Juan Carlos Silva, director regional de la ACR, y nos explicó en qué consistía el proyecto. Como a la mayoría de los colombianos, nos daba miedo porque veíamos a esos muchachos como gente con la que no podíamos estar, pero en las ES.PE.RE. nos hicieron caer en cuenta de que ellos habían hecho cursos con los que se habían vuelto nuevas criaturas para bien de la sociedad, y de que ellos también habían sufrido porque a algunos les habían matado sus padres o los habían maltratado siendo pequeños. Entonces cuando empezaron a trabajar nos les íbamos acercando, les llevábamos limonadita, almuercito, y así nos dimos cuenta de que ellos sí tienen la intención de acabar con la guerra y de que sí pueden ser útiles a la comunidad".

A los nietos de doña Lucía les dieron veinte millones de pesos de indemnización al reconocerlos como víctimas, pero a ella no la han reconocido como tal. El dinero no le sobra, al contrario, es evidente que le falta, pero dice que no hay plata para pagar a un ser humano, ni para devolverle su honra. "Me dijeron que lo mataron dizque porque él era auxiliar de la guerrilla. Yo sé que eso es mentira porque él tenía un año de haber terminado de prestar el servicio militar cuando me lo mataron". Y aunque lo dice con firmeza, mientras muestra los apuntes que lleva en un cuaderno con lo que han dicho los paramilitares en las audiencias, con la esperanza de que eso le sirva para algún día saber quién y por qué dio la orden de matar a su hijo, su rostro es el de la resignación de quienes no tienen el poder ni el dinero para buscar la verdad. Lucía suspira, se seca las lágrimas, acaricia las hojas del árbol en el que su hijo renació, le habla, lo alimenta, lo consiente, y se aferra a él como un bastón con el que transforma en fortaleza tanto dolor.

Pedí perdón por haberlo insultado al que mandó a matar a mi hijo: Teresita Gaviria

Cada vez que a Teresita Gaviria le suena su teléfono celular se oye la voz del cantante Rubén Blades. "... Qué alguien me diga si ha visto a mi hijo, es estudiante de premedicina, se llama Agustín. Es un buen muchacho...". El buen muchacho de Teresita es Cristian Camilo Quiroz Gaviria, y no es su único desaparecido. "También tengo dos hermanos y un sobrino desaparecidos, a mi papá le pusieron una inyección 'equivocada' por orden de los paramilitares, y en 1981 me asesinaron siete familiares".

Teresita había aguantado todo hasta el cinco de enero de 1998, cuando su hijo Cristian se fue por tierra con unos amigos a Bogotá, y en Doradal, en una parada del bus, lo desaparecieron, junto con uno de sus acompañantes. "Al otro muchacho lo encontró la mamá decapitado, pero yo no he podido encontrar a mi hijo". Y es posible que nunca lo encuentre, pues según lo que le dijo uno de los paramilitares desmovilizados durante una de las audiencias de justicia y paz, cuando ella le mostró la foto y le dio la fecha y lugar de la desaparición de Cristian, él pudo haber sido un muchacho que ese joven y otros lugartenientes de Ramón Isaza, alias "el Viejo", echaron desmembrado al río Magdalena. "Yo me eché a llorar y cuando Ramón Isaza pasó en frente de mí le dije 'viejo asqueroso' y un montón de insultos. Me alejé y seguí llorando, cuando me calmé me le acerqué de nuevo y le pedí perdón por la forma en que lo traté. El tipo no decía nada, solo temblaba. Le dije que nos había condenado a mi familia y a mí al destierro solo por el vil metal, por tener sus fincas, pero le dije que lo perdonaba". Ese fue culmen de un largo camino que Teresita empezó cuando Cristian desapareció. "Yo trabajaba como secretaria en el estadio Atanasio Girardot, de Medellín. Apenas pasó lo de mi hijo pedí vacaciones y me fui a buscarlo a Doradal, cuando volví al trabajo me iba todos los viernes otra vez a seguirlo buscando. Luego pedí licencia de un mes para ir de pueblo en pueblo en la ruta que hacía el bus que lo llevaba de Medellín a Bogotá, a ver si alguien me daba razón de él. Terminé renunciando al trabajo porque ya estaba faltando mucho". Y así, sin trabajo, Teresita se dedicó ciento por ciento a dar con Cristian. Se contactó con mujeres que años atrás había conocido, cuando como una simple ciudadana había participado en marchas para la liberación de Pacho Santos. Eran mujeres que llevaban las fotos de sus hijos desaparecidos, y que las escondían apenas veían un policía. También contactó a Madres de Plaza de Mayo, en Argentina, con las que había hablado una vez en Buenos Aires, luego de que su hijo le preguntara quiénes eran esas señoras que usaban unos pañolones como brujitas. Inspiradas por ellas, Teresita y otras madres que buscaban a sus hijos adoptaron una consigna: "La de las Madres y Abuelas de Plaza de Mayo es 'Vivos se los llevaron vivos los queremos'. Nosotros escogimos decir: 'Los queremos vivos, libres y en paz'. Empezamos a buscar un lugar dónde reunirnos para mostrar las fotos de nuestros hijos. Le pedí permiso al primer gerente del Metro de Medellín —Diego Londoño White— para hacernos en las graderías del metro, me respondió que no se las ensuciara la con mis porquerías. Solo le deseé que ojalá él nunca pasara por lo que nosotras estábamos pasando". El grupo de mujeres finalmente encontró lugar el 19 de marzo de 1999 en las escaleras del atrio de la iglesia de La Candelaria, cuando monseñor Armando Santamaría les dijo que podían estar ahí media hora, y les advirtió que atreverse a hacer lo de las Madres y Abuelas de Plaza de Mayo era muy duro. "Empezamos cinco, al mes éramos doce, ahora somos ochocientas ochenta. Llegamos a poner mil ciento setenta y seis fotos de desaparecidos en el atrio. Nos han matado a tres de las madres, a una de ellas cuando se devolvió a Urrao con sus hijos porque acá en Medellín estaba aguantando hambre. La mataron por defender a su hija de que la reclutaran los paras. A otra la mataron en un bus. En fin, nos han amenazado, a mí me han enviado sufragios, nos han gritado desde la calle que nos van a matar, al principio los taxistas se negaban a llevarnos, a mí un tipo se me acercó a decirme que me iba a matar por orden de alias 'Don Berna', en la marcha que hicimos en el día de la mujer del 2007 otro tipo se me acercó y me rasgó la camisa, me han puesto y quitado, y vuelto a poner escoltas de la Policía, pero ahí seguimos todos los viernes a las dos de la tarde".

La lucha ha ido más allá de manifestarse, ellas solas pudieron encontrar los cadáveres de once de los desaparecidos. En un principio lo hacían de manera rudimentaria, empacaban algo de comer, herramientas de jardinería y bolsas negras, y se iban a los pueblos donde les decían que podrían haber sido asesinados sus hijos. "Nos repartíamos en grupos de seis y empezábamos a hablar con la gente sobre los hechos violentos de la zona, hasta que nos daban pistas de donde se decía que podían haber enterrado gente, de tierra que estuviera blandita, o una tierra que tuviera un palito clavado con un trapo rojo, y así. Al mes de empezar la búsqueda encontramos al hijo de Betsabé, ella había soñado con rosas blancas, y pensó que eso era una pista, así llegamos al sitio donde estaba él, bajo un jardín de rosas blancas. Lo primero que vimos fue una mano". La Fiscalía les advirtió que hacer ese trabajo sin presencia de las autoridades podía traerles problemas, y empezó a apoyarlas con la búsqueda. Y al tiempo que se preparaban para encontrar los restos de sus hijos, también se llenaron de esperanza cuando entró en vigor la Ley de Justicia y Paz, que llevó a la desmovilización de más de treinta mil paramilitares. Albergaban la esperanza de que no los hubieran matado, sino que los hubieran reclutado forzadamente, y por eso cuando veían a los paramilitares aparecer en las audiencias, les gritaban que se quitaran las capuchas y gorras para ver si entre ellos reconocían a alguno de sus hijos. Ese esfuerzo no rindió frutos, pero aún les quedaba esperar que esos paramilitares cumplieran con el requisito de decir la verdad para recibir el beneficio de estar solo ocho años en la cárcel. "Por eso para nosotras fue tan duro cuando los extraditaron, incluso nos fuimos allá a la cárcel porque nos alcanzaron a avisar que eso iba a pasar, y pedimos que por favor no se los llevaran sin que contaran qué había pasado con nuestros hijos, pero ese pedido fue en vano".

A pesar de esa nueva frustración, ese momento de la extradición marcó una nueva ruta en el trabajo de la Organización Caminos de Esperanza Madres de La Candelaria. "Una de nosotras al ver por los noticieros las imágenes de los jefes paramilitares amarrados de las manos, de los pies, del cuello, porque así se los llevaron para Estados Unidos, pensó en cómo estarían sufriendo las mamás de esos hombres. Y dijo que así sus cuatro hijos estuvieran muertos por cuenta de esos paramilitares, ella le pedía a Dios que le diera la capacidad de perdonarlos". Inició entonces un cruce de mensajes que las Madres de la Candelaria enviaron a los paramilitares que quedaron en la cárcel de Itagüí a través de sus abogados. Al cabo de un tiempo de hacer ese ejercicio, convinieron visitarlos. "Fuimos veinticinco. La primera vez yo me desmayé, unas salieron enfermas, con rabia, pero a los quince días estaban pidiendo volver. Hoy en día de todas las que vamos unas cien permanecen calladas". Y mientras esa es la forma de algunas demostrar el rechazo a quienes mataron a sus hijos, otras decidieron incluso trabajar con los paramilitares, se apoyaron en un profesor de artes manuales de la Universidad de Antioquia, que les enseñó a víctimas y a victimarios a fabricar objetos, y de la venta de esos objetos las mujeres derivan su sustento.

Por esos logros en materia de reconciliación, por haber podido recuperar los restos de setenta y nueve desaparecidos, y por haber logrado la capacitación de ciento cuarenta y cuatro mujeres a través de los programas gubernamentales de víctimas, Teresita puede manejar el dolor que sabe que la acompañará hasta que muera, y no ha condicionado el perdón a lograr que su hijo aparezca, vivo o muerto. "Quien tiene la voluntad de perdonar puede llegar al perdón. Muchas de las mujeres del grupo han empezado a volver a sentir alegría, o las que tienen más amargura al menos se han animado un poquito. Yo les he dicho que al perdonar no nos estamos resignando a que nos impongan la muerte de nuestros hijos, sino que nos estamos dando la oportunidad de descansar un poco. Y que no tenemos una tumba para llevarles flores a nuestros hijos, pero sí tenemos experiencias para contarle al país que podemos perdonar a los que nos han hecho tanto daño".

Ya no devuelvo golpes sino abrazos, aprendí que así hago más: Yolanda Perea

Yolanda Perea dice que no sacar tiempo para disfrutar a sus dos hijos es su granito de arena para que Colombia sea un mejor país. Ella combina su trabajo de empleada del servicio con el de lideresa a cargo de la corporación que fundó en honor a su madre, El Puerto de Mi Tierra. De esa manera intenta que a otras mujeres y afrodescendientes no les toque vivir lo que ella vivió. "Cuando tenía once años, en 1997, vivía en la finquita de mi familia en Riosucio, Chocó. Un día mi mamá se fue a una fiesta con la mayoría de los adultos que vivían en la finca, y yo me quedé en la casa con mis cuatro hermanos y mi abuelo. Cuando él estaba durmiendo entró a la casa alias 'Yiyo', uno de las Farc que había estado por la tarde en la finca con el pretexto de revisar la tabla de las vacunas del ganado, me apuntó con un arma, me violó, y me dijo que si gritaba mataba a uno de mis hermanos. Cuando mi mamá llegó se enojó con mi abuelo por no haberme defendido, y se fue a reclamarle a la guerrilla por lo que me hizo Yiyo. Ellos negaron todo, pero aproximadamente a los dos meses, una vez que fui al río me agarraron a pata, yo grité y mi abuela salió a espantarlos. Ella me alzó y empecé a sangrar y ella dijo que yo estaba embarazada, pero como yo solo tenía once años no entendía nada. Mi abuela me dijo que no le fuera a decir a nadie porque eso generaría más problemas para la familia. Pasados otros días los guerrilleros llegaron a comprar vacas y marranos a mi casa, mi mamá no me dejó estar ahí con ella, me mandó a coger unas mazorcas y me dijo que yo ya estaba grande como para cuidar de mis hermanos, por primera vez me dijo mi nombre completo con apellidos y todo, esa fue la última vez que oí su voz. Apenas llegué a la cocina por las mazorcas se formó una balacera, cuando volví ella estaba en el piso cubierta con una cobija blanca. Mi abuelo me miró muy feo y así entendí que él me echó la culpa de la muerte de mi mamá. Eso pensó hasta el día de su muerte".

Un mes después Yolanda y su familia, como toda la comunidad de su vereda, fueron advertidos a través de mensajes de voz de que debían irse porque de lo contrario iban a quedar en el fuego cruzado del enfrentamiento que se avecinaba entre paramilitares y guerrilleros. En esas condiciones vivió su adolescencia, e intentó entrar a las Farc. "No me aceptaron porque ellos sabían que yo lo hacía para buscar venganza. Un día incluso intenté matarlos porque les preparé un jugo al que le eché un veneno para evitar las plagas en las vacas, menos mal mi hermano me hizo caer la jarra". De alguna manera, su deseo de revancha era evidente para la guerrilla porque Yolanda fue amenazada varias veces por hombres que le decían que le podía pasar lo mismo que a su madre, por eso se fue un tiempo a Medellín. Cuando sintió las condiciones dadas para regresar empezó su vida de adulta. "En Apartadó conocí al padre de mis hijos, que es un buen hombre. En 2001 tuve a un varoncito pero ahí se notaron las secuelas de la violación porque para darle pecho le tapaba la cara, sentía que él me juzgaba con su mirada. Y a mi marido lo rechazaba cada que me buscaba para hacer el amor. Obviamente él se aburrió de eso, y a mí no me importó porque yo me sentía la supermujer, tenía mi trabajo y él no me tenía que mantener".

Esa supermujer hoy anda con un chaleco antibalas y una escolta, ambos suministrados por la Unidad Nacional de Protección, pero se mueve en bus porque a juicio de los que hacen su análisis de riesgo, con el chaleco y la escolta es suficiente. Volvió a trabajar como empleada del servicio en Medellín, y tiene la suerte de que su patrona ha tenido la paciencia no solo para asumir el riesgo de emplear a una mujer amenazada sino para darle permisos para que asista a las reuniones de la Mesa Nacional de Víctimas, para que vaya con otras víctimas a La Habana a la mesa de negociación con las Farc y para que atienda la fundación. Yolanda recibió dieciséis millones de pesos del Estado en reparación por ser víctima, pero dice que los gastó en pagar médicos que le ayudaran a su hermano a superar los traumas del reclutamiento forzado del que fue objeto por parte de las Farc a los doce años. Añora poder volver a trabajar en el campo pero pide que la tierra que su familia dejó abandonada a causa del desplazamiento se la cambien por una en otro lugar del país, donde pueda dedicarse a criar sus vacas y a hacer su queso sin miedo por su seguridad. Esa es la única reparación que ve viable porque dice que ya no podrá casarse, ni disfrutar el amor como si nada hubiera pasado, y que por supuesto sus hijos nunca conocerán a su abuela. Pero Yolanda ha desarrollado una fortaleza tan grande como su corpulencia. "Me apoyé en la Ruta Pacífica de las Mujeres y las psicólogas de allá me hicieron entender que lo que había pasado no era mi culpa, y no he cancelado el sexo de mi vida pero llegará el hombre que acepte que se haga con mis condiciones y que no me quiera dominar".

Sus palabras evidencian que aún tienen un camino por recorrer en superar las secuelas del abuso sexual, pero en lo que va más adelantada es en el camino del perdón. "En 2013 hicimos un acto de memoria por la vida y usamos un bus como símbolo, al que la gente se subía a conocer nuestras historias. De pronto se subió un negro que me hacía muchas preguntas para conocer más detalles de mi caso, y de un momento a otro empezó a llorar como un niño. Me dijo que en el tiempo en que a mí me pasó lo de la violación, el asesinato de mi madre y el desplazamiento, él estaba en esa zona, y que había hecho un daño similar a otras mujeres. Yo no sabía qué hacer pero algo me dolía de verlo llorar, le di la mano y le dije que ya no había más opción que seguir adelante, y que lo perdonaba. *Ese día aprendí que hago más devolviendo abrazos que golpes, y que nada gano con querer ver hundidos a los que me hicieron daño*".

Su petición de perdón desapareció mi odio: Martha Mora, viuda

Al esposo de Martha Mora lo mataron los hombres de Jorge Iván Laverde, alias "el Iguano". Ella lo supo por la información que fue consiguiendo en la calle, pero el jefe paramilitar no confesó el crimen durante las audiencias de Justicia y Paz. "Como yo estaba segura de que fueron los del Bloque Fronteras, me iba siempre a las audiencias pero no me dejaban entrar que porque yo no estaba en la lista. Y el día de la última audiencia me logré hacer notar entre las barreras de seguridad, El Iguano me alcanzó a ver y pidió que me dejaran acercar.

Le dije que llevaba una cruz a cuestas porque su grupo había matado a mi marido, le di el nombre, me dijo que no lo recordaba pero que iba a revisar con sus muchachos. Dieron tiempo para ir a almorzar, mi almuerzo fue un tinto, y cuando reanudaron la audiencia y el juez dijo 'damos por terminada esta audiencia…'. Yo sentí que me desvanecía, pero el Iguano interrumpió al juez y dijo que necesitaba hablar con alguien del público, que era yo. Fui y me dijo que en efecto sí fueron ellos los que mataron a mi esposo, y que él se hacía responsable de la muerte de Óscar Emiliano Uribe".

Martha dice que en ese momento sintió alivio y rabia al tiempo, pero lo que le dijo Laverde cambió su historia, tanto, que recogió la vivencia en un poema, no en vano ya es conocida entre los grupos de víctimas como la poetisa de Norte de Santander.

Sin previo aviso aquel caballero negro me abraza y pronuncia aquellas mágicas palabras: "Yo no tengo paz, perdóneme señora". Escuché de su boca la voz del silencio que se ahogaba en un llanto de físico arrepentimiento, y entonces también lloré. Levanté mis brazos por debajo de los suyos y un abrazo nos hizo uno. Mi odio desapareció por el toque mágico del perdón, y lloramos y temblé. No de miedo, sino de sublime comprensión. Y pude saborear, gracias a Dios, el néctar dulce del perdón…

Martha no ha sido reparada económicamente, y a pesar de las precarias condiciones en las que la dejó la muerte de su esposo, lo que la llevó a ser hoy beneficiaria de una de las cien mil viviendas gratis del Gobierno para familias pobres, les dice a las víctimas que ellas se pueden sanar solas: "Valemos mucho más que el dolor que nos causaron, tenemos la obligación de sanar el dolor y de enseñar a nuestros hijos a que vuelvan a ver lo bonito de la vida". Por eso, y a pesar de que su hijo mayor le reprocha que no busque un trabajo para que ayude con los gastos de la casa, Martha dedica su tiempo a enseñarles valores a los niños y adolescentes de su vecindario. Todos, como ella, al menos tienen un techo, pero muy pocos tienen zapatos, o desayuno; y por eso, a través de la danza y la pintura, les da herramientas para que digan no a las permanentes ofertas que reciben de los reclutadores de bandas criminales, o para que no se resignen a vivir del contrabando de gasolina, como tantos en la región. "Un día mi hijo, que maneja un taxi, me dijo que le habían puesto una pistola en el capó del carro y que le ofrecieron darle una moto, pero él, que tiene veinte años y desde los doce se fue de ayudante de bus porque me dijo que estaba cansado de tanta pobreza, que nunca se ha resignado a que nos toque vivir con menos de lo que vivíamos cuando su papá vivía, me dijo que les respondió que no porque algo en su corazón no lo dejó. ¡Eso es lo que yo quiero, que sepan luchar por salir adelante honradamente aunque estén aguantando hambre!".

Martha va dando pasos firmes en su propósito, cientos de fotos son muestra de los eventos y festivales a los que ha llevado a una treintena de jóvenes a presentarse con danzas, o a exponer sus pinturas, en las que algunos le dicen que es su segunda mamá. Ella no estudió arte pero la metodología que ha desarrollado como empírica, a la que ha bautizado "resarcirse para construir paz", la ha llevado a ser certificada como emprendedora de cultura por el Ministerio de ese ramo. Ahora la invitan a dar conferencias sobre sanación y reconstrucción social en las que se acompaña de jóvenes mimos y pintores; ve cada invitación como un impulso para seguir ayudando pero también como un duro aterrizaje en una realidad que cree que debe cambiar: "Por ejemplo, en la Universidad Simón Bolívar a mí me pagaron y a los jóvenes les dieron refrigerios y algunos implementos, pero necesitamos que nuestro aporte sea reconocido en consecuencia con el impacto que tiene. Trabajar sin recibir dinero es muy duro". Mientras tanto, se apoya en instituciones como la Casa de la Cultura, la Defensoría del Pueblo, la Secretaría de Víctimas y la OEA para llevar a su comunidad los beneficios a los que tienen derecho por ser población vulnerable; y espera la bondad de la gente que admira que ella, a pesar de no tener nada, lo dé todo.

Yo le gané a la violencia: Karla, "la Gaviota"

Cuando Karla* piensa en cómo sería su vida si no hubieran matado a su padre concluye que todo sería diferente. Quizá no habría tenido que invadir el terreno donde hoy vive en Tibú, Norte de Santander, ni habría tenido que vender frutas y verduras en las calles de Cúcuta, y a lo mejor hasta ni habría tenido cáncer de útero. Pero de tanto pensar lo mismo, hace años llegó a una conclusión que adoptó como filosofía de vida: "De cada cosa negativa que uno vive debe salir al menos una cosa positiva". Y la aplicación de esa filosofía ha dado frutos. Ella hizo parte del grupo de líderes de víctimas que logró que el Congreso declarara en 2012 el 9 de abril como el día de las víctimas en Colombia, también logró una reparación económica, aunque mínima frente a lo que ella y su familia perdieron, y espera una sentencia de un tribunal de restitución de tierras. "Fueron quinientas ochenta hectáreas en el kilómetro quince de la vía a La Gabarra las que le dio el patrón a mi papá en pago por treinta años de trabajo por los que no le había pagado nada. El 26 de febrero de 1998 mi papá recibió un tiro en la cabeza que no supimos de dónde vino, fue el día del eclipse, mientras veíamos la telenovela *Café, con aroma de mujer*. En esa zona operaba el ELN, el hecho fue que al mes empezaron a llegar panfletos a todas las fincas, que decían que debíamos irnos todos o nos iba a pasar lo mismo que a mi papá. Nos fuimos a Tibú e invadimos un lote cerca de la pista del aeropuerto, hacíamos ollas comunitarias pero aún así a veces aguantábamos hambre, además cuando llovía nos mojábamos, solo teníamos plásticos y algunas hojas de zinc. Y lo peor fue que empezaron las masacres, acá llegaron los paramilitares y con lista en mano mataron a siete personas inocentes. Los velorios tenían que hacerse a puerta cerrada, y no se podía hacer el duelo porque ellos mandaban guardias a vigilar que no lloráramos".

Al barrio le querían poner 20 de Julio pero decidieron dejarle el nombre que iba a tener originalmente, cuando fue adaptado para hacer viviendas a profesores. Se llama El Triunfo, y como ella dice, representa una victoria aunque dista mucho de darles las comodidades que tenían en la finca con montañas vírgenes, un pozo petrolero y dos nacimientos de agua. La Gaviota —me pide que la llame así porque era como le decían a la protagonista de la novela *Café*, que su padre no se perdía y que era la que estaba viendo cuando lo mataron— dice que esa tierra ahora está sembrada con diez hectáreas de palma, y que cuando ha preguntado por los dueños de esos cultivos le responden que son de un médico de Cúcuta. Explica que por decisión de su madre, ni ella ni sus hermanos se ocuparon de esas tierras en muchos años. "Ella dice que ya perdió a su marido por eso, y que no quiere perder hijos por lo mismo, pero ya no le hicimos más caso y estamos reclamando".

A las mujeres con las que trabaja en enseñarles a elaborar el duelo, y desde su rol como presidente de la Junta de Acción Comunal de su barrio, les enseña que no obstante tienen derecho a ser reparadas económicamente y a que sus victimarios sean condenados por la justicia, nada de eso es lo prioritario: "Lo más importante es aprender a enfrentar el cambio de la vida, porque resulta que a muchos de los que han recibido la plata han sido los mismos victimarios los que les dicen cómo se la tienen que gastar, en otros casos las familias se han desintegrado tanto que las hijas se han vuelto prostitutas y los hijos han sido reclutados por grupos al margen de la ley. Yo les digo que tenemos que empezar por perdonarnos nosotros mismos porque en el momento del duelo nos llegan muchos pensamientos de odio y rencor; ya sin el odio podemos recordar a nuestro ser querido con alegría y no con tristeza; y luego trabajar en la reconciliación. Ese es el camino para ganarle a la violencia, y a pesar de que falta mucho, *yo digo que yo ya le gané a la violencia*". Karla ha logrado orientar a decenas de mujeres en el manejo del duelo mas no lo ha podido hacer con su madre y sus hermanas, aunque no pierde la esperanza de que ellas también lo logren para que puedan enfocar sus esfuerzos en que cese la nueva ola de asesinatos y violencia que vive la región del Catatumbo. "Esta es una zona de coca y con ese negocio es muy difícil que haya paz, pero aún más difícil será lograr la paz si esta no existe en cada uno de nuestros hogares".

Y así como insta a las víctimas a superar sus dolores, señala las deficiencias institucionales que dificultan la vida de quienes han sufrido la violencia. "A una víctima le toca hacer fila desde las tres de la mañana en la Unidad de Víctimas para ver si logra coger uno de los sesenta turnos que dan por día. Le toca contarle su historia al vigilante, a la recepcionista, a gente a la que no le importa y que terminan revictimizándola porque luego cuentan que la persona fue violada, etc., o las casas que nos dan las entregan en obra negra pero dicen que valen cuarenta millones, y no nos dan permiso de arrendarlas, en fin, muchas cosas dificultan la vida a las víctimas, pero quizá lo que más duele es que la gente nos juzgue. Si uno dice que es de Tibú o de La Gabarra lo miran con sospecha. Yo invito a la gente a que mire que la riqueza de esta región del Catatumbo, más allá de la que hay en la tierra, es su gente. Y a quienes nos victimizaron, a esos paramilitares que recibieron pocos años de cárcel por lo que nos hicieron, espero que ese tiempo les haya servido para reflexionar, y que al salir vuelvan a empezar su vida de cero, así como tuvimos que hacer nosotros los desplazados cuando ellos nos dejaron sin nada".

Las víctimas, a pesar del dolor, no podemos ser solo demandantes: Pilar Orjuela

El dolor de la familia de Carlos Andrés Orjuela ya era profundo antes de que lo mataran. Todos se sintieron aliviados cuando entró a la Policía porque pensaron que así se alejaría de los malos amigos y de los vicios, pero como él mismo le dijo a su hermana María del Pilar, dentro de la institución encontró más vicio que afuera. El hecho que marcó su destino ocurrió cuando estaba asignado a la estación de Policía de Ataco, Tolima. En abril de 2001 doscientos guerrilleros de las Farc se tomaron el pueblo. El asalto, además de dejar destrucción por doquier, segó la vida del patrullero Juan Daniel Espinoza, quien era el mejor amigo de Carlos Andrés. El dolor por esa pérdida lo consumió y con ello se profundizó su narcodependencia, por años su familia trató de ayudarlo, y hasta pudo casarse e intentar llevar una vida normal, pero las drogas le ganaron la partida. Un día se fue de la casa a vivir en las calles con el argumento de que no quería lastimar más a sus seres queridos. "Yo me lo encontraba con los cartones debajo del brazo, lo invitaba a comer y le decía que qué era eso de andar durmiendo en el piso duro. Me respondía que uno se acostumbra y yo le decía que mejor se acostumbrara al colchón. No le gustaba que le diera cantaleta. Llevaba unos cuatro meses viviendo en la calle cuando nos llamaron a decirnos que lo habían matado. Fui a identificarlo, tenía tres disparos en el pecho. No había fotos ni nada del procedimiento de rigor del levantamiento de un cuerpo. Yo misma fui a la escena del crimen a recoger los casquillos dos días después, los vecinos me dijeron que todo empezó cuando llegaron cuatro chinos en motos, que uno de ellos se bajó con algo en la mano y que mi hermano les dijo que tranquilos pero el tipo le dijo que se callara y le pegó los balazos... Puse la queja ante la Defensoría y ante la Fiscalía pero sé que hay muertos de primera, de segunda y de tercera categoría, y que el mío está en la última, porque era, como ellos dicen, un desechable". María del pilar narra así el comienzo de la búsqueda de justicia por el asesinato de su hermano, desde el principio supo que sería una misión titánica. "Nos dieron a entender que ese era un hecho de limpieza social porque los vecinos de la zona se habían quejado en el CAI de que los 'desechables' estaban haciendo bulla y piropeando a las muchachas, y que ya el comandante les había dado un mes para que se fueran". A pesar de todo ella logró que se iniciara la investigación oficial, pero el testigo, uno de los indigentes que quedó vivo, dejó de testificar porque recibió amenazas. Hay un retratado hablado de un presunto responsable exparamilitar, que estaría viviendo en Honda, contra quien, según asegura María del Pilar, la Fiscalía se negó a librar orden de captura. Por eso ella y su familia no dejan de preguntarse por qué la institución que debía darles garantías no solo trató el caso con desinterés y con gestos de desprecio hacia los deudos de la víctima, sino que a esos investigadores que no hicieron bien su trabajo los ascendieron dentro de la institución. No obstante, Pilar no pierde la esperanza de que se haga justicia, mientras piensa si saca fuerzas para iniciar una demanda contra el Estado por negligencia en la investigación.

En un momento de depresión por el dolor que le causó ver la desidia de los funcionarios, María del Pilar se encontró con las Escuelas de Perdón y Reconciliación. "Logré una paz interior que no tenía, creo que podría sentarme a hablar tranquilamente con quien mató a mi hermano". Luego aplicó a una convocatoria de la Unidad de Víctimas y trabaja ahí desde 2012. Dice que todas las víctimas a las que atiende ignoran que ella también es víctima, y que con sus historias, muchas más duras que la de ella, la hacen pensar que ella también puede superar la suya. "Me hace muy feliz mi trabajo en la Unidad, todas las víctimas a las que atiendo, sin saberlo, me llenan de fuerza y fe todos los días. Si hablo como víctima tengo que decir que a mí y a mi familia nos hace falta ser reparados por el asesinato de mi hermano, y si hablo como funcionaria del Gobierno debo decir que hay tantas víctimas y que cada caso es tan complejo que el tema desbordó la institucionalidad". Por eso entiende que haya víctimas que por falta de confianza en el Estado ni se acercan a reclamar sus derechos, pero también ve que hay víctimas que abusan y organizaciones de ayuda oportunistas. Destaca que hay mucho que aprender de los procesos con los desmovilizados que se acogieron a la Ley de Justicia y Paz, pues para muchas víctimas resultó una payasada oírlos pidiendo disculpas como si la ofensa hubiera sido un pisón o un mordisco, y no tuvieron la asistencia psicológica para manejar ese golpe emocional. A pesar de esa experiencia, María del Pilar cree en el actual proceso de paz con las Farc, y desde su trabajo en la Unidad de Víctimas hace su parte para que las víctimas no se sientan en desventaja frente a los beneficios que se les han dado y se les darán a los victimarios. "Muchas me dicen que veinticuatro millones de pesos por un familiar muerto es una chichigua. Yo les explico que no le estamos pagando a su familiar, y les cuento cuáles son sus derechos. Y, sin desconocer su dolor, también les digo que las víctimas pueden gestionar por sí mismas su reparación, porque yo pienso que las víctimas no pueden, o no podemos, ser solo demandantes".

CAPÍTULO 8

Experiencias de la Ley de Justicia y Paz, primer experimento de justicia transicional en Colombia

En julio de 2005 el Congreso promulgó la ley conocida como Justicia y Paz, para, según reza su encabezado, facilitar los procesos de paz y la reincorporación individual o colectiva a la vida civil de miembros de grupos armados al margen de la ley, garantizando los derechos de las víctimas a la verdad, la justicia y la reparación. El mismo encabezado refiere que un grupo armado organizado al margen de la ley es un grupo de guerrilla o de autodefensas, o una parte significativa e integral de los mismos como bloques, frentes u otras modalidades de esas mismas organizaciones, de las que trate la Ley 782 de 2002.

A agosto de 2015 a esa ley se han acogido 4.409 personas que fueron miembros de grupos paramilitares, y 480 que fueron de las Farc, 72 del ELN y 72 de otros grupos. 1.355 han pagado ocho años de cárcel y empiezan a quedar libres. 1.663 han optado voluntariamente por retirarse del proceso ya que encontraron más agilidad o mayores beneficios en acogerse a la justicia ordinaria; y 160 han sido expulsados por la Fiscalía al considerar que no cumplieron con el requisito de decir la verdad, o que siguieron delinquiendo desde la cárcel. Los testimonios de estos, que técnicamente son llamados "postulados" han llevado a que los magistrados de Justicia y Paz compulsen 15.491 copias a la justicia ordinaria, para que esta investigue a empresarios, políticos y militares que habrían sido los financiadores, instigadores y socios del accionar criminal de los paramilitares. Por esas compulsas de copias han sido abiertos 7.186 procesos que están en diferentes etapas y que han llevado a que sean condenados 12 miembros de la Fuerza Pública, 162 políticos, 23 servidores públicos y 56 comerciantes, pero los propios magistrados de Justicia y Paz señalan que si los fiscales y magistrados de la justicia ordinaria no conocen el contexto de los hechos, que es en el que se hace énfasis en los procesos de Justicia y Paz, en muchos casos no van a poder tan siquiera tipificar el delito cometido.

La ley, al ser el primer experimento de justicia transicional en Colombia luego de la creación de la Corte Penal Internacional, ha sido objeto de estudio y evaluación de parte de organizaciones internas y externas; y los resultados evidencian los desacuerdos respecto a lo que se puede considerar justicia transicional.

El primer director de la Unidad de Justicia y Paz en la Fiscalía fue Luis González, quien dice que el organismo no tenía herramientas para la tarea que se le dio. "Empezamos con veinte fiscales, llegamos a ciento ochenta y cinco pero se necesitaba el doble. Hicimos un inventario de posibles delitos con fuentes no formales como los periódicos y revistas regionales, les escribimos a dos mil ochocientas ONG y organizaciones de derechos humanos, pero pocas contestaron. Llegábamos a los pueblos, muchas veces en burro o en chalupa, y citábamos a la gente en los coliseos y juntas de acción comunal para explicarles en qué consistía la ley, y para que así denunciaran los delitos de los que habían sido víctimas a manos de paramilitares. De esa manera logramos recoger cuatrocientos mil testimonios de posibles delitos, pero luego los postulados solo confesaron unos cincuenta mil, y aún con su confesión no todos se pudieron procesar porque los jueces pedían más pruebas. Y aunque había fiscales muy comprometidos que trabajaban hasta las tres de la mañana y no les importaba dormir en donde fuera, también se colaron unos a los que solo les interesaba cobrar el buen sueldo que se les dio. Es que fue un error pagarles como a fiscales de tribunal, debimos pagarles como a los fiscales especializados, que ganan menos. Pero en fin, nos dimos cuenta de que muchos de los paramilitares ni sabían el daño que habían hecho porque no llevaban una sumatoria de la gente a la que ordenaban matar en el día a día. No teníamos ni espacios para hacer las audiencias en donde pudiéramos meter a víctimas y a victimarios, decidimos ponerlos en salones separados e instalar pantallas. Al principio dejamos que las víctimas preguntaran, pero muchas lo que hacían era desahogarse del dolor con insultos, entonces decidimos que preguntaran solo los abogados. Luego muchas víctimas pidieron ver a sus victimarios de frente, y creamos los espacios para que pudieran estar todos juntos, pero con médicos y psicólogos porque lo que se oía en esas audiencias era horrible. Y en el trabajo de campo pasaron cosas increíbles como que cuando íbamos con alias 'Jorge Pirata', excomandante del Bloque Centauros del Meta, a que diera la ubicación de ochenta fosas donde echaron a sus víctimas, aparecieron niños en la carretera, que lo saludaban con pancartas en las que le agradecían que hubiera construido escuelas, o hecho obras sociales". Luis González, quien ahora es jefe de la Unidad de Fiscalías, dice que a las cuatro semanas de iniciado el trabajo en Justicia y Paz pensó que era increíble que a las personas que habían cometido tal cantidad de crímenes se les diera el beneficio de recibir un máximo de ocho años de cárcel como condena, pero que cuando oía a la gente en los pueblos decir que por fin se sentían tranquilos porque ya no estaban sus victimarios por ahí rondando, pensó que en un país como Colombia es preciso que la solución sea una justicia imperfecta, en la que lo importante sea crear garantías de no repetición y no cuántos años van a pagar de cárcel por el daño causado a las víctimas inocentes.

Carlos Villamil es el cuarto abogado a cargo de la Unidad de Justicia y Paz, agrega que cuando se critica que la Fiscalía no llama a los postulados a dar sus versiones no es por falta de interés, sino por falta de capacidad humana. "La Dirección de Justicia Transicional cuenta con treinta y siete fiscales, quienes se encargan de tomar las versiones de los dos mil cuatrocientos trece postulados de las AUC activos en el proceso. Y si se tiene en cuenta que cada postulado ha dado en promedio cuarenta versiones libres, el trabajo que se ha hecho es muy bueno y eficiente. Colombia es un ejemplo en materia de justicia transicional, tenga en cuenta que existían pocas investigaciones por paramilitarismo antes de la creación de la Unidad de Justicia y Paz, y con la aplicación de la Ley 975 de 2005 logramos identificar a 532.171 víctimas, de las cuales 150.228 corresponden a subversión. Por eso creo que para la justicia transicional que se acuerde con las Farc hay que socializar muy bien que se trata de una justicia que no es retributiva, en la que la naturaleza no es la detención de la persona, hay que trabajar muy bien sobre las expectativas del país al respecto. También creo que hay que simplificar el proceso porque se vuelve repetitivo y largo. El de Justicia y Paz consta de seis pasos: versión de enunciación, versión de confesión, imputación, audiencia de formulación y aceptación de cargos, incidente de reparación a las víctimas y la sentencia. Y se necesitan más salas y magistrados de Justicia y Paz, a la fecha solo hay tres salas de conocimiento, ubicadas en Bogotá, Medellín, y Barranquilla; y cuatro salas de control de garantías en las mismas ciudades, más una en Bucaramanga. Ahora, mucha gente cuestiona que los postulados pueden quedar libres al pagar ocho años de cárcel, sin embargo es necesario precisar que ellos no quedan libres, sino que se les sustituye la medida de aseguramiento por una no privativa de la libertad. Tienen prohibido salir del país, tienen que seguirse presentando al tribunal, informar su lugar de residencia, entrar en el proceso de reintegración de la Agencia Colombiana para la Reintegración, y continuar asistiendo a las sesiones de Justicia y Paz".

Ante la avalancha de delitos que ha tenido que investigar la Fiscalía por cuenta de las declaraciones de los postulados de Justicia y Paz, el fiscal general, Eduardo Montealegre, decidió crear la Dirección de Análisis y Contexto, con el objetivo, como su nombre lo indica, de contextualizar el porqué, el cómo y el para qué de lo sucedido, de manera que no se dejaran de fallar algunos casos por el hecho de no tener pruebas reinas de cada uno, pero ante todo con el fin de concentrarse en los casos más destacados y en los máximos responsables de los delitos. Es lo que se llama selección y priorización de casos para evitar que la justicia colapse. El encargado de esta unidad es Juan Pablo Hinestroza, este abogado con una maestría en Derechos Humanos, que antes de hacerse cargo de esta dirección dirigió también por un tiempo la Unidad de Justicia Paz, responde a una de las críticas más recurrentes del proceso de Justicia y Paz, la extradición de catorce jefes paramilitares a los Estados Unidos en 2008, con el argumento de que incumplieron los requisitos del proceso porque seguían delinquiendo desde la cárcel, y sin que hubieran terminado de contar la verdad sobre sus crímenes. "Si no los hubieran extraditado esto estaría peor. ¡Unos de los fiscales le decían a Mancuso 'don Mancuso', a Ramón Isaza 'don Ramón'!, es que ellos intimidaban, además hay que tener en cuenta que más de cuarenta funcionarios de la fiscalía fueron asesinados por paramilitares incluso después de iniciado el proceso de Justicia y Paz. Y sobre el tema de la reparación, del que también se dice que no entregaron los bienes que adquirieron siendo paramilitares, hay que decir que ellos han entregado muchos bienes, pero por ejemplo las tierras las entregan sin sanear, sin haber pagado el impuesto predial, los servicios públicos. La DIAN no condona esas deudas, ¿entonces quién asume? Aún con esas imprevisiones, la Ley de Justicia y Paz debería servir de punto de partida para la justicia transicional que se acuerde con las Farc".

La magistrada Uldy Teresa Jiménez López ha proferido doce de las treinta y cuatro sentencias en el marco de la Ley de Justicia y Paz, con las que condenó a cuarenta y cinco postulados a esa ley, de los cuales veinte son comandantes. Ha sido ella quien ha logrado destrabar la libertad de varios de los postulados quienes, a pesar de haber cumplido más de ocho años en prisión y de haber cumplido con los estándares de verdad, justicia y reparación, estaban impedidos de salir libres porque varios de sus crímenes fueron también juzgados por la justicia ordinaria, que había fallado en su contra con sentencias que rondan los cuarenta años de cárcel. Esa duplicidad en la investigación y la falta de comunicación entre los fiscales y jueces de ambos tipos de justicia llevó a que incluso varios de los jefes paramilitares denunciaran que les estaban incumpliendo los acuerdos, con la consecuencia que esto podría tener para la credibilidad de la justicia transicional que se está negociando con las Farc en La Habana. Le pregunto a la magistrada Uldy Teresa si cree en el arrepentimiento de los paramilitares; tras un largo silencio, mirando un cuadro que tiene en la pared frente a su escritorio hecho por mujeres víctimas del desplazamiento de Mampuján, que con la técnica del *quilting* recrearon la escenas de horror que vivieron a manos de alias "Juancho Dique", de alias "Diego Vecino" y sus lugartenientes, la magistrada responde que en los tribunales ha visto centenares de escenas tan conmovedoras de perdón y arrepentimiento, que si no es sincero es porque los postulados son excelentes actores. "Jorge Iván Laverde, alias 'el Iguano', después de oír el testimonio de las hijas del asesinado fiscal de Cúcuta, el doctor Pinto, que hablaron de que su mamá estaba enferma y ellas tuvieron serios problemas, dijo que para él y la gente que cometió esos crímenes no debería haber sino la pena de muerte en cámaras de gas. Y explicó que cuando estaba de jefe paramilitar de verdad creía que ellos estaban salvando el país, por cosas como que el general Rito Alejo del Río los felicitaba después de una operación. Giovanni Andrés Arroyave, alias 'el Calvo', que hizo su accionar en el Tolima, dijo que solo pensaba en suicidarse. Úber Bánquez, alias 'Juancho Dique', nos dijo que él había matado mucha gente porque él siempre fue muy correcto en cumplir las órdenes que le dieron pues así le enseñaron desde niño, y que como le decían que los matara a todos pues eso hacía, pero como ya sabía que eso había estado muy mal, agregaba 'menos mal no encontré más gente'. En las audiencias pudimos ver la nobleza de las víctimas. En las audiencias contra Ramón Isaza, alias 'el Viejo', siempre estaba una joven con un cartel con la foto de una señora. La joven nunca hablaba pero un día la invité a intervenir, contó que la de la foto era su madre, que había sido asesinada y desaparecida cuando ella tenía diez años. Nos dijo que ella había crecido con mucho rencor, y que muy joven le descubrieron un cáncer que ella atribuía a lo que había tenido que padecer. Dijo que cuando estaba en el tratamiento de su enfermedad tomó la decisión de cambiar su actitud de rabia hacia los victimarios por una actitud de ayuda a otras víctimas, y terminó diciendo que se había curado del cáncer. Luego se dirigió a Ramón Isaza, le dijo que tenía temor de que él y sus hombres tomaran represalias contra ella y otras víctimas cuando ellos salieran de la cárcel. Yo le dije a Ramón Isaza que le respondiera claro y duro a esa joven. Él prometió que nunca volvería a empuñar las armas contra ellas. La joven pidió permiso para acercarse a Isaza y a los del grupo de él, les dio un abrazo, y ellos entre lágrimas le pedían perdón". Como este caso la magistrada Uldy Teresa ha visto miles, ella también repara en las dificultades que en un inicio tuvieron para aplicar esa particular Ley de Justicia y Paz. "El primer proceso fue fallado en 2009, fue el de la masacre del El Loro, en la que murió una candidata a la Alcaldía de San Alberto, pero la Corte Suprema anuló la sentencia, que era contra un patrullero. El presidente de la corte, magistrado Augusto Ibáñez, dijo que eso no podía ser posible en una organización que tenía jerarquías, y nos orientó respecto a unos diez puntos a tener en cuenta para contextualizar los casos, por lo que de ahí en adelante empezamos a pedir a la Fiscalía lo que llamamos georreferenciación, es decir, que presentaran un contexto sobre cómo reclutan a la gente, dónde y cómo la entrenan, en qué basaron la creación de los himnos y estatutos de cada bloque, etc. Así que cada sentencia es el producto de mínimo cuatro meses de trabajo día y noche de un equipo de gente".

Respecto a tantos empresarios que han sido mencionados por los paramilitares como sus colaboradores, la magistrada dice que no hay claridad sobre si esa colaboración era voluntaria o forzada, ya que pasa mucho que los postulados dicen que el que se encargaba de esas relaciones con los empresarios ya está muerto. Y sobre la colaboración de los militares explica que muchas copias se han compulsado de las salas de Justicia y Paz a los fiscales ordinarios, pero que sin el contexto es muy difícil que puedan siquiera establecer los delitos. "Si el ejército se retiró de una zona justo antes de que llegaran los paramilitares, eso no es un delito, pero si se analiza el contexto y la sistematicidad se puede llegar a concluir que el ejército se retiró precisamente para facilitar el ingreso de los paramilitares, porque era parte del plan para atacar a una población. Pero como ni un general ni un soldado pueden ser postulados a la ley de justicia y paz porque esta es solo para combatientes de los grupos al margen de la ley, ni los fiscales ni los magistrados de Justicia y Paz podemos investigar ni a militares, policías, empresarios, ni a políticos".

La magistrada destaca que hay un crimen que a varios exparamilitares les ha costado ser expulsados de la Ley de Justicia y Paz: la violación sexual. "Ellos están dispuestos a reconocer las masacres más crueles, pero no la violencia sexual porque es algo muy vergonzoso incluso para sus propios códigos. Por ejemplo, Marco Tulio Pérez Guzmán, alias 'el Oso', quien hacía reinados con niñas de trece a dieciséis años, escogía a las más bonitas y cuando se hastiaba de estar con una de ellas cogía a otra, y así. Él dijo que eso no era cierto, y que si ellas decían eso era en venganza porque él las quiso disciplinar poniéndolas a hacer oficios como barrer un parque, entre otros".

Un momento clave para agilizar los testimonios de los paramilitares fue la extradición de los catorce jefes a Estados Unidos. Dice la magistrada Ruíz que una cosa era lo que habían confesado hasta ese momento y otra lo que confesaron después. "Al otro día de la extradición de Mancuso, en una versión que dio alias 'el Iguano', menciona al general Rito Alejo del Río, al exsubdirector del DAS, José Miguel Narváez; y a Ana María Flórez, que era la directora Seccional de Fiscalías en Cúcuta. Igual pasó con Rodrigo Pérez Alzate, alias 'Julián Bolívar', quien contó cómo coordinaba la seguridad del Álvaro Uribe durante su primera campaña presidencial, con su hermano Guillermo, alias 'Pablo Sevillano', y el jefe de escoltas de Uribe en Nariño, coronel Henry Rubio Conde, que luego fue su jefe de seguridad. En las sentencias de justicia y paz hay mucha información y muchas personas mencionadas, pero como son tantos folios ni los periodistas los leen. Debería haber alguna forma de que la gente se entere de lo que dice en las sentencias, así recobrarían algo de la confianza en la justicia". Luego de lo que ha oído la magistrada Uldy Teresa en las audiencias, pocas cosas podrían sorprenderle, pero destaca que hay dos que le resultan inexplicables. "Una señora a la que los paramilitares le mataron el marido, le reclama a alias 'el Viejo' por ese crimen pero termina diciendo que allá en Puerto Triunfo hacen mucha falta los paramilitares porque la zona se ha vuelto a dañar. ¡Yo no podía creer que una víctima estuviera diciendo eso! Y no es la única, una vez que fuimos a una audiencia en Puerto Boyacá contra Arnubio Triana Mahecha, alias 'Botalón', pedí al hotel que me consiguiera una persona que me peinara el pelo. La peluquera llegó toda nerviosa, ella no sabía que yo era magistrada, me contó que el pueblo estaba revolucionado por una audiencia que iban a hacer contra los paracos. Yo me hice la que no sabía nada, le pregunté que por qué, y me respondió que es que el pueblo estaba muy perdido, que ni comparación a cuando los paras estaban ahí que no pasaba nada y todo el mundo vivía tranquilo, dijo que claro que también la embarraban mucho. Por eso no es suficiente con que los grupos al margen de la ley dejen las armas, hay que concientizar a la gente de que las vías de hecho no son la solución, de que hay que apoyar la institucionalidad. Eso no se logra a punta de consejos sino de presencia del Estado más allá de la fuerza pública, oportunidades de trabajo, salud y educación".

Pero estas experiencias de quienes han tenido en sus manos la aplicación de la Ley de Justicia y Paz no han inclinado la balanza en favor de dicha ley, para quienes han hecho la evaluación de su aplicación. La exprocuradora para Derechos Humanos, Patricia Linares, miembro del Grupo de Memoria Histórica, quien evaluó el impacto de la ley junto con su colega Nubia Herrera, dice que esta "fue un experimento fallido debido a que fue una negociación entre compadres durante el gobierno de Uribe. Con esa ley pretendieron legalizarles la tenencia de tierras, garantizarles dominio territorial, acceso a instituciones democráticas. Los paramilitares postulados llegaban a las audiencias en actitud de campaña política, echándose discursos sobre el contexto para confesar lo mínimo posible. Por supuesto que es mejor conocer de cuatrocientos mil delitos que la justicia desconocía, pero seguramente un millón se quedaron por fuera, ¡es que el Estado no puede rendirse! Hubo casos en que fiscales tuvieron que pagar a historiadores de su propio bolsillo para que les ayudaran con la elaboración del 'contexto', porque si no lo hacían los jueces no les aceptaban el caso. No hubo suficiente preparación ni capacitación previa. Mire, según el estudio que hicimos, para poder cumplir a cabalidad con la Ley serían necesarios cincuenta años o más, ¿dígame si eso no es una burla? Hay muchas lecciones que se desprenden de la aplicación de esta Ley de Justicia y Paz, la mayoría negativas, qué no hacer, qué no repetir, y eso es importante. Además, la gente no sabe que el posconflicto es algo duro, largo, que exige compromisos y sacrifico de parte de todos, y que nos va a costar mucha plata".

La directora para Colombia del Centro Internacional para la Justicia Transicional, María Camila Moreno, hace una evaluación que ella califica como agridulce de la Ley de Justicia y Paz. "Esta experiencia no mostró claramente que la justicia transicional no se creó para ser una justicia blanda o un atajo para evadir la rendición de cuentas. De lo que se trata es de implementar mecanismos complementarios que garanticen los derechos de las víctimas a la verdad, la justicia, la reparación y la no repetición. Ese fue el concepto con el que nació este tipo de justicia en los ochenta, cuando cayeron las dictaduras del Cono Sur. De otra parte, la experiencia de la Ley de Justicia y Paz ha demostrado que no es posible investigar, juzgar y sancionar hecho a hecho, debido a que la cantidad de los crímenes desborda la capacidad de los sistemas de la justicia ordinaria. La experiencia del ICTJ en diferentes procesos en el mundo nos ha llevado a concluir que la rendición penal debe concentrarse en los responsables de los delitos más atroces, como violar mujeres, matar niños y niñas, entre otros. La experiencia sudafricana, de la que se dice que es de las más exitosas, es muy interesante porque ilustra las complejidades de rendir cuentas penalmente. En la Comisión de Verdad y Reconciliación de Sudáfrica se acordó que los actos que hubieran sido proporcionales a los objetivos de las partes en conflicto serían amnistiados, y los que no lo fueran, o sea, los que no tuvieran ninguna justificación, debían ser investigados, juzgados y sancionados plenamente, pero al final estos actos no fueron juzgados ni se conoció la verdad de lo ocurrido porque en la Comisión no participaron los responsables de ellos. Por mucho tiempo hubo una amnistía de facto para ellos, pero al cabo de veinte años se han abierto juicios contra varias de estas personas. Cada sociedad debe definir su modelo de justicia transicional según sus necesidades y expectativas. En el caso Colombiano, para cumplir con el objetivo de la no repetición se debe acabar el conflicto y eso se logra con la firma del acuerdo de paz.

La Ley de Justicia y Paz de Colombia sigue siendo objeto de evaluación por parte de organismos internacionales como la Comisión Interamericana de Derechos Humanos, que ha dicho que el Estado no puede decidir no investigar todos los crímenes, y por la Corte Penal Internacional que, si bien ha emitido sentencias condenatorias en solo dos casos desde su creación en 1998 de únicamente veintiuno que ha tramitado en nueve países, ha recordado a Colombia que si los máximos responsables y los delitos de lesa humanidad no son resueltos por la justicia del país, la justicia internacional puede hacerse cargo de ellos. El debate es si un tribunal internacional va a atreverse a tumbar uno o varios acuerdos que, aunque de manera imperfecta, logren poner fin a uno de los conflictos armados más antiguos del mundo.

Tres de los más altos jefes paramilitares que se acogieron a la Ley de Justicia y Paz cuentan desde su experiencia personal sus opiniones sobre esa ley.

No fui héroe ni villano, fui una víctima de un Estado ausente: Fredy Rendón Herrera

Claudia Palacios: Fredy Rendón Herrera, ¿le incomoda que le sigan diciendo por su alias, "el Alemán"?

Fredy Rendón Herrera: No es que me incomode pero me parece que ya está bueno porque fue un seudónimo que tuve cuando estuve militando en las autodefensas. Ya soy una persona que dejé las armas, pasé por el proceso de verdad justicia y reparación, estuve nueve años en la cárcel, y quisiera que me llamaran por mi nombre verdadero: Freddy Rendón.

C.P.: ¿De qué está arrepentido?

F.R.: De haber sido copartícipe de alimentar la guerra, pude haber jugado del lado de la institucionalidad. También de no haber sabido guiar mejor a mis hombres, porque no me interesé por conocer sobre las reglas de la guerra o las conocí muy tarde, por eso se violaron tantos derechos humanos, y se habría podido combatir a la guerrilla de manera distinta.

C.P.: ¿Cuántas son sus víctimas y las de sus hombres?

F.R.: Es muy difícil responder esa pregunta porque en diez años que estuve en la guerra dejé víctimas directas, como los desplazados y muertos; e indirectas, como las de poblaciones donde escaseaban los alimentos por cuenta de los combates. Tengo que reconocer con dolor que solo en el Medio Atrato las autoridades han llegado a contabilizar quince mil desplazados pero yo creo que pudieron haber sido treinta mil. De pronto el cien por ciento de lo que sucedió allí no se conozca, incluso con nuestra mejor disposición a contar la verdad, porque algunos de los comandantes directos de la zona ya están muertos o porque uno en el fragor del combate no sabe cuántos ni quiénes son las víctimas.

C.P.: Usted cumplió nueve años de cárcel pero se supone que la condena máxima, por el beneficio de acogerse a la Ley de Justicia y Paz, era de ocho años, ¿por qué estuvo más tiempo?

F.R.: Por varias razones, una de ellas es que aunque me desmovilicé el 16 de agosto de 2006, solo me registraron como postulado (nombre que se les da a los que se acogieron a la Ley de Justicia y Paz) en febrero de 2007. Otra razón es que como no hay coordinación entre los fiscales que manejan la Ley de Justicia y Paz y los que manejan justicia ordinaria, hubo duplicidad de procesos y de condenas, entonces tuve que esperar a que se aclararan esos detalles.

C.P.: Alguna gente que fue afectada por usted como paramilitar tiene miedo de lo que usted pueda hacer ahora que quedó libre...

F.R.: La mayoría de los postulados a la Ley de Justicia y Paz pedimos que nos den la oportunidad de mostrar que queremos reconciliarnos con ellos. Quisiéramos decirles que no deben temer. El país necesita confiar en quienes hemos salido voluntariamente del conflicto en búsqueda de la reconciliación.

C.P.: ¿Es consciente de que con tantos enemigos que debe tener, ahora que está libre, su vida puede correr peligro, o la de su familia, y de que va a ser difícil que alguien quiera darle trabajo?

F.R.: Sí, soy consciente de los riesgos, pero el Estado colombiano tiene la obligación de protegernos, y si algunos de nosotros perdemos la vida, ese será el precio que nos toque pagar por aportar nuestro grano de arena para ayudar a reconciliar a la sociedad. A mí me gustaría que el Estado me contratara para hacer ese trabajo. Y mire, a mí ya me mataron un hermano estando yo en la cárcel, y al que lo mató lo capturaron y lo metieron al patio del lado en que yo estaba. Me lo encontré en la reja en varias oportunidades, y aunque me duele el alma no le guardo rencor. Hoy, si algo así vuelve a pasar, dejaré que las autoridades se encarguen. A mí no me hace falta la sangre, ni matar, empezando porque yo nunca he matado a alguien con mis manos, y también porque eso les pasa a los que tienen un problema mental, yo no lo tengo, hasta la psicóloga que nos atendió en la cárcel me dijo que yo estoy bien mentalmente. Sobre el empleo, yo soy de una familia paisa, solidaria, y sé que mi padre puede ayudarme con mi manutención mientras yo consigo algo qué hacer.

C.P.: Pero ustedes se acostumbraron a vivir con mucha plata...

F.R.: La gente no entiende que así como percibíamos muchísimos recursos por lo que les cobrábamos a empresarios, narcotraficantes, madereros y contrabandistas, entre otros, así los gastábamos para mantener un ejército que comía, necesitaba ropa, municiones, armas, combustible, medicinas. Las reservas que quedaron del bloque que yo comandaba, el Elmer Cárdenas, fueron entregadas al Estado colombiano para aportar a la reparación de las víctimas. Yo recibía un salario de cinco millones de pesos, y puedo vivir con uno o dos salarios mínimos, como viví durante mucho tiempo, y como lo hacen millones de compatriotas.

C.P.: ¿Y las tierras de las que se adueñaron?

F.R.: Una tierra no se la roban, Claudia, puede que cambie de manos con la ayuda de funcionarios y de notarios corruptos. Cuando me desmovilicé la Fiscalía me dijo: "Freddy, usted tiene treinta mil hectáreas de palma sembrada en la rivera del Curbaradó". Yo le respondí: "Señor fiscal, dígame a nombre de quién está la tierra, quién abona las palmas, quién coge el fruto, quién paga los empleados, dónde venden el aceite y a quién le dan el cheque, y usted verá que yo no hago nada de eso". A los cuatro años me dijo: "Freddy, usted tenía la razón".

C.P.: Entonces usted hizo un muy mal negocio, porque por cuenta de lo que ustedes hicieron muchas tierras cambiaron de manos, y a precios irrisorios, ¿y usted solo se quedó con los muertos y con la cárcel?

F.R.: Es que nosotros no estábamos dando muerte a alguien porque nos gustara sino por una necesidad; y mucho menos por hacerle favores a ningún empresario, ¡no!, estábamos en una guerra contra una guerrilla que era el enemigo número uno de la sociedad colombiana, a la que el Estado no combatía, y no estábamos al tanto de si los empresarios llegaban a comprar tierras.

C.P.: Pero ustedes sí han hablado ante la Fiscalía de muchos empresarios, políticos y militares que los financiaban, y muchos de ellos están libres y sin procesos judiciales abiertos.

F.R.: Creo que la Fiscalía ha hecho un buen trabajo, lo que pasa es que no estaba preparada para poder investigar tanta cantidad de violaciones a los derechos humanos con sus vasos comunicantes en la política y en el empresariado. Siempre los periodistas quieren que uno ande repitiendo en los medios lo que dijo en los estrados judiciales, pero creo que esa no es nuestra labor, dejemos que la justicia investigue.

C.P.: ¿Usted salió de la cárcel mejor de lo que entró?

F.R.: En la cárcel terminé el bachillerato, pues solo había hecho hasta sexto antes de entrar a las autodefensas, hice seis semestres de Psicología, me retiré porque estudiar desde la cárcel es complicado, no siempre vienen los profesores sino que quieren que uno les mande trabajos pero no tiene oportunidad de interactuar con ellos. Esa educación me ha fortalecido para tener una mejor convivencia; tenga en cuenta que en el bloque yo era el que daba las órdenes, mientras que en la cárcel a mí me dan órdenes. Si yo hubiera leído uno o dos libros de los que he leído en la cárcel, nunca hubiera entrado a las autodefensas, por eso a mis hijos y sobrinos les digo que estudien, y este país debe dar una mejor educación a sus niños. Hay algo que me ha marcado a mí y a todos los que estamos en el proceso de justicia transicional: es la oportunidad de reflexionar y ser conscientes del daño causado a la sociedad, a Colombia y a la humanidad.

C.P.: ¿Entonces, tras esta experiencia en la cárcel, usted cree que sería bueno que las Farc pasen por la cárcel también?

F.R.: Yo no quisiera que nadie pasara por la cárcel, pero creo que los máximos responsables deben pasar una temporada con alguna forma de restricción de la libertad, y no necesariamente en una cárcel, para que también tengan la oportunidad de reflexionar sobre el daño causado, de asumir sus responsabilidades, de contar la verdad porque si esta no se conoce ni nuestros nietos podrán vivir en paz, hacer reparación y pedir perdón a sus víctimas. Así darán un mensaje a la sociedad de que se quieren reconciliar. Y creo que quienes tienen las manos manchadas de sangre no deben ir al Congreso porque eso se volvería una batalla de acusaciones. Más bien que permitan que vayan quienes representen sus ideas pero no han cometido crímenes.

C.P.: Usted y varios de los excomandantes de las AUC quieren participar en la mesa de La Habana pero a las Farc no les suena esa idea.

F.R.: Yo quisiera poder estrechar la mano de algunos de ellos, y que nos reconciliemos. Especialmente con Iván Márquez, quien fue comandante del Frente José María Córdoba, que es en el que yo combatía estando al frente del extinto Bloque Elmer Cárdenas.

C.P.: Fredy, ¿cuál es la víctima que a usted más le duele?

F.R.: (Silencio) La esposa de un exalcalde que murió por orden mía, en Unguía, Chocó. A ella la conocí durante las audiencias de Justicia y Paz, le pedí perdón, me abrazó y me perdonó. Con ese abrazo me dio la oportunidad de demostrarle a ella y a la sociedad que soy un hombre nuevo.

C.P.: Pero no todas han tenido la oportunidad de que usted les pida perdón...

F.R.: Hay una religiosa del municipio Vigía de Curbaradó a la que supe que algunos de mis patrulleros confesaron que intentaron violar. Yo he pedido a la Fiscalía que me ayude a identificar a esa dama porque ella no ha puesto la denuncia. Por la formación católica y apostólica que uno tiene, para mí es como algo completamente fuera de lo normal que pudieran intentar hacerle algún daño a esa dama, y yo quiero pedirle perdón.

C.P.: Fredy, ¿usted fue un héroe o un asesino?

F.R.: Ninguna de las dos cosas, solo fui una víctima de un Estado ausente y descuadernado, que me llevó a ser parte de una estructura que hizo muchísimo daño y de la que hoy me arrepiento de haber hecho parte.

Muchos de los que eran AUC no se desmovilizaron, ellos deben tener información para completar la verdad: Jorge Iván Laverde

Claudia Palacios: Jorge Iván Laverde Zapata, ¿cómo es que usted pasa de ser un camionero a ser alias "el Iguano"?

Jorge Iván Laverde Zapata: Tenía ese apodo desde que era camionero. Soy de una familia de clase media-baja, salimos desplazados del campo, un corregimiento que se llama El Dos. Varios de mis vecinos, campesinos sin estudio como yo, casi todos, se fueron de guerrilleros. Llegamos a Cúcuta cuando la policía ni entraba a los barrios que estaban a merced de la guerrilla, fuimos nosotros los que nos atrevimos a entrar, y eso se volvió un Vietnam.

C.P.: Hay tanta gente de clase media-baja que ha sufrido las consecuencias del conflicto en Colombia que no tomó las armas...

J.I.L.: Yo he pensado en eso muchas veces, porque sé que otros jóvenes que crecieron en mis mismas condiciones no hicieron lo mismo que yo. Quizá tuvieron más fuerza de voluntad. El problema es que hay muchas zonas del país donde los jóvenes siguen creciendo así, y los están reclutando.

C.P.: Usted lleva ocho años y medio en la cárcel y le han negado la libertad, ¿el Estado le falló?

J.I.L.: Cada que quieren hacer una cortina de humo dicen que los desmovilizados no hemos dicho la verdad. Que oigan las más de dos mil horas de grabación. Lo que pasa es que el que sabe que lo mencionamos sale y dice que cómo se les va a creer a unos bandidos como nosotros, y nos abren un proceso por falso testimonio. Sí, *nosotros fuimos unos bandidos de fusil, pero hubo unos bandidos de corbata*. De la mayoría no hay pruebas, si hubiéramos sabido que nuestro proceso iba a terminar así, pues hubiéramos grabado todas las reuniones.

C.P.: ¿Qué ha pasado con ellos?

J.I.L.: Unos están huyendo, por ejemplo un mayor Carreño, otros están detenidos, y otros muertos. Entre mis muchachos y yo hemos mencionado a unos cien hombres de la fuerza pública con los que trabajábamos.

C.P.: ¿Fue la fuerza pública la que los buscó a ustedes, o ustedes a ellos?

J.I.L.: Hoy se rasgan las vestiduras, pero nosotros hicimos amistad con la Sijín, el DAS, con gente del Ejército porque ellos no podían tener el control de las regiones. No tenían ni el entrenamiento ni los equipos. Ellos eran nuestros aliados porque estábamos combatiendo el mismo enemigo, ellos trabajaban duro para capturar a los guerrilleros pero resulta que los tenían que soltar porque no tenían pruebas para que los juzgaran, o los tenían unos meses en la cárcel y ya. En cambio nosotros no teníamos cárcel, la directriz de los jefes era darlos de baja.

C.P.: ¿Y cómo hacían para saber que no se estaban equivocando si ustedes tampoco hacían un juicio?

J.I.L.: Hoy sé que todas esas muertes fueron una equivocación, no teníamos derecho a hacer eso. Pero la información nos la daba el DAS en el tiempo en que Jorge Díaz era el subdirector en Norte de Santander; o como el treinta por ciento de los que conformaban el Frente Fronteras de las AUC eran exguerrilleros, ellos mismos nos señalaban quiénes eran sus antiguos compañeros. Pero ellos también aprovechaban para señalar a gente con la que tenían problemas, como cuando la masacre de Agua Clara, donde una comandante del ELN nos entregó a Julio Guzmán, alias "Balbulina", y ese señaló a unas cinco o seis personas a las que les dimos muerte. Luego nos dimos cuenta de que entre esos estaba un ganadero, un señor Jorge, que era enemigo de él.

C.P.: Usted ha confesado como cuatro mil muertes, ¿con eso ya queda en paz con las víctimas, al menos por el hecho de decir la verdad?

J.I.L.: Claudia, como víctima que yo también soy, porque me han matado cuatro hermanos, sé que uno descansa cuando se entera de la verdad. Pero es muy triste no poder entregar los restos porque hubo mucha gente que se incineró, algo que en ese estado de inconsciencia de la guerra era normal, pero que hoy en día nos duele. Es muy duro decirle a una mamá que a su hijo se lo tiramos al río, o lo metimos a un horno.

C.P.: ¿Por qué obraban con esa sevicia?

J.I.L.: En Cúcuta había entre quince y treinta muertes por día, y hubo una noche que los periódicos la titularon "Septiembre negro", porque fueron como treinta y ocho los homicidios selectivos en la ciudad. Entonces los amigos del DAS y de la Sijín nos dijeron que no dejáramos a la gente por ahí botada sino que la despedazáramos y la desapareciéramos porque si no ellos iban a tener que investigar y dar con los responsables, o sea, con nosotros. Y que en cambio si los desaparecíamos, cuando la familia pusiera el denuncio se podía manejar la hipótesis de que se fueron para Venezuela. Y lo de los hornos no fue planeado, sino que una vez los contactos que teníamos en la Fiscalía nos avisaron que ya iban a llegar los investigadores a una fosa común donde teníamos diecinueve cuerpos, y no nos quedó más remedio que meterlos a un horno de una ladrillera, que estaba prendido y que quedaba cerca. De ahí en adelante esa fue una forma de desaparecer a la gente, pero no los echábamos vivos como han dicho, porque a esto también le han metido mucha película. Yo no sabía cómo contar eso en las audiencias de Justicia y Paz, me fui a la celda de Mancuso, él ni sabía que eso había pasado (silencio). Yo tuve la oportunidad de abrazar a la mamá de un joven que fue incinerado allí... fue demasiado doloroso... uno quisiera que estuviera alguien dentro de uno pa que sintiera que uno no es un asesino que no siente nada...

C.P.: ¿Su familia sabe eso?

J.I.L.: No soy capaz de contarle eso mirándola a los ojos, los que saben de mi familia no creen porque yo soy el niño de la casa, ayudo a mis sobrinos que vienen a que yo les ayude a hacer las tareas acá en la cárcel, les compongo y canto canciones. Es que eso es lo que a mí me hubiera gustado ser, un cantante.

C.P.: Algunos acusan al presidente Uribe de alentar el paramilitarismo. ¿De sus años de guerra puede decir algo al respecto?

J.I.L.: Lo único es que para las elecciones Mancuso nos dio la orden de que reuniéramos a los líderes comunitarios, y a cuanta persona tuviera manejo en las ciudades, pueblos y corregimientos para decirles que el presidente de la paz era Uribe. Y eso hicimos, pero no más. Y ya cuando decidimos desmovilizarnos fue porque vimos los golpes que él le estaba dando a la guerrilla, y que las Fuerzas Armadas sí estaban bien equipadas, y pensamos que ya nosotros no éramos necesarios.

C.P.: ¿Cuál era su empresario llave?

J.I.L.: Varios, los carboneros tuvieron mucha participación en el conflicto, unos por miedo y otros voluntariamente aunque ahora dicen que por miedo. Le doy un nombre: Termotasajero, dio una fuerte suma de dinero para la compra de unas armas; otro, Asozulia, la de los arroceros. Hemos mencionado cómo hacían personas como Carlos Hurtado o Hugo Beltrán para entrar los fusiles, todos esos deberían darle la cara al país y contar que mientras a la guerrilla tenían que darle de a quinientos millones de pesos obligadamente o porque los secuestraba y amenazaba, a nosotros nos daban de dos a tres millones mensuales y en muchos casos voluntariamente, y los protegíamos.

C.P.: ¿Usted se siente un salvador de este país?

J.I.L.: Es que ahora no lo quieren reconocer pero nosotros frenamos la agresión de las guerrillas, que golpeaban un batallón con doscientos, trescientos hombres, y los secuestraban.

C.P.: ¿Lo volvería a hacer?

J.I.L: No, a nosotros nos utilizó todo el mundo.

C.P.: Hablaba de que ustedes no amasaron riqueza, difícil de creer eso, Jorge Iván...

J.I.L.: Se han entregado muchas cosas, pero el Estado ha hecho fiestas con eso. Le doy un ejemplo, antes de que lo extraditaran, Mancuso había entregado bienes por cincuenta mil millones de pesos, entre esos la finca 05, en la que él empezó un proyecto productivo muy grande con el que planeaba que pudiéramos mantenernos los que nos desmovilizamos y nuestras familias, pero el Gobierno recibió ese bien y dijo que eso no podía ser así porque debía ser para las víctimas. El hecho es que no fue ni para las víctimas ni para nadie porque el Estado dejó ese bien abandonado, lo saquearon, y ya no vale ni la tercera parte de lo que valía.

C.P.: ¿Qué va a hacer usted cuando salga?

J.I.L.: Es preocupante porque cuando nos metieron a la cárcel solo nos quitaron el fusil y ya. Nosotros presentamos muchos proyectos productivos de los que pudiéramos vivir y también las víctimas, pero eso no prosperó porque no nos apoyaron. Lo que sí le digo es que a la guerra no vuelvo, yo en estos años en la cárcel me he enfocado en recuperar a mi familia, la que alejé mientras estuve en el grupo. Me voy a ir a donde mi mamá y voy a seguir ayudando a que las víctimas sepan la verdad, *porque muchos de los que eran AUC no se desmovilizaron ni entraron a Justicia y Paz porque solo eran los que transportaban víveres o hacían labores con las que pasaban desapercibidos, y ellos deben tener información para completar la verdad.* Ese es el Jorge Iván que yo quiero que la gente conozca cuando yo salga de la cárcel, si es que los enemigos no me matan y me dejan trabajar por la paz.

C.P.: Es posible que la guerrilla no pague ni un solo día de cárcel, ¿qué piensa de eso?

J.I.L.: Estoy de acuerdo con que no paguen cárcel, Claudia, o sea, que realmente se comprometan a no seguirle causando daño a la sociedad, que renuncien a todo acto de violencia. Los de las bases fueron utilizados, que les den estudio y aporten en los campos; y los grandes jefes son unas personas muy inteligentes que pueden aportar mucho a este país.

C.P.: ¿Usted tiene hijos?

J.I.L.: Sí, pero no le pusimos mi apellido porque como no es común queríamos evitar que tuviera problemas de seguridad. Ahora que ya es mayor de edad, y porque él así lo quiso, cambiamos sus documentos para que pudiera llevar el apellido Laverde.

No soy capaz de perdonar a quienes me han hecho daño, pero pido perdón a quienes les hice daño: Iván Roberto Duque

Claudia Palacios: Iván Roberto Duque, usted lleva nueve años en la cárcel, uno más que el tiempo máximo que les ofrecieron como beneficio a los postulados de Justica y Paz, ¿el Estado le incumplió?

Iván Roberto Duque: Esa pregunta se la respondo cuando esté fuera de las rejas, pero luego de que en un primer momento me negaran la libertad, acabo de firmar el acta de compromiso y la notificación de mi libertad. Mi salida, como ocurrió con algunos de mis compañeros que ya están libres, está sujeta a trámites en la justicia ordinaria, en la que yo debo gestionar la suspensión de tres sentencias condenatorias por hechos que ya confesé. Y lo otro es que hace seis años me dictaron sentencia por la masacre de La Rochela, ocurrida el 18 de enero de 1989, cuando yo era subgerente de la terminal de transportes de Manizales. No acepté que tuve injerencia en ese hecho, y debo probar que estoy diciendo la verdad.

C.P.: ¿Cómo una persona estudiada como usted termina convertido en un criminal?

I.R.D.: En Colombia muchos quedamos atrapados en el torbellino de la guerra, en mi caso, desde muy joven milité contra las ideas marxistas, un día cualquiera de 1989 un amigo me invita a Puerto Boyacá, que era como una república independiente de las autodefensas. Ya habían matado al fundador de las AUC, Pablo Emilio Guarín, y lo mataron las propias AUC, no las Farc, como se dijo en ese momento. Ahí acababan de destituir al alcalde Luis Alfredo Rubio Rojas por paramilitar, y al comandante del Batallón Bárbula, Luis Arsenio Bohórquez Montoya, por vínculos con paramilitares, a raíz de un escándalo que desató la revista *Semana*, al publicar las declaraciones de un médico que militó cinco años en las AUC y al retirarse le contó al país lo que estaba pasando. Ese médico fue Diego Viáfara Salinas, que contó todo lo que hacía el israelí Yair Klein y demás. Por la destitución del alcalde, el primero del municipio elegido popularmente, hubo que hacer elecciones atípicas, y resultó que uno de los candidatos me conocía, porque era de Manizales y sabía de mis enfrentamientos con Bernardo Jaramillo en la época de universitarios. Recuerde que yo creé un movimiento al que catalogaban de derecha debido a que yo iba en contra de que se convocara a paro a toda hora por cualquier cosa. El hecho es que me puse a hacer campaña con él y al mes ya me había vuelto popular por mi discurso, y se me encendió la avaricia del poder porque vi que esa era mi oportunidad para hacerme con el Partido Liberal de ese municipio. Me le sumé a Jorge Perico Cárdenas, que era el presidente del Directorio Liberal en Boyacá. Entonces un día llegan a mi oficina unos hombres armados que me dicen que Henry Pérez, que era el comandante de las autodefensas de la zona, me quería conocer. Nos reunimos y él me dijo que yo podía ser el reemplazo de Pablo Guarín y que podía llegar al Congreso de la República. Y así fue como a los dos meses yo era el jefe del Partido Liberal en Puerto Boyacá, y secretario general de Acdegan, la asociación campesina de agricultores y ganaderos del Magdalena Medio, que era poderosísima porque era el aparato de penetración de las AUC a los campesinos, pagaba ciento veinte profesores, había construido cincuenta y dos escuelas, hacía carreteras. Y allá abundaba la plata porque Rodríguez Gacha tenía cincuenta y dos cocinas de coca, entonces hasta cualquier lustrabotas andaba con dólares. Y mire cómo son las cosas cuando uno está destinado, resulta que no pude llegar al Congreso porque como revocaron el Congreso para hacer la Asamblea Constituyente, terminé de presidente del Consejo Municipal.

C.P.: ¿Usted estuvo la mayor parte del tiempo haciendo política en plaza pública, incluso con el alias que se puso después, "Roberto Báez", y nunca lo investigaron?

I.R.D.: Los últimos diez años de mi vida en la guerra los pasé viviendo en Medellín, anduve quince años con tres órdenes de captura por todo el país haciendo las veces de jefe de debate de muchos políticos, muchas veces pronuncié discursos frente al edificio de la Policía en distintos pueblos, y cuando me tocaba dirigir la palabra en público lo hacía como Ernesto Báez y sonaba el himno de las autodefensas seguido del himno nacional. Es que el Estado lo que no podía hacer de frente se lo encargó a otro grupo. A principios del año vi por las noticias que se entregó el general Castañeda porque la Corte Suprema anuló la absolución de él y del mayor Jorge Durán por la masacre del Nilo, que dejó veinte indígenas muertos en 1991. Imagínese, eso fue hace más de veinte años y hasta ahora la justicia actúa cuando yo desde esa época conocía con plena certeza la participación de la policía en esos hechos.

C.P.: Pero usted dice que se ha venido a enterar de los horrores de la guerra apenas durante las audiencias de Justicia y Paz porque cuando estaba en las AUC su labor era política y no militar...

I.R.D.: Le voy a responder como le respondí a un juez que me preguntó lo mismo: Deje al lado su condición de juez y asuma la posición de historiador. Las AUC hacían parte de una guerra irregular, eran una organización horizontal, cada grupo obraba independientemente, y los que estábamos en un grupo no nos enterábamos de lo que pasaba en los otros. La gente debe entender que en las AUC hubo purgas internas espantosas entre sus comandantes; murió el de Putumayo por problemas internos, igual pasó con Miguel. A Castaño, lo asesinaron por problemas internos. Y como yo era jefe político, que no dormía en ningún campamento, de los temas militares me enteraba por los medios de comunicación. La gente no conoce el país, por eso cuando nos reunimos en Santafé de Ralito con el alto comisionado Luis Carlos Restrepo yo le dije que hiciéramos una gira, así como cuando Pastrana llevó a pasear a las Farc por Europa cuando iba a empezar lo del Caguán. Pero que fuera una gira por Colombia para que dejaran de opinar desde las alfombradas oficinas de Bogotá y se dieran cuenta de que en este país hay familias de cuatro generaciones de guerrilleros, y con las AUC llegamos a tener abuelo, padre e hijo paramilitar. Una vez en una tienda de un caserío miserable en el Sur de Bolívar vi un cartel que invitaba a una conferencia de un doctor experto en combatir la plaga del hongo que está acabando con la coca. ¡Como si plaga fuera el hongo y no la propia coca! Los ejemplos abundan, una vez Pastrana, siendo presidente, llegó a San Blas, que era como el Vaticano de las AUC, se bajó del helicóptero y a un grupo de gente que le reunieron les dijo que venía a probarle a esos bandidos Macaco y Julián Bolívar que el Estado colombiano podía ejercer soberanía hasta en el último centímetro de la patria, les habló de unos temas de alcantarillado y luz, y se volvió a montar al helicóptero y se fue. Eso me motivó a escribir un editorial en un periódico clandestino que teníamos en el que dije que Colombia era un país balcanizado, en el que en el norte mandaba Castaño, en el occidente y el oriente él compartía el mando con Tirofijo, en el sur mandaba solo Tirofijo, y en algún rincón del Palacio de Nariño mandaba Pastrana.

C.P.: ¿Y al ver las masacres por los noticieros no le hacía preguntas al jefe militar de su bloque, el Central Bolívar, a alias "Macaco"?

I.R.D.: A mí lo único que me interesaba era poner hombres de las autodefensas en las curules del Congreso de la República, y por eso pusimos más de cien senadores y representantes a la Cámara.

C.P.: ¿Entonces, usted solo asume su responsabilidad por lo político?

I.R.D.: No, aunque más del ochenta por ciento de las investigaciones por parapolítica han derivado de lo que yo he dicho en las audiencias de Justicia y Paz, yo he aceptado y he pedido perdón por cada uno de los homicidios, violaciones, desplazamientos y asesinatos del bloque al que pertenecí, porque acepto la teoría de Roxin de los culpables detrás de los culpables. Sin embargo, las víctimas no entienden mucho de eso. Una muchacha de Bucaramanga, a quien su novio, un paramilitar, violó intimidándola con un fusil cuando ella le dijo que quería estar en serio con él, me dijo que yo por qué le pedía perdón por eso si ella a mí nunca me había visto. A mí me ha tocado responder por ochenta y cinco violaciones, hechos que me han causado escozor, asco moral, y me ha tocado aceptarlos, cometidos en territorios en los que jamás puse un pie y por personajes de la organización que nunca conocí.

C.P.: En circunstancias así va a ser muy difícil que la gente perdone...

I.R.D.: El perdón, si no implica la absoluta humillación ante la víctima, no pasará de ser un perdón judicial. Por eso yo cuando salga de aquí quiero que todos los que hemos hecho la guerra convoquemos una asamblea nacional de víctimas que vaya por cada pueblo de este país para cicatrizar las vidas de tantos a los que hemos herido. Y si para esto es preciso que la guerrilla no vaya a la cárcel, pues que no vaya. Y si aún así no nos perdonan, no los juzgaré. Mire, estando en la cárcel yo perdí un hijo en un accidente de tránsito, porque un borracho estrelló el vehículo en que iba mi hijo, que era un seminarista, un monjecito, y yo no soy capaz de perdonar a ese hombre. Yo no soy capaz de emular a ese noventa por ciento de colombianos víctimas que en las audiencias de justicia y paz nos han perdonado.

C.P.: Ayuda si las víctimas son reparadas, pero se critica que ustedes no han entregado todos los bienes que tienen para hacer esto.

I.R.D.: En lo que al Bloque Centra Bolívar respecta, se entregaron bienes por más de ciento cinco mil millones de pesos. Ganado, efectivo, vehículos, apartamentos fincas, lotes, casas, pero no habido un manejo más corrompido e irresponsable que el que ha hecho el Estado con esos bienes. Se entregó una empresa palmera, Corpoagrosur, valorada en cuarenta mil millones de pesos, y el Estado en vez de dársela a las víctimas del Sur de Bolívar se la dio a una empresa particular de palmeros que la usufructuó por cuatro años hasta que la Sala de Justicia y Paz del Tribunal de Bogotá se la quitó a los acaparadores de los temas de la paz. Otro ejemplo, se entregó un plan de vivienda en

Caucasia, en el caserío Piamón, recién construidas, listas para habitar, y hoy hasta las ventanas se las robaron. Hace unos días un excomandante denunciaba la entrega de dos grandes botes con motores fuera de borda avaluados en más de ciento cincuenta millones de pesos y fueron vendidos en cuatro millones de pesos, ¿quién investiga qué hay detrás de eso?

C.P.: ¿Y respecto a los patrocinadores de las AUC, aún le quedan verdades por contar?

I.R.D.: Duermen el sueño del los justos en la justicia ordinaria más de mil quinientas compulsas de copias para que se investigue a todo tipo de responsables del paramilitarismo que no estuvieron en las filas de las AUC, confío en que la justicia no necesite décadas para que a ellos también les llegue la justicia.

C.P.: ¿Y qué les dice a esos que ha señalado y que están orondos por la calle, haciendo gestiones para que las investigaciones en su contra no avancen?

I.R.D.: El hospital, el cementerio y la cárcel siempre generan aprehensión a cualquier ser humano. *Para mí la idea de la cárcel era peor que la idea de la muerte, pero es aquí donde he tenido la oportunidad de encontrarme conmigo mismo,* de volver a otras actividades maravillosas, como escribir, a la música, a descubrir a Dios, la espiritualidad, el mundo de los afectos de la esposa, de los hijos. Les diría que esta ha sido una experiencia enriquecedora, y que hoy o mañana la justicia llega.

CAPÍTULO 9

Perdonar, una cuestión de método y acompañamiento

No hay consenso respecto a lo que significa perdonar y reconciliarse. En el plano de las víctimas, algunas creen que para perdonar necesitan que su victimario les pida perdón, otras aseguran que ya perdonaron pero que no olvidarán, algunas dicen que perdonarán cuando se haga justicia, y otras que perdonaron pero que no quieren saber nada de su victimario. El perdón es materia de abordaje desde lo religioso y lo psicológico, donde hay coincidencia en que este beneficia al ofendido antes que al ofensor, y en que es una opción personal que no exime al victimario de su culpa. Desde lo jurídico y lo político el perdón también es materia de instrucción, con conceptos como la condonación, el indulto, la amnistía o la clemencia.

Danelia Cardona es médica psiquiatra, trabaja en la Conferencia Episcopal, y tuvo la labor de acompañar a las sesenta víctimas que en cinco grupos visitaron la Mesa de negociación de paz entre el Gobierno y las Farc en La Habana, Cuba, durante el 2014. Ante las críticas que recibieron algunas de las víctimas de quienes se vieron imágenes en aparente aspecto amable con los guerrilleros que las victimizaron, la psicóloga llama a diferenciar entre los conceptos de empatía y simpatía. "Lo que esas personas hicieron fue un acto heroico, el país debe ser sensible a reconocer esa entrega generosa que hicieron las víctimas. Empatía es reconocer en el otro un ser humano que es resultado del contexto en el que nació y creció, lo que no significa que ello justifique sus errores, o que se simpatice con ellos o con quien los cometió. Pero al reconocer al otro como un ser humano que también siente hambre, frío, rabia, alegría y demás, se le da la oportunidad de arrepentirse y de enmendar sus errores". Para esta especialista, en el caso de los colombianos, crear esa empatía pasa por entender que todos hemos sido víctimas del conflicto, aunque sea de manera indirecta, y que por ello hemos desarrollado un nivel de resiliencia que nos ha permitido salir adelante, pero que también nos ha llevado a una frialdad, cinismo y desconfianza que debemos cambiar como individuos para poder dar un cambio como nación, "el punto no es simplemente cómo perdonamos a la guerrilla, sino cómo recibimos a los guerrilleros cuando pierdan su identidad, que está basada en el poder intimidante de las armas. Además, debemos ocuparnos de sanar las heridas acumuladas durante sesenta años. Una de esas heridas es nuestra ideología polarizada". Danelia, por el lugar donde trabaja, combina las herramientas de la psicología con las de la religión, por eso agrega que la fe contribuye al perdón porque da al ofendido una esperanza sobrenatural que le lleva a creer que el sufrimiento que padece la puede llevar a algo mucho más grande. "Trabajamos en que las víctimas no sean actores pasivos que se acomoden a las ganancias secundarias de ser víctimas, sino en que se empeñen en transformar su dolor y salir fortalecidas".

Respecto al abordaje religioso del perdón, Juan David Villa, psicólogo, docente e investigador de la Universidad San Buenaventura, que ha hecho un extenso trabajo con víctimas de la violencia, señala que el perdón es un movimiento psicológico que resulta contraproducente forzar, ya que no es posible perdonar por obligación, como tampoco se puede amar por obligación. "He visto casos, sobre todo en mujeres muy practicantes de la religión, que asumen el perdón como un deber moral, a veces lo hacen para poder comulgar, y eso en ocasiones tiene efectos adversos, como que se traslada inconscientemente a un hijo o a un miembro de la familia la responsabilidad de la venganza por el hecho violento sucedido. No podemos ser todos como Jesús o como la Virgen María, porque no todas las personas tienen la capacidad de perdonar, hay casos muy difíciles como los de algunos familiares de desaparecidos o algunas víctimas de violación sexual, a quienes por más terapia que se les haga no logran perdonar. Hay casos en que el mismo odio es el que le da sentido a la vida de la persona. En esas situaciones lo que se hace es trabajar en que la persona, si bien sigue odiando, deje de desear venganza. Pero hay que respetar el dolor y el resentimiento de esas personas". Villa señala que aunque no hay investigaciones científicas que lo demuestren, sí hay comentarios reseñados por médicos que han tratado pacientes con cáncer, especialmente en órganos del aparato digestivo, que encuentran una constante entre el tipo de enfermedad y el cargar con un odio insuperable. Y en cuanto a la diferencia entre perdón y reconciliación, este investigador agrega que es posible perdonar sin reconciliarse, pero no reconciliarse sin haber perdonado. "El perdón es liberarse de cargar al victimario, hay un ejercicio de un día que hacemos con víctimas, en el que las ponemos a cargar piedras, cada piedra representa a un ofensor o un dolor. Al final del día, con una ceremonia ritual, hacemos que la persona vaya botando las piedras y obviamente se siente más liviana. Eso es algo que las personas interiorizan y pueden así liberarse de su victimario, lograr que les sea indiferente. Pero para llegar a este punto las víctimas necesitan acompañamiento especializado individual o grupal; y ayudan las medidas aplicadas a los victimarios por la justicia transicional, que las hacen reparar a sus víctimas y contar la verdad. En cuanto a la reconciliación entre víctimas y victimarios directos, esta funciona cuando la iniciativa surge de ellos mismos, de lo contrario puede terminar en un show mediático con efectos contraproducentes".

El constitucionalista Juan Manuel Charry explica el perdón desde lo jurídico. "En Colombia ha sido y sigue siendo posible dar amnistías o indultos, lo que significa perdonar los delitos o no aplicar las penas correspondientes. Eso ha sido y es válido para los delitos políticos, que si bien no están definidos en el Código Penal comúnmente se ha entendido que son los delitos contra la Constitución, es decir, sedición, rebelión y asonada. En anteriores procesos de paz, a los miembros de los grupos guerrilleros al margen de la ley se les amnistió o indultó por todos los delitos que cometieron, pues por la naturaleza del grupo se les consideró políticos. Esto porque acá no se hablaba de delitos de lesa humanidad, que tampoco están tipificados en nuestro Código Penal, y porque se consideró que los delitos comunes —robo, extorsión, etc.— tenían una causa, motivación o propósitos políticos, o sea, los cometieron porque contribuían a su fin político. Pero el Tratado de Roma, con el que se constituyó la Corte Penal Internacional, habló de delitos de lesa humanidad, de crímenes de guerra, de genocidio y del delito de agresión —este último, cuya definición queda a discreción del juez—, y determinó que estos debían ser sancionados por los Estados o en su defecto por la comunidad internacional, lo que significa que no pueden ser amnistiados ni indultados por ningún país que haya firmado el tratado. Por eso se hace necesario que a través de las leyes estatutarias que reglamentarán el Marco Jurídico para la Paz aprobado por el Congreso en 2012, se determine cuáles son los delitos conexos a los políticos. Ahí se podría llegar a decidir que la vinculación de la guerrilla con el narcotráfico es un delito conexo al delito político. Para los delitos comunes aplicaría la justicia transicional —aunque podría incluir los delitos políticos y conexos si es que estos no fueran objeto de amnistías o indultos, como parece entenderlo el actual Gobierno—. El ejemplo que ya tenemos de eso es la Ley 975 de 2005 de Justicia y Paz pensada para los paramilitares, de la que ya se han beneficiado muchos guerrilleros; y que ofrece enormes beneficios en cuanto a la rebaja de la pena, siempre y cuando se cumpla con el requisito de decir la verdad, reparar a la víctima y no volver a delinquir. Esto es un desarrollo del sometimiento a la justicia que se creó para los narcotraficantes a fines del siglo pasado. La complejidad viene a la hora de la participación política, ya que quienes hayan cometido delitos políticos, independientemente de que hayan sido condenados o no, sí pueden participar en política; mientras que no pueden hacerlo quienes hayan cometido delitos comunes (no políticos) por los que hayan tenido que pagar una pena privativa de la libertad. Por eso, entre otras cosas, es que la guerrilla rechaza ir a la cárcel, dado que eso les impediría hacer política. Una opción para solucionar este punto sería aplicarles amnistía e indulto por delitos políticos y los conexos; y crear una justicia transicional para procesarlos por los delitos comunes, incluidos los de lesa humanidad, genocidio, crímenes de guerra y los de agresión; y hacer una excepción al artículo de la Constitución que impide hacer política a quienes hayan sido condenados por delitos no políticos".

Al margen de estas consideraciones, se han desarrollado metodologías para facilitar la sanación a través del perdón, como un paso para la convivencia y la reconciliación. Las Escuelas de Perdón y Reconciliación son un invento colombiano del sacerdote y psicólogo Leonel Fernández; y el Árbol Sicómoro, creado en cárceles de Estados Unidos, está siendo aplicado con éxito en algunas prisiones colombianas.

ES.PE.RE. Escuelas de Perdón y Reconciliación

La metodología de las ESPERE fue diseñada por el sacerdote, filósofo y psicólogo Leonel Narváez, basado en la experiencia del Institute of Forgiveness de la Universidad de Wisconsin, y el material sobre el mismo tema de las Universidades Harvard y Virginia Commonwealth, que él y su equipo adaptaron a la realidad latinoamericana. En quince años, unas quinientas mil personas, en la mayoría de departamentos de Colombia y en sedes en Ecuador, Panamá, Venezuela, México, Argentina, Uruguay, Brasil, Chile, Cuba, República Dominicana, Estados Unidos, Portugal y Uganda han pasado por los talleres grupales que en diez módulos llevan a quienes han sido victimizados a "reinterpretar los acontecimientos dolorosos del pasado, realizar un giro narrativo, y así superar los sentimientos de rencor y venganza que limitan el goce de la vida".

Claudia Palacios: Padre Leonel, ¿cuál es la diferencia entre perdón y reconciliación?

Leonel Narváez: El perdón es una decisión íntima de aseo personal que transforma la memoria coagulada del pasado por una memoria en movimiento hacia el futuro, por eso el perdón no depende de las excusas del ofensor. Es ante todo un regalo de la víctima a ella misma, una poderosa autorreparación que hace victoriosa a la víctima, no cambia el pasado pero sí el futuro. Mientras tanto la justicia sigue su rumbo, buscando la verdad y exigiendo reparación. La reconciliación, en cambio, es el ejercicio que hacen el ofensor y el ofendido para recuperar la confianza. Ambos ejercicios son muy difíciles, requieren apoyo externo.

C.P.: ¿Se puede lograr lo uno sin lo otro?

L.N.: Perdón sin reconciliación sí, pero reconciliación sin perdón no. No siempre debe haber reconciliación porque eso puede revictimizar al ofendido, por ejemplo, cuando se obliga a una mujer violentada por su marido a que vuelva a vivir con él.

C.P.: ¿Para perdonar y reconciliarse hay que ser una persona muy estudiada o qué se necesita para eso?

L.N.: Hay personas muy estudiadas cuyo cerebro emocional es cavernícola, son analfabetas emocionales. Hay personas muy humildes, sin capital académico, que tienen mucha sabiduría emocional. *El perdón es un salto de la evolución humana que se sale de lo racional.*

C.P.: ¿Todo el mundo puede perdonar?

L.N.: Todo el que quiere ascender humanamente tiene el entramado interior para hacerlo, podemos siempre escoger entre cultivar la bestia o el ángel que llevamos dentro.

C.P.: ¿Por qué es tan importante lograr el perdón?

L.N.: Según datos de Fiscalía y Medicina Legal, para el 2014, en Colombia hasta el 79% de los homicidios eran motivados por la venganza y las riñas, el resto por consumo de alcohol y drogas, y otras causas. La gran violencia de Colombia es la venganza, eso no se resuelve con armas y policía solamente. Es necesario priorizar una estrategia para sanar interpersonal y colectivamente las heridas no sanadas y las ofensas no perdonadas.

C.P.: Eso por el lado de las víctimas, pero ¿los victimarios sí se pueden resocializar?

L.N.: Hay criminales que son psicópatas que sí deben estar con unas limitaciones y en manos de profesionales, pero el victimario, por lo general, es una persona que antes fue víctima, nadie le ayudó a superar sus rabias y rencores, y por eso se convirtió en victimario. Miles de excombatientes de Colombia han demostrado que se puede rehacer la vida personal y la presencia positiva en la sociedad.

C.P.: Muchos de los que no han sido ni víctimas ni victimarios directos creen que "no tienen velas en este entierro" del perdón y la reconciliación...

L.N.: Y sin embargo se dejan infectar de la rabia y el rencor, que son una epidemia pública en Colombia. La cultura política del perdón es lo que permitirá la paz sostenible y estable. En ese sentido, hay que aprovechar el legado cristiano de los colombianos, que llama a "perdonar setenta veces siete y a perdonar lo imperdonable". Los no religiosos pueden tomar como ejemplo a las culturas aborígenes, que asumen el perdón como un esfuerzo de armonización y para ello han practicado por milenios la justicia restaurativa, no el castigo. Justicia no es eliminar al ofensor, sino recuperarlo para la sociedad, eso es una alta expresión de democracia y de política refinada.

Ya no siento dolor, sino misericordia: Mirta León, alumna de ES.PE.RE.

Cuando Mirta León* abraza a su mamá ella se queda con los brazos abajo, así ha sido siempre, desde que Mirta era una niña y vio a su madre haciendo el amor con un señor que no era su papá. Verse descubierta provocó en la madre de Mirta una violenta reacción contra su hija. "Me estrelló la cabeza contra la punta de una mesa y por eso se me partieron tres dientes. Me amenazó con ahorcarme si decía lo que había pasado y me obligó a que dijera que perdí mis dientes al caerme por unas escaleras. Luego me llevó a un dentista que dijo que era mejor sacarme todos los dientes y ponerme una caja de dientes, y como yo no quería, ella y él me amarraron para sacármelos. No quise volver a salir a la calle porque me daba pena, y cuando me hicieron la caja de dientes, unos seis meses después, no me la ponía porque me molestaba". A pesar del trauma que le produjo ese episodio, y de que la mamá seguía engañando a su papá con diferentes hombres, Mirta quería a su madre, y sufría mucho por el rechazo, que incluso la llevó al extremo de empacarle sus cosas en una caja y echarla de la casa. "Yo tenía un amigo que me protegía, no me quería casar con él porque yo quería estudiar y ser profesional, pero como mi papá murió, creemos que por unas gotas que mi mamá le daba para dormirlo y poderse ir a estar con otros hombres, me fui con mi amigo. El cura de Betania no nos quiso casar porque yo todavía era menor de edad, entonces nos fuimos a casar en otro pueblo. Cuando mi esposo me buscó para hacer el amor yo no quise porque para mí esas eran las groserías que hacía mi mamá, y yo no quería ser una mala mujer como ella". El esposo de Mirta la comprendió, le tuvo paciencia y pudieron formar una familia. De eso han pasado más de treinta años, en los que Mirta, a pesar de tener un hogar feliz, siguió cargando con el dolor que le producía el desamor de su madre. "Los días de la madre eran horribles porque ella despreciaba mis regalos. Siempre que iba a visitarla me decía: 'Mire, allá pasa el bus para que se vaya'. Un día que me tomé dos aguardientes y la confronté, ella solo me dijo: 'No la quiero, no sé por qué pero yo a usted no la quiero'".

Mirta llegó a acudir al psiquiatra y a tomar medicamentos para tratar de manejar su trauma; nada sirvió, ni que su esposo y su hijo le dieran un amor tan grande como para llenar el vacío de amor maternal. Pero hace un par de años encontró las Escuelas de Perdón y Reconciliación. "Me volví la mejor alumna", dice entre risas, mostrando sin complejos una dentadura postiza de buena factura que le hicieron cuando decidió volver a pisar un consultorio odontológico, hace apenas cinco años. "A los veinte días de haber hecho el taller fui a donde mi mamá y le dije: 'Mamá, yo te amo aunque tú no me ames a mí'. En la Escuela aprendí que mi mamá no era un ogro ni una desalmada, que no tengo por qué juzgarla, pues ella tuvo muchos problemas con su mamá. Por eso ahora cuando la abrazo y ella se queda con los brazos abajo, ya no siento dolor, sino misericordia".

No pagué con cárcel pero sí agachando la cabeza: Olimpo Herrera, expandillero

Olimpo Herrera creció en el barrio Moravia de Medellín, era un niño cuando su papá murió atropellado por un carro. "Yo me puse feliz porque ya nadie me iba a regañar, él me enseñó a disparar y me felicitaba cuando hacía buenos tiros pero me regañaba cuando fallaba. Además, todo el mundo me decía que ahora yo era el hombre de la casa, me la pasaba en la calle, no obedecía a nadie". Así empezó Olimpo su vida en las pandillas, con sus amigos de la cuadra, casi sin ponerse de acuerdo, salían a la calle después de ver *Los magníficos* a hacer las cadenas de Mario Baracus, tenía catorce años. Y ni las amenazas de las pandillas enemigas a su familia ni los tres tiros que le pegaron cuando tenía diecinueve años lo hicieron escarmentar. Su proceso de resocialización fue largo y lleno de idas y vueltas. "Ya me había pasado para el barrio La Milagrosa, y había estado seis meses en la cárcel, cuando los manes de una corporación que se llama Combos me dijeron que si les ayudaba a enseñarles a adultos mayores. Yo dije dizque 'oigan a este *man*', pero me convenció de ir a las clases donde enseñaban a enseñar, eso sí, antes de ir a las clases robaba a los que repartían la leche. Mis primeras alumnas fueron unas cuchas que me hicieron pasar penas porque cuando me veían por la calle me decían dizque profe, y los del parche se me burlaban. Una de ellas un día me dijo: ¿'Profe, pa dónde va con esa arma'? Luego le empecé a dar clases a niños pequeños y uno de ellos me preguntó que si yo fumaba marihuana, eso me sacudió. Otra vez una mamá no dejó ir a su hijo a una salida al zoológico, que organizaron los de Combos, que porque yo era el cuidador, eso me dolió porque me sentí rechazado. Entonces empecé a estar como entre dos fuerzas, la del angelito y la del diablito". Algunas veces ganó el diablito, como cuando decidió alejarse de Combos luego de que sus amigos de la pandilla le dijeran que en Combos le estaban lavando el cerebro porque se preocupó de que los niños que durante el día había cuidado para que no se cayeran del columpio y se comieran toda la comida, lo vieran robar una carnicería para conseguir la plata para comprar las boletas para un concierto que había esa misma noche. El director de Combos lo buscó, le dijo que sus amigos seguramente lo querían mucho porque sí era cierto que en Combos le estaban lavando el cerebro, y le dijo que mejor se fuera a una vereda para que no estuviera expuesto a pasar penas con ellos. A pesar de seguir ese consejo, Olimpo seguía debatiéndose entre el bien y el mal. "Le estaba dando clases a unas señoras pero llevábamos semanas solo dándole a las vocales y yo decía, '¡eh, esas señoras no aprenden es nada!', pero un día una de ellas me abrazó y me dio las gracias porque por primera vez había escrito su nombre sin comerse ni una letra. Hoy digo que ese día recibí el mejor cheque de mi vida. *Nadie sabe ese abrazo de esa viejita cuántas armas me hizo soltar a mí*".

Tres años pasaron hasta que Olimpo decidió no volver a delinquir, incluso estuvo tentado a robar a los de Combos, y cuando ya tenía armado el plan prefirió ponerlos en sobreaviso, así fue que dejaron de pagar la nómina en efectivo y empezaron a pagarla en cheque. La última vez que robó lo hizo para comprar el ajuar de su hijo que estaba por nacer. Desde que su novia le dijo que estaba en embarazo comenzó a sentir miedo en las balaceras, y no dejaba de pensar en una frase que le daba temor: 'El que a hierro mata a hierro muerte'. "Me daba rabia tener miedo, me sentía una gallina, una churreta. Le dije a los parceros que ya no iba a recibir más la plata de los robos de la semana, que mejor le dieran esa plata a los niños pobres, eso me hizo llorar. Le comenté lo que me estaba pasando al *man* de Combos y me dijo que todo era porque ya estaba queriendo mi vida". De eso han pasado dieciocho años, que son los que tiene el hijo de Olimpo, durante todo ese tiempo él se ha dedicado a trabajar con Pastoral

Social, en las cárceles, en la resocialización de "malositos". "La primera vez que hicimos una convivencia me encontré con uno con el que nos habíamos estado buscando pa matarnos, nos habíamos hecho varios atentados. Lo importante fue que estábamos en un lugar seguro, así que hablamos y dijimos que todo bien, que eso había pasado en la calle. Pero alguien dijo que no fuéramos a creer que porque estábamos en ese programa la gente a la que le hicimos daño se iba a quedar de brazos cruzados, y yo pensaba, tiene razón, la justicia cojea pero llega. En las capacitaciones de perdón nos regalaron una biblia, pero yo ni la abría porque todavía eso me parecía que no era conmigo, hasta que un día la abrí en cualquier parte y salió en la página donde está la historia en la que Jesús perdona a la mujer adúltera. La leí con atención, pensé en las viejitas que iban a misa pero nos guardaban la 'palita' cuando vi la frase: 'El que esté libre de pecado que tire la primera piedra'. Y sentí que Dios me perdonó cuando leí: 'Yo te perdono pero vete y no peques más'".

Olimpo dice que sigue haciendo cosas buenas no solo porque ahora es bueno, sino porque quiere reparar lo que hizo, y piensa en un señor al que le robó el carro y dejó amarrado en una montaña mientras le rogaba llorando que no lo matara. Olimpo recuerda que él se reía porque ni tenía con qué matar al señor. Hoy quisiera saber dónde está ese hombre para pedirle perdón. La vida también se encargó de ponerle tentaciones para volver al pasado. "Los muchachos a los que yo iba a dar mi testimonio de resocialización en la cárcel me ofrecieron 'machacar' al que había matado a un amigo mío. Yo mismo había dado la información a las autoridades para que lo capturaran luego de aguantarme las ganas de hacer que lo mataran unos parceros. Y también me aguanté la tentación de mandarlo a matar en la cárcel. A mi amigo del alma, a Nelson, también lo mataron, y en la iglesia me decían que oráramos por el que mató a Nelson cuando yo lo que quería era mocharle la cabeza, hasta que por fin un día oré de corazón por él. La de la moto fue la mejor porque me robaron la única moto que había comprado con plata ganada honradamente, me faltaba la última cuota para pagarla. Eso me dolió, ahí entendí el dolor que yo había causado con todas las motos que me robé, sobre todo cuando una compañera de trabajo a la que atracaron tres muchachos me dijo que más que lo material lo que le robaron fue su tranquilidad porque de ahí en adelante se aterraba cada que veía tres muchachos juntos. Ahí entendí el daño que yo había hecho, pues antes para mí robar no tenía nada de malo, era como un trabajo en el que yo arriesgaba mi vida, y pensaba que a los que yo les robaba podían volver a comprar las cosas porque tenían plata. Además, yo me consideraba un buen ladrón porque cuando le robaba la billetera a alguien le daba plata para el pasaje en bus. Yo sé que no fui a la cárcel pero sí tuve que agachar la cabeza".

Olimpo es hoy instructor de las Escuelas de Perdón y Reconciliación. Desde su experiencia y desde la de cientos de personas que ha visto pasar por los talleres, llama a la sociedad a no excluir a los jóvenes. "Si van a hacer un bazar en el barrio, inviten también a los de la pandilla, ellos pueden ser útiles, y así no les van a aguar la fiesta. Los muchachos que están en la guerra están cansados y están llenos de dolor".

Árbol Sicómoro

La metodología del Árbol Sicómoro es implementada desde el año 2000 en Estados Unidos por Prison Felowship International —grupo creado para ayudar a los presos y a sus familias por el exasesor del presidente Richard Nixon, Chuck Colson, quien pagó siete meses de cárcel por obstrucción a la justicia por el escándalo político conocido como Watergate. Desde el 2004, la Confraternidad carcelaria aplica esta metodología en Colombia; su principio, el de la justicia restaurativa, se basa en el pasaje bíblico del Evangelio de Lucas, que enseña la historia de Zaqueo, un recaudador de impuestos que cobraba más de lo legal a los habitantes de Jericó. Jesús visitó la ciudad, y a su alrededor se formó una multitud, por lo que Zaqueo, que era de baja estatura, tuvo que subir a un árbol, que resultó ser un árbol de sicómoro, para poderlo ver. Cuando Jesús lo vio subido en el árbol le dijo que se bajara y que iría a dormir a su casa, lo que provocó el rechazo de la comunidad, que no entendía por qué Jesús escogía la casa del pecador. Durante esa visita, Jesús logró hacer ver a Zaqueo que había sido un usurpador, y Zaqueo decidió devolver multiplicado el dinero que había robado, y además compartir parte de su riqueza con los pobres del pueblo.

El pastor Octavio Areíza, quien hace parte de la Confraternidad Carcelaria, es uno de los que aplica esta metodología.

Claudia Palacios: Pastor, ¿en qué consiste el método del Árbol de Sicómoro?

Octavio Areíza: Se hace por ciclos, cada ciclo se compone de ocho sesiones, cada una separada por una semana. En la primera, se explica en qué consiste la justicia restaurativa y su diferencia con la justicia penal. En la segunda, se habla de lo que es el delito y se deja claro que este no solo afecta a la persona que es directamente la víctima, sino a una familia, a una comunidad y a un país. En la tercera, se establece la responsabilidad, pues muchos victimarios justifican su delito porque lo hicieron en defensa o por rabia, pero en esta sesión se les muestra que ellos hubieran podido tomar otras alternativas y que son responsables, por ejemplo, de haber dejado viudas o huérfanos. La cuarta sesión trata de la confesión y el arrepentimiento para que el victimario entienda que debe hacer un alto en esa conducta, lo que es requisito para pasar a la quinta sesión, que es la del perdón. La sexta, es la de la reparación, en la que el victimario, sea con una carta o una obra hace un ejercicio simbólico de restitución. La séptima es en la que dejamos la puerta abierta para que los participantes den los pasos para una reconciliación con su víctima o victimario directo. Y la octava, es la de la celebración, en la que se hace una comida, se comparten testimonios y se entregan unos recordatorios.

C.P.: ¿Cómo pueden llegar a eso si no logran reunir a la víctima con su victimario directo?

O.A.: Eso sería lo ideal, pero lo que sucede es que las víctimas empiezan a identificar entre los victimarios del grupo a uno que represente al suyo propio, sea por el tipo de delito, o por lo que van contando durante las sesiones. Y lo mismo pasa con los victimarios; aunque no tengan a su víctima directa, logran trasladarla al rostro y a la situación de alguna de las víctimas que hacen las sesiones con ellos.

C.P.: Si esto lo hacen en las cárceles, ¿cómo hacen para encontrar a las víctimas?

O.A.: Buscamos en las iglesias que lideramos a las personas que quieran participar. No es fácil porque muchas no quieren ir a una cárcel a encontrarse con gente que, aunque no sea su victimaria directa, representa la maldad. Pero lo logramos con algunas, y claro, son más los victimarios que participan, y muchos de ellos, al terminar el ciclo, son los que convocan a otros de los internos.

C.P.: Muchos preguntarán por qué debemos ser compasivos con las personas que han hecho el mal...

O.A.: Le respondo con una anécdota. En una de las sesiones en un centro para jóvenes pedimos a los internos que contaran algún recuerdo bonito de sus familias. Uno de ellos dijo que no tenía un recuerdo así y todos se sumaron diciendo que no tenían algo bonito qué contar. Mi esposa y yo le ofrecimos abrazos al primer joven y nos sorprendimos al ver que todos los demás también necesitaban abrazos, e hicieron fila para que los abrazáramos. Por eso hay que tener compasión de ellos.

A otro pastor, Emiro Gordon, que nos presta su casa para hacer esta entrevista, y que además está en silla de ruedas porque hace catorce años recibió un disparo de alguien que no sabe quién es, ni qué lo motivó a dispararle, le pregunto si la justicia restaurativa no es, de alguna manera, impunidad.

Emiro Gordon: Sicómoro no promueve la impunidad, el victimario debe ser responsable de lo que hizo. Sin embargo, si un día se llegara a saber quién me disparó no pediría ni un minuto de cárcel para esa persona, porque yo, aunque no estoy en la cárcel, quedé con muchas limitaciones, y eso no se lo deseo a nadie. Pero mire, la Biblia está llena de pasajes que nos enseñan cómo manejar estas situaciones, fíjese en la parábola del hijo pródigo. Cuando él vuelve a casa su padre lo recibe con los brazos abiertos pero el hijo, en forma de restitución por el dolor causado al padre, le pide que lo trate como a uno de sus jornaleros.

Lina Hernández es directora en la Confraternidad Carcelaria, y tiene a su cargo la implementación del programa Árbol de Sicómoro en cárceles de Bogotá, Montería, Barranquilla, Pereira y Tunja. Dice que en un principio se cuestionó si personas que hicieron tanto daño a la sociedad merecían una nueva oportunidad.

Lina Hernández: Lo veo desde el punto de vista cristiano, pues lo que los presos han cometido son pecados, y yo también peco, entonces decidí que no tengo por qué juzgarlos, ya que además ellos, al estar en la cárcel, ya fueron juzgados. De otra parte, hay una realidad y es que el hecho de que los victimarios estén en la cárcel no significa que las víctimas estén satisfechas; la justicia restaurativa entra como un complemento de la justicia penal, a apoyar a todos los afectados en una situación para encontrar el balance emocional y espiritual. En muchos casos solo hasta que el victimario ve a una víctima, aunque no sea la suya directamente, entiende que hizo daño. Ha sido un trabajo difícil porque a los colombianos nos han enseñado que justicia es igual a cárcel, pero no se trata de olvidar, sino de aceptar que una de nuestras realidades es que tenemos que resocializar a miles de personas, pues una de las causas por la que los exconvictos reinciden en el delito es que no encuentran oportunidades al salir de la cárcel.

Con Sicómoro pude enterrar a mi hijo diez años después de desaparecido: Sandra Córdoba

Sandra Córdoba* vive el que quizá es el peor delito, la desaparición. Su hijo Julián Andrés* salió de su casa hace diez años, un día a las seis y treinta de la mañana y no ha regresado. "Sabemos que él ya no está con nosotros, me lo ha confirmado Dios en varios sueños". Explica que esa es la forma que eligió para explicar que ha aceptado que su hijo está muerto, y que sus sueños le confirman lo que dicen los rumores, que unos jóvenes del barrio Robledo Palenque lo desaparecieron. "Hoy tendría treinta y siete años, yo no tuve tiempo de hacer el duelo porque él dejó una niña de cinco años a la que yo he criado, pues la mamá de la niña no volvió a aparecer". Esa responsabilidad hizo aún más presente y pesada la ausencia de su hijo, hasta que conoció el Árbol de Sicómoro. "Terminé dando gracias a Dios por el dolor que estaba sintiendo, y pensé que, por ejemplo, si Julián Andrés estuviera con nosotros hubieran pasado cosas graves. Él era muy permisivo y no me hubiera dejado criar a la niña como la he criado, como una niña de casa. Pienso que ahora que en el barrio hay jóvenes buscando niñas para volverlas prepago, si él estuviera vivo no aguantaría eso y quién sabe qué hubiera pasado".

En el grupo en que Sandra hizo el ciclo del Árbol de Sicómoro había un exmiembro de los paramilitares, preso en la cárcel de Bellavista, en Antioquia. Él vio en ella el rostro de muchas madres a las que les asesinó o desapareció los hijos. "Contó que cuando era niño vio matar a su abuelo a machetazos por la guerrilla, y que creció con el deseo de vengar esa muerte. Cuando llegamos a la sesión del perdón él me pidió perdón a mí. Yo le dije de una que sí, de verdad yo necesitaba oír ese pedido de perdón. Le dije: 'Sé que usted no fue el que mató a mi hijo pero cuando me mira, veo y creo en su sinceridad y en su transformación'".

Yo decía que era cristiano, pero era un cristiano de los tibios: Arturo, "el líder"

Arturo* entró a la cárcel siendo un extorsionista y salió siendo un líder, o mejor "el líder", ese fue el apodo que le pusieron sus compañeros en la prisión Bellavista de Medellín, luego de ser alumno destacado en Árbol de Sicómoro. "Yo siempre fui cristiano, desde niño, lo que pasa es que siempre estuve mal rodeado. Mis papás nos habían llevado a los diez hijos de Bucaramanga a Medellín porque estábamos aguantando hambre. Me retiré del colegio en segundo de bachillerato para trabajar y poder llevar plata a la casa. Un cuñado me llevó a trabajar en el aeropuerto y allá conocí el contrabando. Mi primer patrón fue WM, que murió porque un gran capo le cobró cuentas. Conocí a los narcos de la época, yo era de los que hacía fila pa recibir plata de ellos allá en el aeropuerto. Cuando los mataron yo me quedé solo con lo del contrabando, hacía negocios en Panamá".

—Arturo, pero usted era una cristiano *sui generis.*

—Ay, no me juzgue, yo sé que era cristiano pero de los tibios. Y le digo, a pesar de que yo sabía que lo que hacía era ilegal, amaba a Dios, sentía temor de él, le pedía que me cambiara, pensaba qué sería de mi esposa y de mis cinco hijos si a mí me llegaban a coger o a matar. Pero le daba gracias cuando me salían bien los negocios.

Ese Dios al que le pedía protección lo cuidó de ser capturado por contrabandista, pero quizá a Arturo le faltó pedirle que también lo protegiera de ser capturado por otros delitos. Paralelamente a sus negocios en Panamá, Arturo se desempeñaba como escolta del dueño de una droguería; en sus propias palabras, era el mejor patrón que había tenido. Llevaba diez años trabajando con él, y nada de eso le bastó para serle leal. "Andaba con otros dos muchachos y a todos nos gustaba mucho la plata. Una vez se nos ocurrió hacer una extorsión y escogí a mi patrón como la víctima. Me libraba de responsabilidad diciéndome que yo no era el que lo iba a extorsionar, yo solo daba la información. Al final, le dije a los muchachos que mejor no le hiciéramos eso pero ya no me hicieron caso".

Arturo fue capturado un año y medio después de los hechos delictivos, pues sus dos cómplices, capturados primero que él, lo delataron. Y su patrón, a través de una llamada telefónica, lo llevó a confesar su participación en los hechos. La condena fue a seis años y un día de prisión, como autor intelectual del delito de extorsión. "En ese año y medio que estuve libre después de lo que pasó perdí todo, los carros, el trabajo y casi pierdo mi hogar porque le conté a mi esposa lo de la extorsión. Saqué a mis hijos de estudiar, y a mi esposa le tocó empezar a trabajar. Y pensar que cuando éramos novios yo le prohibí que entrara a estudiar a la universidad". Será por eso que Arturo encontró más libertad en la cárcel que estando afuera, sobre todo después de que a los ocho meses de estar pagando su condena iniciara el proceso del Árbol de Sicómoro, y que sesión tras sesión deseara ver llegar a su patrón. "La orientadora llamó a mi patrón para invitarlo, él le dijo que seguían hablando a ver pero nunca volvió a contestar. Yo quería que él viera la transformación que Dios había hecho en mí. En todo caso, tengo alivio por ese lado porque en la última audiencia él vio a mi esposa y le dijo que no sabía qué me había pasado porque yo era un buen muchacho, y que ya me había perdonado. Yo pienso mucho en él, todos los días lo bendigo. Quiero pedirle perdón de frente, pero no lo busco porque sigo en período de libertad condicional, y el abogado me dice que no me le acerque".

Arturo dice que Sicómoro lo llevó a darse cuenta de que antes era un padre de familia que no daba amor, solo alguien que llevaba mercado y ropa a la casa, y que aprendió también a amar al prójimo, empezando por él mismo. Así fue como llegó a ser el pastor líder de la cárcel. "Me buscaban para que les leyera la Biblia a los del patio dos, que era donde yo estaba. Me daba vergüenza porque no me sentía con autoridad moral pero fui haciéndolo, y hasta me llamaban los jefes de bandas y los presos poderosos para que yo les ayudara a pedirle a Dios que los cambiara. Claro que todo reservado porque a ellos no les gusta que los vean en alabanza".

Haciendo esta labor pastoral Arturo logró rebajar su condena en seis meses, y hasta pudo perdonar al fiscal que lo engañó al decirle que si aceptaba cargos pediría solo dos años de cárcel para él, aunque pidió seis. Hoy, de nuevo en libertad, se enfrenta a la difícil situación económica de su familia, y al miedo al rechazo cuando vuelva a pedir empleo. Ante este nuevo desafío, su apodo de preso, "el líder", más que su alias es su mejor aliado para corregir el rumbo de su vida y ser ahora sí un cristiano, pero no de los tibios.

CAPÍTULO 10

Lecciones de nuestros procesos de paz, frustrados y exitosos, contadas por sus protagonistas

El primer recuerdo que tengo de que en mi país la paz es un bien anhelado y esquivo me lleva al barrio Colombia, de Palmira, donde viví parte de mi niñez y adolescencia. Con los vecinos de la cuadra pintamos con aerosoles varias palomas en el pavimento, que con el tiempo se fueron borrando hasta que solo fueron manchas tan dispersas y difusas que ni por abstracción se llegaba a las palomas. Igual que ellas quedó el proceso de paz que en su momento adelantaba el presidente Betancur con las Farc, el ELN y el M-19, y que utilizaba como símbolo a esas aves que cientos de miles de personas, esperanzadas por el proceso, pintamos en calles, paredes y postes. Entonces ignoraba que para lograr la paz se necesitaba mucho más que el entusiasmo inocente de quienes nos ilusionamos con ella. Por eso Belisario Betancur fue la primera persona que pensé en consultar cuando sentí la necesidad de responderme las preguntas ¿qué falló?, ¿qué faltó?, ¿qué debemos conocer o recordar para que no se nos vuelva a escapar la paloma de paz? Pensé que, igual que al expresidente, debía entrevistar a todos quienes han tenido algún protagonismo durante los procesos de paz frustrados y exitosos de Colombia que desde entonces recuerdo.

Para juntar todas esas piezas en un rompecabezas que me llevara a mí y a los lectores a descubrir cuáles son las fichas que han hecho falta, recurrí a la prodigiosa memoria y vasta experiencia profesional de mi buen amigo y colega Rodrigo Barrera Barinas, quien con unos cuantos años más en el oficio del periodismo me apoyó en hacer la lista de personas a contactar y en contextualizar el rol de cada una de ellas en el momento en que tuvieron en sus manos el timón del barco que nos llevaría a una tierra de paz. Con Rodrigo visitamos en el transcurso de un año a las ciento veintiséis personas que dieron testimonio para este trabajo periodístico. La primera visita la hicimos al "más viejo" de los capitanes de la paz, y por fortuna llegamos a su casa antes que la muerte, que se lo llevó unos meses después de esta entrevista, la última que dio don Otto Morales Benítez.

Claudia Palacios: Don Otto Morales Benítez, usted renunció a ser el presidente de la Comisión de Paz cuando ya tenía avanzadas las conversaciones con las Farc, el ELN y el M-19 durante el gobierno de Belisario Betancur, y acuñó la frase "Los enemigos agazapados de la paz", pero nunca dijo quiénes eran. ¿Quiénes eran?

Otto Morales Benítez: Había gente con significación y otra sin significación que se oponía, porque en el tema de la paz todo el mundo se quiere meter.

C.P.: ¿Pero qué cosas pasaron exactamente?

O.M.B.: En la primera reunión con Marulanda, en Colombia, Huila, estábamos conversando cuando de pronto desapareció todo el mundo, pero todo el mundo es todo el mundo. A los diez minutos, cuando Marulanda volvió a aparecer le pregunté qué había pasado, me dijo que si es que no había oído el avión, le dije que sí pero que eso se oía lejos, y me respondió que desde así de lejos nos podían bombardear. Esa fue la reunión de la que salió el primer documento de acuerdo para hacer la paz con las Farc.

C.P.: ¿O sea que los enemigos de la paz eran los militares, los que amenazaban con bombardear?

O.M.B.: No, había gente que quería parcelar el proceso de paz, y yo pensaba que todo debía hacerse integralmente, como un proceso completo. Luego de mi salida tomó la rienda John Agudelo Ríos, que era partidario de dividir el proceso en cositas chiquititas.

C.P.: La amnistía presentada por el presidente Betancur y aprobada por el Congreso fue vista por muchos como una claudicación que les dio ventaja a las guerrillas, ya que se les amnistió antes de que entregaran las armas y cesaran el fuego...

O.M.B.: Siempre habíamos tenido amnistías, la más importante fue la del segundo gobierno de Alberto Lleras Camargo, condicionada a que los excombatientes se reportaran ante los jueces para verificar que no seguían delinquiendo. **Nadie firma un documento para que se lo lleven a la cárcel, eso es imposible**, Claudia.

*

En dos visitas a su casa en la que preparaba una nutrida donación de libros a su alma mater, *el expresidente Betancur, quien discretamente ha aconsejado a sus sucesores que han intentado la paz, habló de los errores que cometió cuando emprendió esa tarea.*

Belisario Betancur: En mi época no existía el "derecho transicional", por eso el camino de la amnistía era el mejor. Mi gobierno reemplazó el tratamiento militar que se estaba dando a la guerrilla en el gobierno de Turbay, por eso me tildaban de marxista leninista. Yo soy la extrema izquierda de la extrema derecha, eso es el extremo centro. Antes el partido político le llegaba a uno por herencia, y yo era de una familia campesina conservadora, pero siempre tuve ideas libertarias, por eso en mi gobierno le di los mecanismos de control al Partido Liberal. Mi error fue el del Frente Nacional, pretender que solo había dos países, el liberal y el conservador, desconocer que había otros grupos, o grupúsculos, que ya estaban los gérmenes de las sublevaciones que luego se produjeron.

Claudia Palacios: Los comandantes militares de su época, el general Landazábal y el general Samudio, se opusieron a su proceso de paz, a que usted se reuniera en secreto con el M-19 en España, entre otras cosas...

B.B.: Fue un error no haber incluido desde el principio a los militares, tuve muchos problemas con ellos, aprendí que esas discrepancias hay que recibirlas como contribuciones. Pero también tuve apoyos, como el del general Matamoros. A mí los militares no me miraban muy bien porque estuve catorce veces preso durante la dictadura de Rojas Pinilla. Y cuando creé el grupo Contadora me acusaron de querer reemplazar a la OEA, eso casi era cierto, porque sentí que se iba a prender Centroamérica y nos iba a alcanzar. Por esa iniciativa José Pardo Llada me postuló al Nobel de Paz, pero le dije que no, que apoyara al presidente de Costa Rica, Óscar Arias, porque no me iba a distraer con premios Nobel de Paz. Me dieron el Príncipe de Asturias.

*

El general Rafael Samudio Molina fue durante la toma del Palacio de Justicia comandante del Ejército en el gobierno Betancur y ministro de Defensa con Virgilio Barco. Sentado en un sillón de un salón de su apartamento, tapizado de los honores que recibió durante sus treinta y ocho años de militar, cuenta anécdotas que explican por qué él y sus compañeros no apoyaron la paz del presidente Betancur.

General Rafael Samudio Molina: Con el comandante del Ejército y el Estado Mayor se analizaba permanente la capacidad para combatir al enemigo en los consejos de seguridad con el presidente, pero a él no le gustaba lo que decíamos. **Faltaron los estadistas que avizoraran el peligro, igual a lo que pasa ahora con el socialismo del siglo XXI, las Farc y el ELN.**

Claudia Palacios: ¿Pero era que pedían presupuesto y no se los daban?

G.R.S.M.: No el que se necesitaba, los soldados andaban mal vestidos, las botas buenas eran solo para los desfiles. Yo no tenía capacidad de cubrir todo el territorio nacional con un pie de fuerza de cien mil soldados. Una vez pedí convocar parcialmente los reservistas para unas elecciones y llegaron montones pero no pudimos incorporarlos a las filas por falta de presupuesto. La cooperación de Estados Unidos llegaba de los residuos de la guerra de Corea.

C.P.: ¿Y cuando el presidente Betancur ordenó el cese bilateral con las Farc ustedes cumplieron?

G.R.S.M.: Antes ya había decretado la amnistía, y a mí, que tenía preso a Carlos Pizarro, me tocó soltarlo, a pesar de que lo tenía en buenas condiciones y derechos. Incluso una vez llegó a preguntarlo la mamá de él, una señora muy distinguida, y le dije que lo visitara para que viera que su hijo estaba bien. Y así tocó soltar a muchos que habíamos capturado con gran esfuerzo. ¿Y qué hicieron?, pues volver a la guerrilla. Cuando lo de la firma de cese al fuego o tregua con las Farc dejamos de adelantar operaciones ofensivas hasta que las Farc mataron a unos soldados que estaban construyendo una carretera por San Vicente del Caguán.

C.P.: Pero si no había plata para dotar a las fuerzas para acabar con la insurgencia por la vía militar, ¿por qué no aceptaron la negociación de paz?

G.R.S.M.: No era que el presidente tuviera que pedir la aprobación de los mandos, pero al menos hubiera sido bueno que consultara. Hubiera dicho que se iba a reunir con esos bandidos del M-19 en España y le hubiéramos advertido que nos parecía una barbaridad, aunque al fin y al cabo él era el presidente y podía hacer lo que creyera adecuado. Es que no había la menor comunicación. Por eso fue que se fue el general Landazábal.

C.P.: ¿Cuando el presidente Belisario lo nombra comandante general del Ejército, usted se lo esperaba, teniendo en cuenta que usted se había enfrentado a él?

G.R.S.M.: Ese desacuerdo o enfrentamiento fue porque cuando yo era procurador delegado para las Fuerzas Militares me quejé de que el procurador general quería empapelar a los militares y por cosas injustas, y porque quería nombrar fiscales en los tribunales militares. Le estaba diciendo eso al presidente, motivado por el general Landazábal, cuando de pronto el presidente interrumpe y me dice que no acepta que yo me dirija en esos términos al presidente de la República; yo le dije que no le estaba faltando al respeto y el hecho fue que se acabó la reunión. Cuando volvimos al Ministerio de Defensa, algunos generales que sabían de esa reunión con el presidente, estaban a la expectativa, les conté lo que pasó y uno de ellos, el general Bernardo Lema Henao, le dijo al general Matamoros, quien era el comandante general, que si contra el general Samudio tomaban alguna represalia y lo daban de baja o lo que sea, el Ejército se revelaba. Yo de inmediato dije que no había que llegar a ese extremo y me fui de vacaciones.

C.P.: Por eso, ¿no será que lo nombró comandante del Ejército presionado para que no le hicieran un golpe de Estado?

G.R.S.M.: El día de la posesión en Palacio del general Vega Uribe como nuevo ministro de Defensa, en ceremonia sencilla, al despedirme del jefe de Estado, le agradecí la designación reciente que me había hecho como comandante del Ejército y él me dijo: “Bueno, general, nosotros hemos peleado, pero ya no vamos a pelear mucho”, y me dio una palmadita. Me sorprendí, me decepcioné de que un presidente le dijera eso a un subalterno.

C.P.: ¿Hoy en día cómo es su relación con él?

G.R.S.M.: Nunca hemos tocado el tema. Pero una vez Jaime Castro, quien fue su ministro de Gobierno, me dijo que el presidente estaba haciendo sus memorias, y que habían pensado que yo también participara para hacer esas memorias. Respondí que no porque yo no podría callar cosas que sucedieron que son inconvenientes de contar, entonces no puedo hacer un libro con el presidente Betancur. Por cierto, Jaime Castro fue testigo del engaño que le hizo el ELN al presidente López Michelsen, cuando Castro era su asesor jurídico y López lo envió a recibir a ciento veinte guerrilleros que supuestamente se iban a entregar, luego de la Operación Anorí, que dejó al ELN con respiración artificial. No solo no se entregaron, sino que ese episodio frustrado les permitió posteriormente fortalecerse.

*

Jaime Castro era consejero presidencial cuando el presidente López le encomendó la misión de acompañar al entonces gobernador de Bolívar, Álvaro Escallón, en lo que sería la entrega de un centenar de combatientes de esa guerrilla. Dice que su participación fue solicitada por el propio ELN, que confiaba en él por gestiones que hizo como ministro de Justicia y que permitieron la excarcelación de un grupo de sindicalistas de la USO, sindicato de Ecopetrol, que había sido condenado en consejo verbal de guerra, es decir, por la justicia penal militar, que en ese entonces podía adelantar ese tipo de procesos. Luego fue ministro de Gobierno en el período de Belisario Betancur.

Jaime Castro: La mañana en que yo tomaba el helicóptero para ir a encontrarme con los guerrilleros me llamó el general Álvaro Valencia Tovar para decirme que no fuera porque el ELN no se entregaría. Le respondí que iría porque estaba cumpliendo instrucciones del presidente, y también lo había conversado con el ministro de Defensa, general Abraham Varón. Deduje, y así lo comenté después con López, que las diferencias entre los generales Valencia Tovar y Abraham Varón eran grandes. Esas diferencias condujeron poco tiempo después al retiro del servicio de Valencia Tovar, quien siempre sostuvo que el ELN estaba cercado militarmente y que inventó lo de su entrega para que se desmilitarizara la zona y así evadir el cerco del Ejército. Los guerrilleros del ELN no aparecieron, siempre dijeron que fue porque no hubo la desmilitarización ofrecida y temieron que el Ejército aprovechara el momento para darles de baja. También pudo ocurrir que el Ejército no hiciera la desmilitarización para evitar que la entrega del ELN tuviera lugar.

Claudia Palacios: Antes de que usted entrara a ser ministro en el gobierno de Betancur renunció el general Landazábal, quien no apoyaba el proceso de paz con las Farc...

J.C.: El presidente me comentó que él y Landazábal se reunieron en la mañana y no se pusieron de acuerdo sobre la política de paz con las Farc, por lo que acordaron que Landazábal se retiraría y pediría la baja. Dijo que enviaría su carta de renuncia antes del mediodía, pero esta no llegó ni al mediodía ni a las tres de la tarde. Betancur pidió hablar con el general jefe de la Casa Militar, pero le dijeron que hacía varias horas estaban en reunión de generales en el Ministerio de Defensa. El presidente me dijo que en ese momento, cinco de la tarde, pensó que podía haber golpe de Estado. Mientras pensaba qué hacer, llegó el general Gustavo Matamoros, segundo en la jerarquía militar, y le dijo que los generales de todas las fuerzas presentes en Bogotá habían deliberado y conversado vía telefónica con los que estaban en otras ciudades y habían decidido respaldar al Gobierno. Él le hizo entrega de la carta de renuncia de Landazábal.

*

Las dificultades del presidente Betancur con los militares no terminaron con la salida del general Landazábal. No obstante, de ahí en adelante Betancur pone en los más altos cargos de la cúpula a generales que abiertamente rechazaban su política de paz.

Claudia Palacios: Expresidente Betancur, ¿por qué nombra al general Samudio como comandante del Ejército a pesar de que había tenido diferencias con él, temía que le dieran un golpe de Estado si no lo nombraba?

Belisario Betancur: Apreciaba la necesidad de contar siempre con las Fuerzas Militares aunque tuviera discrepancias con ellas. Y desde luego, manteniendo siempre el orden jerárquico dentro del escalafón de las fuerzas, sin pasar nunca por encima de ningún general porque lo que yo quería afianzar era la política y no prevenciones contra ninguna figura del estamento militar. Nunca consideré que se estuviera fraguando un golpe de Estado contra mí.

C.P.: ¿Por qué fracasó su proceso de paz?, lo logrado con el M-19 se vino a pique por el atentado a Antonio Navarro y la toma del Palacio de Justicia. Y los acuerdos con las Farc y el ELN en la Uribe, Meta, no prosperaron...

B.B.: Creo que hubo un momento de fatiga de las tesis de Betancur. Tenía apoyo entre los jóvenes y universitarios, pero no salieron a respaldarme más allá de con los símbolos de las palomas de la paz. De resto había escepticismo, en el episcopado, en los partidos políticos, que me fueron arrinconando, me dejaron al borde del precipicio, fue crucificada la teoría de los factores objetivos y subjetivos de la guerra. **A mí se me podría llamar buscador de la paz, no hacedor de la paz.**

C.P.: Presidente, me queda claro cuáles cree usted que son sus responsabilidades pero no me queda claro cuáles cree que son las responsabilidades de las Farc en que no se haya logrado la paz...

B.B.: Cuando regresaron del monte algunos de los subversivos, pero fundamentalmente el comandante Pizarro, ya hechos los acuerdos del M-19 con el gobierno del presidente Barco, visitaron en primer lugar al presidente Barco y en segundo lugar al presidente Betancur. Algunos periodistas nos preguntaron cómo era que ellos me visitaban a mí siendo que habían sido los responsables de la toma del Palacio de Justicia durante mi gobierno. Pizarro contestó que lo hacían porque yo fui el precursor, el que tuve la visión y el que eché a andar la iniciativa con coraje. Dijo que ellos estaban muy inmaduros, que les faltaba preparación para comprender el alcance de la política de Betancur, pero que fui yo el que abrió el camino. Con las Farc no prosperó el acuerdo por la división que existía entre las fuerzas de la subversión, que no permitía sincronizar lo acordado. En un comienzo las Farc tomaron la delantera, pero más adelante se rezagaron. En parte a eso se refería Otto Morales Benítez cuando decía que había unos que querían hacer un proceso de paz parcelado y no uno general.

C.P.: ¿Nunca más volvió a tener contacto con la guerrilla?

B.B.: Yo estaba en el Vaticano cuando me entró una llamada de Estocolmo, era Raúl Reyes, de las Farc, para decirme que Tirofijo quería que yo fuera al Caguán a hablar con él; estaban en el proceso de paz en el gobierno de Pastrana. Le respondí que yo no tenía ninguna representatividad gubernamental, me dijo que ellos sabían pero que no importaba. Le dije que aceptaba con la condición de que al llegar a Colombia, antes de ir al Caguán, me pudiera reunir con el presidente Pastrana para contarle, y de que se aprovechara la reunión para gestionar la liberación de mi amigo, "La Chiva" Cortés. Viajé secretamente, ¡por lo cual a mi llegada estaba toda la prensa nacional e internacional! Al despedirme de Marulanda les dije a él y a Sandra, su compañera, que había tenido un sueño y que como Borges decía que cuando uno sueña solo, solo es un sueño, pero que cuando uno sueña en compañía el sueño comienza a convertirse en realidad, les iba a contar mi sueño. Le dije, comandante, soñé que el día menos pensado usted se levantaba y le pedía a Sandra convocar al Secretariado para declarar al mundo que se incorporaban al proceso de paz. Le dije, hágalo comandante, hágalo. Él dijo que tenía que consultar con el Secretariado, le dije que bueno, y que si era necesario yo hablaba con todos. Me dijo que no porque estaban en una zona peligrosa porque el Ejército pensaba que se iban a tomar Bogotá. Le dije que no importaba, que yo iba solo... aún estoy esperando que me llamen.

C.P.: ¿O sea que Tirofijo no era el que tenía la última palabra?, ¿será que el Secretariado no dejó que Tirofijo hiciera la paz?

B.B.: Él sí tenía la última palabra, pero la sometía a una previa consulta con todos los comandantes. No sé si Marulanda no hizo la consulta con el Secretariado sobre lo que hablamos, o si la hizo y al Secretariado no le interesó el tema.

*

A pesar de las dificultades del proceso de paz en el gobierno de Belisario, el proceso político acordado con las Farc echó a andar, tanto, que varios de los miembros de ese grupo subversivo dejaron las filas para participar en las elecciones como miembros de la Unión Patriótica.

Claudia Palacios: Dr. Jaime Castro, a pesar de la oposición de los militares al proceso de paz de Betancur las Farc logran hacer política en las urnas...

Jaime Castro: No hubo oposición de los militares al proceso de paz de Betancur. Los oficiales que no estuvieron de acuerdo pidieron la baja y se retiraron. Ya hablamos del caso Landazábal. También puede citarse el del general comandante de la Brigada de Bogotá y su asistente, el coronel Jiménez. La Unión Patriótica eligió diecisiete senadores y representantes, con sus propios votos y los de las alianzas, que hizo, por ejemplo, con sectores del Partido Liberal. Entre los elegidos estuvieron Iván Márquez, que luego volvió a la guerrilla, y Braulio Herrera, del que no volví a saber.

C.P.: Entonces sí estaban haciendo política armados...

J.C: Hubo quienes hablaron de que la UP hacía proselitismo armado, pero fueron argumentos de campaña que no tuvieron desarrollos ni dieron lugar a demandas contra las curules obtenidas por la UP. La opinión mayoritariamente esperaba que el proceso continuara. Dos meses después se eligió al presidente Barco, quien designó dos voceros para que viajaran conmigo a Casa Verde como ministro de Gobierno del presidente saliente, sede del Secretariado de las Farc, para que hiciéramos el empalme del proceso de paz. Los delegados de Barco fueron el empresario Pedro Gómez Barrero y César Gaviria. Yo invité como testigos de excepción al expresidente López Michelsen y al padre García Herreros. Se hizo el empalme en términos aceptables para las partes, sobre todo para el Gobierno entrante. Lo anotado prueba que el proceso iba por buen camino.

C.P.: Pero eso no sirve de mucho porque ahí empieza el genocidio de la UP y las Farc se corren del acuerdo...

J.C.: Los primeros asesinatos a miembros de la UP fueron a finales del 86, a un senador del Meta y a un representante de Santander. Sobre ese genocidio el libro *Armas y urnas*, de Steven Dudley, recoge las hipótesis que han circulado. Una es que lo cometió una organización de extrema derecha que no era partidaria de la incorporación a la vida política civil de los exguerrilleros de las Farc con el argumento de que estaban combinando la lucha política con la lucha armada. Otra afirma que el genocidio lo cometió el narcotráfico por problemas que tuvo con las Farc por el manejo de ese negocio ilícito. En el mismo libro se dice que Bernardo Jaramillo, candidato presidencial de la UP en el 90, también asesinado, se reunió con Pablo Escobar para pedirle que interviniera ante Rodríguez Gacha para que no continuara exterminando la UP. Y el antiguo militante de las Farc, Carlos Efrén Agudelo, que se asiló en Francia, en el documento que presentó como tesis para graduarse del Instituto de Estudios de América Latina, habla igualmente de los sangrientos "encontronazos" que hubo entre narcos y Farc por el reparto del negocio. También hay quienes sostienen que el genocidio lo cometieron sectores extremistas de las propias Farc que pensaban que la negociación era traición al pueblo y que la revolución solo se lograría por la vía armada. Infortunadamente nada de lo anterior ha sido confirmado por las autoridades competentes, o no han querido contarlo.

*

Ese genocidio de la UP ha sido uno de los argumentos usados por las guerrillas para rechazar una nueva incorporación a la democracia. Los militares, que han sido unos de los sospechosos de una de las teorías sobre la desaparición de los militantes de ese partido, siempre han negado su responsabilidad en lo ocurrido.

Claudia Palacios: General Samudio, es apenas obvio pensar que si las fuerzas no estaban de acuerdo con el proceso de paz, fueron las autoras de lo que lo acabó, que fue el exterminio de la UP, pero solo han sido condenados miembros de bajo rango por algunos de esos asesinatos...

General Rafael Samudio Molina: No aceptamos ni histórica ni judicialmente que hicimos ese exterminio de la UP. No puedo descartar que haya habido casos aislados, pero no hubo concertación ni órdenes de alto nivel militar. Pero eso que llaman ahora contexto, de hilar cabos mal hilados, no va con el derecho de gentes que practicábamos en las fuerzas, y atendíamos el Protocolo II de Ginebra cuando Colombia ni lo había ratificado.

C.P.: ¿Es cierto que usted le dijo una vez a Carlos Ossa Escobar, a propósito de que comentaron que estaban matando a los de la UP de uno en uno, que así nunca iban a acabar?

G.R.S.M.: Alguien me comentó más o menos lo que usted dice, yo no recuerdo bien eso, pero seguramente lo que le respondí fue que no se preocupara que de uno en uno nunca los iban a exterminar. Lo que no entiendo es por qué habló públicamente de esa conversación, que no tuvo testigos, casi veinte años después de supuestamente ocurrida. Me pregunto ¿por qué no se lo contó al presidente si le había parecido tan delicado? Si lo dije, no era para justificar o no justificar lo que estaba pasando, solo que es apenas obvio que de a uno en uno no iban a terminar, una expresión inocua. Como se dice popularmente, "como que se la fumaron verde" (risas).

C.P.: Bueno, ¿pero al fin de cuentas, en su época los generales veían a los miembros de la UP como una amenaza, como un fuerza política legítima o como qué?

G.R.S.M.: Como una fuerza política utópica y romántica que tenía su derecho a constituirse, y afín a las Farc. Mire, los de la UP habían pedido una reunión con mi general Vega, cuando él era ministro de Defensa, pero él no les dio esa audiencia. Cuando yo le reemplazo, yo sí los recibí, y asistieron Jaime Pardo, y no recuerdo si Iván Márquez o Braulio Herrera y otros miembros de ese movimiento. Se supone que Herrera y Márquez ya no estaban en el monte con las Farc, pero cuando tomó la palabra uno de ellos dos, se presentó como miembro del Estado Mayor de las Farc. Yo palmoteé la mesa y dije que había aceptado esa reunión porque ellos eran de la UP, y que si él estaba en representación de las Farc que se saliera. No habló más.

C.P.: Después pasa el asesinato de Jaime Pardo Leal, usted ya era ministro de Defensa, en el gobierno de Barco. En el entierro la gente gritaba "Samudio, asesino", porque Pardo lo había señalado a usted de estar contra la UP. ¿Qué decían los informes de inteligencia en su momento sobre quiénes y por qué mataron a Pardo?

G.R.S.M.: Yo no me acuerdo. Esa no era una investigación que correspondiera a la Justicia Penal Militar sino a la justicia ordinaria. Pero debo decir que los altos mandos y yo, en rueda de prensa respondimos uno a uno los casos de acusaciones por parte de integrantes de la UP contra miembros de las Fuerzas Militares. Eso está recopilado en este informe que tengo en mi biblioteca, mire uno de los casos que es emblemático. El teniente del Ejército Miller Tarcisio Coy Núñez, miembro del B2 de la Séptima Brigada; el sargento del Ejército Servio

Tulio Luna Medina; y el suboficial Ovidio Tabuco Bentacourth, fueron vinculados a la investigación como autores del asesinato de Pedro Nel Jiménez Obando, notable dirigente de la UP. Mostré que todos los casos que la UP denunciaba fueron investigados por la justicia ordinaria, y algunos de los implicados fueron absueltos.

C.P.: Antes de eso, cuanto usted todavía era comandante del Ejército, le toca la toma y retoma del Palacio de Justicia por la que están condenados el coronel Plazas Vega, el general Arias Cabrales y usted, que fue incluido en esa investigación, no fue procesado. ¿Esa condena a ellos es justa o injusta?

G.R.S.M.: Fue y sigue siendo injusta porque los delitos que se les imputaron fueron desaparición forzada y secuestro, y no está probado plenamente que esos hechos hubieran sucedido como se dice y que ellos fueran responsables. Tanto así que al momento de esta entrevista está pendiente que la Corte Suprema de Justicia defina en un última instancia esos casos. Al general Arias Cabrales, por ser el comandante de la Décimo Tercera Brigada, le correspondió atender lo del Palacio de Justicia, pero si sus subalternos cometieron algún delito, la responsabilidad es de ellos y no del general Arias Cabrales porque la responsabilidad penal es individual, no institucional. Ante esas condenas creo que si bien no vamos a aceptar igualdad en el tratamiento penal que se le dé a la guerrilla, debe haber alternativas para los miembros de las fuerzas que se han excedido en el cumplimiento del deber o que han cometido delitos.

C.P.: General, ¿a pesar de que el momento histórico contra el comunismo explica la animadversión de los militares por la izquierda, se podría concluir que las fuerzas, por esa animadversión, impidieron que la paz llegara antes a Colombia? Me pregunto si usted haría algo diferente en caso de que volviera a vivir esa época, porque fíjese cómo un contemporáneo suyo, el general Matallana, hasta fue a Casa Verde y se abrazó con Tirofijo...

G.R.S.M.: A las Fuerzas Militares les está prohibido actuar en política, nunca han tenido una ideología institucional, ni se puede afirmar que el comunismo o fuerzas de izquierda hayan sido sus enemigas. Una cosa es que la formación ideológica de la fuerza pública no comparta los conceptos, por ejemplo, de que son válidas todas las formas de lucha, incluida la violencia. A lo largo de la historia hay algunos casos en que miembros de las Fuerzas Militares se han reunido con guerrilleros o insurgentes. Cuando se firmó la paz en el gobierno del general Rojas Pinilla hubo militares, incluso el comandante general, que estuvieron presentes en las entregas de armas. El caso que usted cita, del general Matallana, creo que no fue cuando estaba activo sino en el retiro, y por razones humanitarias, ya que las Farc le habían secuestrado un hijo. Recuerdo que Tirofijo elogió al general Matallana, a quien llamó un gran soldado que siempre había respetado las leyes de la guerra.

C.P.: ¿Haría algo diferente?

G.R.S.M.: Haría lo mismo porque no podría hacer otra cosa que cumplir con mi deber conforme a las funciones que le corresponden a la fuerza pública: defender la soberanía, la independencia nacional, la integridad territorial y el orden constitucional. Quiero resaltar que las Fuerzas Militares siempre han estado subordinadas a los presidentes de la República, como jefes supremos de las Fuerzas Armadas.

*

Además de las voces militares en contra de los procesos de paz, ha habido políticos, y en este caso familias políticas, representativas de las decisiones y acciones que, para quienes son sus oponentes, han sido las causantes de la iniciación o perpetuación de la guerra en Colombia. Una de ellas ha sido la familia Gómez, desde los tiempos del patriarca Laureano Gómez.

Claudia Palacios: Don Enrique Gómez Hurtado, su familia es símbolo de la derecha que a juicio de muchos ha impedido que Colombia alcance la paz porque se ha opuesto a los procesos de paz...

Enrique Gómez Hurtado: Me crie dentro de la política, con la convicción de que si uno no hace política alguien la hace por uno. Alguna gente nos ve como sectarios pero a los que no les interesa la política traicionan su propio yo. Lo que pasa es que los políticos dejaron de pensar, los que sí piensan, piensan como yo. Y hay que entender que la democracia es representativa, no participativa, entonces tener contento a todo el mundo no es posible.

C.P: Vamos al Frente Nacional, acabó con una violencia política pero limitó la participación a dos modos de pensamiento: el liberal y el conservador; dejó las ideas de izquierda por fuera. En ese sentido, ¿fue un error el Frente Nacional?

E.G.H.: Fue un gran acierto, es que la gente no sabe lo que era eso de que Chía fuera conservadora y Cajicá liberal, ¡los muertos que eso dejaba! Y sin disparar un solo tiro el Frente Nacional logró la reconciliación porque luego nunca un liberal volvió a matar un conservador por ser conservador, ni viceversa. El error del Frente Nacional fue que al establecer la paridad de ambos partidos en todas las instituciones, se creó una burocracia, que fue diluyendo la estructura ideológica de los partidos. Hubiera sido bueno que hubiera durado solo ocho años, pero hubo que extenderlo porque aún teníamos el miedo de volver a la violencia anterior. Y eso de las ideas de izquierda no existían, siempre la izquierda ha sido una cosa minoritaria, el comunismo no existía en Colombia, por eso no cabía en ese arreglo. Quedaban unos remanentes de esos que incendiaron el 9 de abril, cuando por cierto Fidel Castro quemó el periódico *El Siglo*, hay una fotografía de eso. En el Frente Nacional la prensa era libre, sin censura, pero es que decir que son reprimidos es la aspirina de los derrotados. Es que se invirtieron los valores, los intelectuales son los de pelo largo, porque yo así bien vestido soy capitalista y esa minoría de izquierda me quita el derecho a pensar.

C.P.: Su hermano, Álvaro Gómez, secuestrado por el M-19, hizo la paz con quienes lo secuestraron, y no solo eso sino que hizo la Constituyente con ellos...

E.G.H.: Me pareció excesiva la amnistía que se le dio al M-19, pero bueno, ellos cumplieron con los acuerdos. **Y yo creo que una de las equivocaciones de mi hermano fue haber entrado a la Constituyente.** Pasamos de una constitución de 120 artículos a una de cuatrocientos cuarenta y pico, y van no sé cuántas reformas. Fue una colcha de retazos y no un acuerdo sobre lo fundamental, como él proponía. Lo hizo por buscar el consenso, pero es que buscar el consenso hace que se pierda el objetivo.

C.P.: Si este nuevo proceso de paz se cae, la gente que piensa como usted ¿qué propone para buscar la paz?

E.G.H.: Fácil, la democracia, aplicar la ley, pero como en este país no hay justicia, es un país inviable. Y no se trata de ser intransigentes, yo por ejemplo estoy de acuerdo con la legalización de la droga si se hace en todo el mundo, o con que el bloqueo de Estados Unidos a Cuba hay que levantarlo porque solo ha servido para fortalecer a ese régimen. Y en democracia se puede hacer una amnistía general, pero al menos un número de personas que delinquió debe perder su derecho a hacer política, que se hagan representar pero sin fusiles. Son ellos los que tienen que entrar a nuestro sistema y no nosotros al de ellos, son ellos los que tienen que tragarse muchos sapos.

*

Antonio Navarro Wolff, como uno de los jefes del M-19, tuvo a su cargo la coordinación de las negociaciones de paz entre esa guerrilla y el gobierno de Belisario Betancur. Y aunque alcanzaron a concentrarse en un par de zonas del sur del país y a pactar una tregua bilateral del fuego, un atentado que le hicieron a él en Cali, y que produjo la amputación de una de sus piernas, acabó con lo pactado. Antonio Navarro es el exguerrillero que ha hecho el más completo camino por la vida pública, fue copresidente de la Constituyente, ministro, varias veces candidato presidencial, senador, alcalde y gobernador.

Claudia Palacios: Senador Antonio Navarro, usted ha dicho que sabe quiénes le hicieron el atentado, dos cosas: ¿eso fue realmente lo que dañó el proceso del M-19 con Belisario?, ¿y por qué no dice quiénes fueron?

Antonio Navarro Wolff: Yo diría que ayudó a dañarlo, aunque no fue más que la gota que rebasó la copa de un proceso de paz que no funcionaba. A los que me tiraron la granada con la que casi me matan, que sé quiénes son, les digo que tranquilos que hace rato pasé esa página, incluso rechacé a un sargento que se ofreció como testigo para colaborarme en abrir un proceso en contra de esas personas, porque estaba resentido que lo habían retirado del servicio. Con que les abran un proceso penal a mí no me va a volver a crecer la pierna. Y a los que mataron a mi compañero Álvaro Fayad, fuera de combate, o a Pizarro, a todos los he perdonado; y también he pedido perdón...

C.P.: Cuénteme algún caso.

A.N.: Por ejemplo, con la familia de Álvaro Gómez Hurtado, a quien secuestró el M-19, aunque yo no participé directamente en esa operación, ni en la del Palacio de Justicia, pues estaba fuera de la línea del mando porque estaba herido. Una vez en un evento en la Universidad Sergio Arboleda pedí perdón públicamente a su familia en nombre del M-19 como el más antiguo sobreviviente de ese grupo. También he hablado con familiares de magistrados que murieron en el Palacio de Justicia, pero víctimas directas mías no tengo o no conozco porque cuando uno está en el combate no sabe a quién le da, y porque yo me dediqué más que todo a fundar frentes guerrilleros.

C.P.: ¿Cómo fue eso de que Pizarro lo regañó porque usted se comprometió con un grupo de empresarios en Panamá, a que el M-19 iba a liberar a Álvaro Gómez?

A.N.: No me regañó. Solo me reclamó porque yo tomé la decisión sin preguntarle a él. Y lo liberó.

C.P.: ¿Por qué diría que ha sido mejor para Colombia que usted haya sido senador, alcalde, gobernador, a que hubiera pagado en la cárcel los delitos que cometió como guerrillero?

A.N.: Para meterme a la cárcel me hubieran tenido que recapturar, ya me habían capturado en 1980, y eso hubiera costado tiempo, recursos y quizá vidas. Pero además, si hubiera estado en la cárcel y no al mando del M-19 cuando mataron a Pizarro, quizá no hubiera podido lograr que a pesar de eso la tropa siguiera en el proceso de paz, y muchos hubieran vuelto a las montañas. Y la Constituyente que promovieron los estudiantes con la Séptima Papeleta no hubiera sido un tratado de paz. Y le digo más, la historia de Colombia es de alzamientos armados, no me estoy justificando, pero es la realidad, tanto que cuando me hicieron consejo verbal de guerra por rebelión, junto con doscientos guerrilleros, me condenaron a nueve años de cárcel porque estábamos en Estado de sitio, veintiún días me torturaron en la Escuela de Caballería y luego me llevaron a La Picota, pero al caer el estatuto de seguridad quedó vigente el código penal que regía para ese año —1982— que era de 1936, y que daba como máximo seis meses de prisión por alzarse en armas.

C.P.: Dicen que por la CPI ya no puede haber leyes de punto y final, y de hecho las que hubo antes de la CPI, como las de Chile y Argentina, las tumbaron. La amnistía para ustedes sí fue de punto final, estuvieron de buenas...

A.N.: Y eso que uno de los llamados jueces sin rostro quiso reabrirnos los procesos por allá en 1992, que porque el indulto con Barco no incluía delitos atroces, y consideraba que lo del Palacio de Justicia fue un delito atroz. Pero fue el entonces senador Álvaro Uribe Vélez el que propuso una ley de reindulto o indulto total con el argumento del derecho a la paz. Mire, lo verdaderamente importante es que se acabe la guerra, porque toda guerra se degrada.

C.P.: Como quien dice que Uribe salvó a los del M-19 de volver a la cárcel...

A.N.: No creo que sea correcto decir que Uribe nos salvó de volver a la cárcel. Fue una decisión del Congreso en pleno.

C.P.: Ya en política, como alcalde y gobernador, le tocó lidiar con la guerrilla, ¿cómo lo hizo?

A.N.: Ejerciendo autoridad y ganándome a la población.

C.P.: ¿La Constitución del 91 que ahora las Farc quieren modificar, a la que ustedes se montaron gracias a los estudiantes que promovieron la Séptima Papeleta y que le dio tanta legitimidad al M-19, ya caducó?

A.N.: No, la Constituyente le quitó toda razón de ser al alzamiento armado, antes no había espacio para gobernar fuera del bipartidismo.

*

César Gaviria Trujillo se posesionó como presidente de la República de Colombia el siete de agosto de 1990 cuando ya el país se había pronunciado con la llamada Séptima Papeleta a favor de reformar la Constitución. Su predecesor, Virgilio Barco, le entregó una paz firmada con el M-19, él logró firmarla con pequeñas guerrillas como el Quintín Lame, el PRT y la disidencia del EPL, e inició un intento breve e infructuoso con las Farc, el ELN y la línea dura del EPL —constituidas en la Coordinadora Guerrillera Simón Bolívar— para alcanzarlas a incluir dentro de la Asamblea Constituyente. Ante la falta de acuerdo, mientras el país votaba el 9 de diciembre del mismo año para elegir a sus asambleístas, el Gobierno bombardeaba el emblemático campamento guerrillero conocido como Casa Verde. Después de terminar la presidencia fue secretario general de la OEA por diez años, al regresar al país tomó por un tiempo la dirigencia de su partido, el Liberal, y sus posturas sobre el proceso de paz en La Habana han sido de gran relevancia desde que propuso que la justicia transicional que se discute para guerrilleros y militares sea extendida a todos los sectores de la sociedad.

Claudia Palacios: Expresidente César Gaviria, ¿el ataque a Casa Verde fue un acierto o un error?

César Gaviria: Desde el primer día de mi gobierno les dije a las fuerzas armadas que ellas no necesitaban permiso para entrar a ningún lugar del territorio colombiano. Como, para el momento de la elección de los delegatarios a la Asamblea Nacional Constituyente, no estaba en trámite de negociación ningún proceso de paz, ese día las Fuerzas Armadas decidieron llevar a cabo el ataque al santuario del Secretariado General de la guerrilla, denominado Casa Verde; por eso hubo quienes dijeron que yo había frustrado la firma de un acuerdo de paz. Como el proceso de paz de las Farc con el presidente Betancur yacía como un "muerto insepulto" durante todo el gobierno del presidente Barco, no tenía sentido que el Gobierno siguiera respetándoles un "santuario" para el accionar de su Secretariado General. Yo fui informado, la víspera del ataque, de que ese plan estaba en curso y dejé que lo llevaran a cabo. La orden surgió de los mandos militares y correspondía a la política que yo había diseñado y transmitido. Para ese entonces aún no se había producido la designación de un ministro de Defensa Civil, por lo tanto esa operación se adelantó bajo el ministerio del general Óscar Botero Restrepo, un magnífico militar, quien fue el último de los uniformados en esa cartera.

C.P.: Pero el bombardeo no sirvió para ablandarlas. Pocos meses después son las conversaciones de Cravo Norte, Caracas y Tlaxcala, y ahí murió la esperanza de paz por más de un lustro. ¿Ese ataque, suspender los diálogos en Caracas por el atentado al entonces presidente del Congreso, Aurelio Iragorri Hormaza; y terminar los de Tlaxcala por la muerte en cautiverio del exministro Argelino Durán Quintero, fue un error?

C.G.: (Silencio) ¿Uno cómo hace para saber? El Gobierno lo que les exigió a las Farc en ese momento fue que condenaran el secuestro como método de su accionar pero ellos se negaron a hacerlo. Hacia el interior del Gobierno llegamos a la conclusión de que las Farc no tenían un interés en hacer la paz. Yo no tenía facultades para ofrecerles curules en el Congreso y, sin embargo, les ofrecí cinco cupos en la Asamblea Nacional Constituyente, y ellos pidieron veinte, de setenta cupos que había. Eso imposibilitaba cualquier negociación.

C.P.: Pero las Farc se volvieron más intransigentes y guerreristas...

C.G.: No, las Farc se fortalecieron muchísimo después de que entregué el gobierno. A mí no me tocó ese fenómeno del poderío de las Farc aliadas con el narcotráfico, eso pasó durante el gobierno de Samper, pero eso es un hecho y no se le puede responsabilizar por eso. En mi gobierno las Farc aún no tenían una actividad ligada a la producción y al tráfico de cocaína, algo aún muy incipiente tenían en el Caquetá. Pero fue durante el gobierno de Samper que el país se empezó a llenar de sembrados de coca, esto ligado al accionar de la guerrilla a una velocidad impresionante, lo que dio origen al Plan Colombia en el gobierno del presidente Pastrana.

C.P.: Las víctimas del M-19 nunca tuvieron justicia...

C.G.: Francamente no creo que nos podamos rasgar las vestiduras porque hubo amnistía o indulto y no se llegó al juzgamiento de esos combatientes.

C.P.: Su cuatrienio fue también el del nacimiento de los paramilitares...

C.G.: En mi gobierno se expidió la legislación que permitió el nacimiento de las empresas de servicios de vigilancia que tenían el propósito de organizar a la población civil. Pero fue durante el gobierno de Samper que les autorizaron el porte de armas de uso privativo de las Fuerzas Armadas, cuando era ministro de Defensa Fernando Botero Zea y gobernador de Antioquia Álvaro Uribe Vélez. Yo no digo que esa haya sido la intención, pero sí fue el origen de un gran fortalecimiento de los grupos paramilitares. Mucho antes de eso, cuando fui ministro de Gobierno del presidente Barco, denuncié ciento ochenta y cinco grupos paramilitares, con nombre propio, porque ya se presentaban las primeras masacres perpetradas por el grupo de los hermanos Castaño.

C.P.: Usted ha pedido justicia transicional para todos, incluidos financiadores de los grupos al margen de la ley. ¿No cree que esos responsables que permanecen en el anonimato están dispuestos a cincuenta años más de guerra con tal de que nunca se sepa que son también victimarios?

C.G.: No, a ellos hay que aplicarles la justicia transicional. El error durante el gobierno del presidente Uribe fue que no se les ocurrió que con la Ley de Justicia y Paz estaban perdonando a los paramilitares y, al mismo tiempo, no les otorgaban el mismo tratamiento de justicia transicional a los políticos y empresarios. Pero ese no es un tema personal de Uribe; el problema ha sido, tal vez, de algunas de las personas cercanas a él, quienes, con su discurso, daban la sensación de estar alentando a que esas cosas pasaran desde las Convivir.

C.P.: En cada gobierno pasaba un fenómeno que se tomaba como algo menor pero luego crecía. ¿Cómo fue que nunca un gobierno hizo presencia completa del Estado en todo el territorio?

C.G.: Estamos construyendo Estado desde 1950, y aún hoy el Estado colombiano es relativamente pequeño como porcentaje del PIB, el 17%. Nada que ver con otros países de Latinoamérica o de Europa, que tienen más maestros, más jueces, etc. No obstante, debo precisar que hoy, la fuerza pública colombiana es la más grande de América Latina. Por eso tampoco tiene mucho sentido que conservemos una espiral sin fin de crecimiento del gasto militar. Tenemos que ser capaces de atender nuestros problemas de orden público y de delincuencia común con el presupuesto y con las Fuerzas Armadas que hoy tenemos, y, además, pensar que en la medida en que se logre cristalizar el acuerdo de paz de La Habana, pueda haber una destinación más racional de recursos a la atención del orden público, además de una reubicación de un importante contingente de la policía que hoy atiende ese conflicto, hacia los cascos urbanos, para mejorar las actuales condiciones de deterioro originadas en la delincuencia común.

C.P.: Usted fue Secretario de la OEA y sabe la importancia de que un país cumpla con sus acuerdos internacionales. ¿Esa justicia transicional que usted pide para todos los responsables va con la normatividad internacional, por ejemplo, la de la Corte Penal Internacional?

C.G.: Nosotros tenemos la obligación de respetar los principios del Acuerdo de Roma (verdad, justicia, reparación, no repetición...). Pero nuestra obligación como colombianos es la de darle prioridad a hacer la paz, para tal propósito también tienen vigencia las normas del derecho internacional humanitario. Esas normas del DIH no han sido derogadas, por lo tanto, las normas del Estatuto de Roma hay que hacerlas compatibles con las del derecho internacional humanitario y el mandato constitucional de hacer la paz, que es parte integral del fallo proferido por la Corte Constitucional, que aprobó la ley que adoptaba el Estatuto de Roma. En estricto sentido, bajo parámetros judiciales, la única masacre bien documentada es la de Bojayá. Le corresponde a la justicia juzgar la intencionalidad sobre lo que allí ocurrió. Por lo tanto, bajo la óptica de la ley, las Farc, hasta ahora, no han sido condenadas por masacres o genocidios. Además, el problema en Colombia, a diferencia de otras latitudes, no es de fanatismos religiosos ni étnicos. Los delitos que comúnmente se le imputan a las Farc son de desplazamientos forzados, delitos sexuales, secuestros sistemáticos, conscripción de menores, rebelión y afines... La paz concebida por el gobierno de Santos con las Farc se está quedando corta, ya que hay que involucrar en ella a más victimarios, militares, empresarios, etc. Hay que ponerle fin a la guerra, no solo firmar un acuerdo y otorgarle justicia transicional a las Farc. Por eso creo que en ese aspecto debe darse un cambio, y esta **no sería la primera vez en la historia que tengamos que "tragarnos sapos".** Nos ha tocado hacerlo otras veces para ponerle fin a nuestras guerras civiles.

*

La trayectoria política de Rafael Pardo Rueda inició en función de la paz. Como Consejero de Paz en el gobierno de Virgilio Barco, y Consejero de seguridad y ministro de Defensa en el de Gaviria, Pardo tuvo en sus manos los procesos con el M-19, el Quintín Lame, el PRT y el EPL, que resultaron exitosos; y un par de intentos con las Farc y el ELN que resultaron fracasados, según Pardo, porque las Farc nunca han tenido voluntad de paz y por la falta de capacidad política de alias "Tirofijo". Casi treinta años después de esas gestiones, y luego de haber sido senador y ministro de Trabajo, da esta entrevista como candidato a la Alcaldía de Bogotá y explica por qué lo que se pudo con unas guerrillas fue imposible con otras.

Rafael Pardo: En 1989 las Farc se sentían militarmente superiores al M-19, cuando ven que el M-19 entra a la Constituyente y saca el treinta por ciento de la votación, se dan cuenta de que ellas nunca van a lograr ese apoyo popular y cambian su estrategia de negociación. Empiezan a sabotear el proceso con el M-19, tomándose poblaciones con los logos del M-19. Creo que las Farc hubieran podido entrar a la Constituyente pero su líder, Jacobo Arenas, se muere al comienzo de la negociación con el gobierno de Gaviria, y Marulanda, aunque era el ídolo de la tropa, no tenía la capacidad política de Arenas. Con el ELN no había diálogo, ellos eran más radicales, atacaban la infraestructura, fueron los que dañaron el proceso en Caracas con la Coordinadora Guerrillera con el atentado a Iragorri, el presidente del Senado.

Claudia Palacios: ¿No cree que ese cambio en el estilo de negociación de las Farc también estuvo influido por el ataque a Casa Verde, ordenado por el gobierno del presidente Gaviria el mismo día en que se elegía la Asamblea Constituyente?

R.P.: El ataque a Casa Verde fue un fracaso en lo militar porque nadie cayó de la cúpula de las Farc, pero no fue un error. No fue un error político pues en ese momento no había proceso ninguno ni compromiso con las Farc, y este enclave desmilitarizado de Casa Verde solo se justificaba en cuanto existiera un proceso, que en ese entonces no existía. Además, tampoco afectó posibilidades de diálogo pues las rondas de Caracas y Tlaxcala se realizaron después.

C.P.: ¿Fue un error haber suspendido los diálogos en Tlaxcala por la muerte en cautiverio del exministro Argelino Durán Quintero?

R.P.: Creo que no había otra alternativa. El diálogo era insostenible en esas condiciones.

C.P.: ¿Como primer ministro de Defensa Civil de Colombia en la historia reciente, encontró alguna responsabilidad de las FF.MM. en el exterminio de la UP y en los fracasos de los procesos de paz que había habido hasta el momento?

R.P.: En los fracasos de procesos de paz anteriores al gobierno de Barco, probablemente sí hubo desconfianza y no descarto algún saboteo al proceso de Betancur. En el extermino de la UP sí hubo responsabilidades de militares que se han probado judicialmente. Las Farc no han tenido voluntad de hacer la paz, rompieron el proceso con Belisario, que tuvo como inicio la constitución de la UP, no porque les mataron a muchos militantes, lo que es indiscutible, sino por otras razones. Todos los gobiernos han buscado sinceramente la paz aunque hayan usado caminos equivocados, pero la guerrilla ha tenido posiciones que han hecho imposible conseguir la paz.

C.P.: ¿Entonces usted sugiere que Tirofijo era rehén del Secretariado, que su liderazgo no era como se cree?

R.P.: No, no. Marulanda era el ícono de las Farc, lo que digo es que cuando reemplazó a Jacobo, quien tenía una poco común intuición y habilidad, no tenía la sagacidad política de este, y esta transición ocurrió en un mal momento porque fue el de tomar la decisión de estar o no en la Constituyente, pero bueno... lástima, veinticinco años después y aún sigue la guerra.

C.P.: Después de los acuerdos que usted firmó solo ha habido un proceso de paz exitoso en Colombia, el del gobierno de Uribe con los paramilitares...

R.P.: Ese no fue un proceso de paz porque para que haya un proceso de paz debe haber legitimidad, y hoy no está claro si eso fue un negociado, un reciclaje, un desmonte... en ese proceso se desconocieron las voces divergentes.

C.P.: Con esa premisa habría que decir que no es legítimo intentar la paz con las Farc porque son tan o más odiadas por la sociedad que los paramilitares...

R.P.: La gente se puede tragar sapos si ve que la paz no es un engaño del grupo armado, o que de verdad habrá reducción de la violencia. Cualquier acuerdo va a ser malo porque hay que ceder, pero hay que hacerle entender a la gente la diferencia entre la paz y la no paz, y siempre es mejor la paz que la guerra... Y el proceso actual tiene el reto de lograr la legitimidad, pues la lucha política del momento se ha centrado en discrepar de la paz.

C.P.: Pero si la gente no siente la guerra porque se dice que ya hay posconflicto en muchas partes del país, ¿cómo puede diferenciar entre paz y no paz?

R.P.: Lo que hay que entender es que la paz es mejor que tener conflicto, así de simple, y eso es lo que le da legitimidad a un proceso de paz. Puede que en Bogotá no se sienta la guerra como en el Cauca pero todo el mundo entiende que es mejor la paz, por imperfecta que sea, que la guerra sin fin.

*

Las guerrillas que negociaron la paz entre el final del gobierno de Barco y el comienzo del gobierno Gaviria, en general, entendieron que la lucha armada ya no tenía sustento, y menos con la Constituyente que se gestaba. Jaime Fajardo Landaeta era líder del EPL, quien dio una lucha interna en ese grupo contra quienes insistían en el camino de las armas, lo que llevó a un sangriento enfrentamiento entre las Farc y el EPL. Landaeta, quien fue uno de los constituyentes, destaca también que Álvaro Uribe visitó su campamento guerrillero; y cuenta cómo termina trabajando y admirando al asesinado gobernador Guillermo Gaviria, hijo de doña Adela Correa, a quien el EPL tuvo secuestrada.

Claudia Palacios: Jaime Fajardo Landaeta, ¿por qué no firmaron la paz antes?

Jaime Fajardo Landaeta: Con Belisario el problema es que él no hacía propuestas, solo que hiciéramos política, pero nosotros queríamos acabar con las causas del conflicto. Recuerdo que en esa época llevamos a Uribe a un campamento guerrillero, lo que pasa es que él después fue tomando posiciones guerreristas. Y con Barco el tema fue que después del error del M-19 al tomarse el Palacio de Justicia en el 85, los que teníamos una posición a favor del diálogo perdimos mucho, y las posiciones guerreristas ganaron mucho, por eso yo me pelié con Caraballo, que era el máximo dirigente del EPL. Pero a mí me apoyó la mayoría, así que yo en el gobierno Barco negocié la desmovilización de unos dos mil miembros del EPL, y Caraballo se quedó con unos doscientos cincuenta y se fue a la Coordinadora Guerrillera, con las Farc y el ELN, que no lograron entrar a la Constituyente. Pero debo decir que tanto Virgilio Barco y César Gaviria se la jugaron toda para que nosotros estuviéramos en el proceso, nos desmovilizáramos del EPL y participáramos en la Constituyente.

C.P.: Y ahí empieza una guerra que las Farc le hacen al EPL...

J.F.L.: Nos mataron a trescientos del EPL de los que se habían desmovilizado. Las Farc eran prosoviéticas y nosotros éramos prochinos. Nada más en La Chinita mataron a treinta y cinco, de los que ya no eran EPL sino Esperanza, Paz y Libertad. Yo me retiré de Esperanza, Paz y Libertad para irme a la Alianza Democrática M-19, y después al Partido Liberal, en el que aún estoy.

C.P.: Logran participar en la Constituyente, supongo que valió la pena dejar las armas...

J.F.L.: La Constituyente era lo principal, aunque en Urabá, que era nuestra área de influencia, ha habido tres procesos de paz y no termina la guerra. Nosotros estábamos convencidos de que al régimen solo lo cambiábamos con la lucha armada, pero la intelectualidad de la época y defensores de derechos humanos como Héctor Abad Gómez y Álvaro Tirado nos ayudó mucho, porque **nosotros éramos muy radicales, casi musulmanes.**

C.P.: ¿Qué pasó con las armas que ustedes tenían?

J.F.L.: Se fundieron y se hizo un monumento que está en el parque Juanes.

C.P.: ¿Cómo es que usted no se echa para atrás en el proceso de paz cuando se dio cuenta de que le tenían su escolta infiltrada?

J.F.L.: Yo enfrenté al escolta, que se infiltró en el EPL por medio de una organización juvenil. Él me dijo que la orden que tenía de los militares, o de sus jefes que eran de Inteligencia Militar, era que si el proceso de paz con nosotros fracasaba él tenía que matarme. A mí me ofrecieron fusilarlo los de un frente guerrillero nuestro, pero yo no dejé que lo mataran, le pedí que dejara la pistola y que se fuera. Él después me agradeció mi postura, y su jefe me citó para explicar el caso. Yo le dije que dejáramos la cosa de ese tamaño. Pero desde antes ya éramos víctimas de persecuciones, a Beatriz Monsalve, quien vivía en mi apartamento en Bogotá, luego de haberse salvado de un atentado en Medellín, la desaparecieron y fue encontrada en Chía con ocho tiros de bala en la espalda, tenía ocho meses de embarazo, y por supuesto su hijo también murió.

C.P.: ¿Cuáles fueron las lecciones aprendidas de ese proceso que le puedan servir a este actual?

J.F.L.: No hay negociación perfecta, en la Constituyente cometimos dos errores. Acordar que ninguno de los constituyentes se lanzaba al próximo Congreso; fue un error porque resultó que ese nuevo Congreso empezó a legislar en contra de la Constitución del 91, solo una de las treinta y cuatro reformas que le han hecho ha mejorado lo que hicimos. Y tampoco medimos el mal uso que el narcotráfico le podía dar a la elección popular de alcaldes y gobernadores.

C.P.: Usted termina trabajando con el luego asesinado Guillermo Gaviria Correa, siendo este gobernador de Antioquia, a quien el EPL, su grupo, le tuvo a la mamá secuestrada, a doña Adela...

J.F.L.: Yo le dije a él que quería hacer parte de su gobierno y él me nombra secretario de Participación Ciudadana para que trabaje en temas de reconciliación y represente al Urabá. Un día en un acto público él dice: "Acá están sentadas personas que cuando estuvieron en la guerra secuestraron a mi mamá". A mí no me daba pena con él eso, yo no me arrepiento de haber estado en la guerra porque creo que las causas fueron legítimas, y su familia ha sido muy generosa conmigo en dejarme exponer en su periódico mis ideas. No hablo del papá, y poca relación tengo con algunos de los hijos. Guillermo Gaviria Correa fue para mí mi maestro, él un día me dijo que sabía que para poder hacer la paz en Antioquia con los primeros que debía tomar distancia era con los de su familia, y que sabía que a su padre no le gustaba lo que él estaba haciendo. Es que él se especializó a tal punto en la no violencia, la estudió en Estados Unidos, que se volvió casi un Gandhi, dejó en mí una huella imborrable. Hoy en día trabajo con su hermano, el alcalde Aníbal Gaviria Correa, pero no es lo mismo.

*

No todos los que se decepcionaron de la lucha armada la dejaron en el contexto de un proceso de paz. En el caso de Alonso Ojeda Awad, uno de los miembros del ELN, y de varios de sus compañeros, fue posible regresar a la vida civil de manera unitaria y discreta.

Claudia Palacios: Alonso Ojeda Awad, usted fue miembro del ELN motivado por el cura Camilo Torres Restrepo, capellán de la Universidad Nacional, quien les decía a sus estudiantes que el deber de todo cristiano es ser revolucionario. Pero a Camilo lo matan en el primer combate, y en su nombre el ELN lleva más de cincuenta años de lucha infructuosa...

Alonso Ojeda Awad: La gente debe estudiar y entender que el continente estaba viviendo el sueño socialista por la revolución cubana, había guerrillas en todas partes, no éramos cuatro loquitos. Pero a los pocos años de estar en el monte, en la serranía de San Lucas, empecé a pensar que por andar corriendo, huyendo del Ejército y matando micos para comer, no podíamos estar en contacto con las masas, ni organizarnos como partido.

C.P.: ¿Si la lucha de ustedes era por los pobres, por los campesinos, cómo es que no se entienden con el presidente Carlos Lleras Restrepo, que promovió la Anuc, Asociación Nacional de Usuarios Campesinos, para hacer una reforma agraria?

A.O.: Desafortunadamente nos enfrentamos a Lleras, que era un presidente liberal que quería hacer reformas parciales, poco a poco; pero nosotros queríamos reformas totales ya. Y luego vino Misael Pastrana, que con terratenientes conservadores firman el Pacto de Chicoral para acabar con los esfuerzos que en materia de reforma agraria había hecho Lleras.

C.P.: Por cierto, a usted en el gobierno de Misael Pastrana le hacen un consejo de guerra y queda preso...

A.O.: Me toman preso con muchos de mis compañeros, nos defiende el profesor Eduardo Umaña Luna, y nos libera el entonces magistrado Jaime Pardo Leal, cuando Misael Pastrana levanta el Estado de sitio. Pero antes de eso ya tenía el dilema entre la tendencia militarista de Fabio Vásquez y el discurso de línea blanda que representaba Alfonso López Michelsen con el MRL. Fabio Vásquez se va a Cuba, y queda Gabino al frente del ELN. Con Medardo Correa y otros compañeros le dijimos que las cosas estaban muy complicadas, que era necesario buscar caminos que permitieran replantear la lucha, hacerla más cercana a las tesis de Camilo. Había grupos de intelectuales, como Enrique Santos, Orlando Fals Borda, Gabo y otros personajes, que discutían ideas como la creación de un partido, de un frente unido del pueblo con las guerrillas. Gabino inicialmente estuvo de acuerdo pero de regreso al monte se puso duro, no quiso hacer el frente y nos quedamos con el sambenito de que lo que queríamos era imponernos con la lucha armada. Ahí ya el ELN estaba enredándose con los secuestros y las voladuras de oleoductos, y eso no fue lo que nos enseñó Camilo, entonces le dije a Gabino que así yo no podía seguir, así fue como varios compañeros y yo nos fuimos bajando del monte graneaditos en el año 1976 y nos cobijó la amnistía de 1978. No obstante, mi casa fue allanada más de diez veces porque no había poder humano que le hiciera entender a los militares que yo le había dicho adiós a las armas, lo que no era decirle adiós a la lucha contra la injusticia.

C.P.: Y luego termina convertido en un neurofisiólogo, ¿qué es eso?

A.O.: Decido estudiar neurofisiología para tratar de explicarme todo lo que había vivido, la violencia, el desarraigo de la sociedad colombiana, los secuestros emocionales, cuando la emoción secuestra la razón. Cómo una situación momentánea de irracionalidad bloquea los centros cerebrales impidiendo el manejo racional, y es la amígdala cerebelosa, que es más pequeña que una lenteja, y que está situada en el centro del cerebro, la que toma el control del organismo en esas circunstancias y ordena o atacar o huir.

C.P.: Pero ya no ejerce como médico...

A.O.: La medicina sirve para ayudar a algunas personas, a nivel individual, y como está inmersa dentro del sistema capitalista impone cosas muy duras. Así que renuncié a mi cargo de médico de urgencias en el Seguro Social y me interesé por la politología, el cooperativismo, que no es otra cosa que distribuir socialmente las ganancias para mejorar la calidad de vida de la gente. Decidí levantar un nuevo movimiento político al que llamé Ayuda Mutua. La Registraduría me aceptó las ochenta mil firmas que conseguí para inscribir mi movimiento al Senado, pero esos que me dieron las firmas luego no votaron por mí.

C.P.: Trabaja entonces en el gobierno de Samper y este lo manda de embajador a Hungría, donde termina gestionando soluciones para el conflicto yugoslavo...

A.O.: Y eso que no me quería ir porque tenía una visión muy estrecha de la política y de las relaciones diplomáticas. Europa me abrió los ojos a la política y cuando regresé volví a intentar llegar al Senado y me volví a quemar. Entonces, por la experiencia adquirida como embajador en los esfuerzos por lograr la paz en Yugoslavia, el rector Gustavo Téllez me llama a construir una propuesta de pedagogía para la paz en la Universidad Pedagógica Nacional, y en ese observatorio de paz estuve durante dieciséis años.

C.P.: Pero Alonso, no pudo hacer lo que quería ni como guerrillero ni como médico ni como político, ¿cuál es el mensaje entonces para los que insisten en cualquiera de esas "rutas" para cambiar el mundo?

A.O.: El mundo tiene derecho a la utopía, yo no veré los resultados de las ideas por las que he trabajado, pero los verán mis nietos. Y hay que entender que a los que se quedaron en la lucha armada se les volvió imposible salir, por eso hay que hacer la paz y ensayar otras salidas como las brindaría la justicia transicional.

*

Aunque buena parte del EPL se desmovilizó en la negociación de paz con Rafael Pardo en 1990, un sector no satisfecho con el acuerdo insistió en la lucha armada. Su líder fue Francisco Caraballo, quien se hizo guerrillero en los años sesenta, y terminó ese extenso capítulo de su vida a comienzos del presente siglo, al pagar una condena de catorce años en la cárcel. En la sede de la Unión Sindical Obrera, el único sobreviviente de lo que fue la Coordinadora Nacional Guerrillera Simón Bolívar, revela que la vez que su organización estuvo más cerca de lograr la paz, el intento se vio frustrado por lo que él llama el afán de protagonismo del M-19.

Francisco Caraballo: Las izquierdas hemos reconocido nuestros errores, pero eso no significa que repudiemos lo que hemos hecho. Hubo una realidad que nos obligó a tomar las armas. En el año 58, cuando iban a abrir la Universidad Jorge Tadeo Lozano, en Bogotá, dieron unas becas para el Colegio Nacional Pinillos, de Mompox, en el que yo estudiaba. Una me la gané yo. Al terminar el primer semestre nos dijeron que teníamos que definir si éramos liberales o conservadores, por la política de paridad que impuso el Frente Nacional, y como yo dije que ninguno de los dos, me tocó regresar a Mompox a trabajar para conseguir recursos para ingresar a la Universidad de Cartagena, a estudiar Derecho. Una vez ahí, con maniobras políticas no me dejaron elegir en el Consejo Estudiantil, pero me empecé a relacionar con el movimiento obrero y la Juventud Comunista. Participé en el MRL, de Alfonso López Michelsen, en sus correrías con otros dirigentes de la Costa, como Ramiro de La Espriella y Álvaro Escallón Villa. A finales del 64 los hermanos Vásquez Castaño me invitaron a una reunión en la que se decidió la irrupción del ELN en Simacota, Santander. En esa época yo participaba en tareas para la construcción del Partido Comunista de Colombia, que nació el 17 de julio del 65, y luego contribuí a la creación del EPL, que inició en diciembre de 1967. Ambas organizaciones querían tomarse el poder para hacer cambios a favor del pueblo, y se acordó para ello la lucha armada revolucionaria. La consigna del EPL era "La tierra para el que la trabaja", por eso sus primeras acciones fueron recuperar enormes haciendas de terratenientes. De China, de Albania y de otros países recibimos apoyo político, y teníamos solidaridad de varias fuentes. Reconozco que debido a las crecientes exigencias de la confrontación armada en armamento, logística y demás, nos vimos obligados a la extorsión y a la exigencia de imposiciones de guerra.

Claudia Palacios: En todo caso, la primera negociación en serio fue con Belisario, cuando el EPL ya llevaba unos diez años de existencia...

F.C.: Sí, esas fueron conjuntamente con las Farc, el EPL y el M-19. Le pedimos a Óscar William Calvo, que era uno de los principales dirigentes del Partido Comunista, que fuera nuestro negociador y vocero. Pero se presentaron inconvenientes internos. El M-19 buscaba siempre imponer sus posiciones sobre las decisiones colectivas. Eso fue un error de Carlos Pizarro, él trataba de hacer las cosas por debajo de cuerda. Hay que recordar que las Farc firmaron con el gobierno de Betancur una tregua, y a los pocos días, el mayor general del Ejército, Miguel Vega Uribe, sacó una circular en la que manifestaba su inconformidad con lo acordado, camuflándose en algunos apartes de la Constitución. A él lo respaldaron gremios empresariales, dirigentes de partidos políticos, jerarcas de la Iglesia, lo que alentó a los defensores del *statu quo* a incrementar sus acciones criminales. En el 85 vino el asesinato del Óscar William Calvo, en la 43 con 13 en Bogotá, y de otros militantes de las guerrillas que estábamos en tregua, lo que evidenció la catadura de quienes no querían la paz ni las transformaciones en Colombia. Ya cuando llegó Barco, la Coordinadora Guerrillera quiso explorar posibilidades de negociar con la comisión de violentólogos que él nombró, pero entonces quedaron evidenciadas grandes diferencias entre las organizaciones guerrilleras. El M-19 decide secuestrar a Álvaro Gómez Hurtado, para forzar un acuerdo político que desdibujaba el sentido de las propuestas de la Coordinadora. Eso terminó en la desmovilización de unas guerrillas minoritarias. Luego, con el presidente Gaviria volvemos a plantear nuestro interés en dialogar, él manda a una comisión de la que hacían parte Álvaro Leyva, Juan Gabriel Uribe, Saulo Arboleda, Roberto Posada García Peña, monseñor Enrique Sarmiento y José Noé Ríos. Esa comisión dice que estaban dadas las condiciones para iniciar unos diálogos con prontitud, pero el Gobierno no tuvo en cuenta la opinión positiva de sus delegados y exigió condiciones inamovibles. Un mes después envía una comisión integrada por dirigentes del Partido Comunista, entre los que estaba Carlos Romero y Álvaro Vásquez del Real, con una propuesta para que la Coordinadora Guerrillera hiciera parte de la Constituyente —nosotros estábamos pidiendo veinte cupos y el Gobierno ofrecía solo cinco—, pero nos dijeron que teníamos que comprometernos a entregar de inmediato las armas, desmovilizarnos y suspender actividades armadas. Al final, las cosas con esa comisión no terminaron de manera amigable. Además, la situación era grave porque nosotros sabíamos de la operación que se gestaba contra el campamento central del Secretariado de las Farc —Casa Verde—, que servía de puesto de mando a la Coordinadora Guerrillera. El presidente Gaviria, como comandante en jefe de las Fuerzas Armadas, es el primer responsable de esa operación que, por su magnitud, no era posible que se diera sin una orden superior.

C.P.: Quizá habría valido la pena aceptar algunas de esas condiciones, la mayoría de su guerrilla, el EPL, aceptó, y fíjese que hoy el otro líder, Jaime Fajardo Landaeta, ha podido hacer algo por el país...

F.C.: Desde hace muchos años me comprometí a luchar por cambios en la realidad del país, a favor de los intereses del pueblo, por una nueva Colombia, y así lo he hecho, es decir, no he luchado por mis intereses personales.

C.P.: Fajardo Landaeta dice que fueron las Farc las que mataron a cientos de desmovilizados disidentes del EPL que se agruparon en Esperanza, Paz y Libertad. ¿Usted sabía que las Farc estaban haciendo eso, lo compartía?

F.C.: Parece una pregunta de juzgado, pero bueno, conozco algunas declaraciones de postulados en el proceso de justicia y paz que han informado que muchos desmovilizados del EPL se aliaron con militares, agentes de policía, y paramilitares, algunos se vincularon al DAS. Lo demás se puede averiguar.

C.P.: Volvamos al ataque a Casa Verde, a pesar de eso, a los pocos meses la Coordinadora Guerrillera aceptó negociar en Caracas...

F.C.: Eso demuestra nuestro verdadero interés en el diálogo. Antes no aceptábamos negociar afuera porque considerábamos que Casa Verde era nuestro Estado.

C.P.: En Caracas el primer punto de desacuerdo fue el de los temas a tratar, ustedes querían empezar con el económico...

F.C.: Y el Gobierno decía que no quería presentar un examen ante la guerrilla, aunque al final fue la discusión sobre el cese bilateral lo que volvió a dañar las cosas.

C.P.: Y el atentado a Aurelio Iragorri, presidente del Congreso...

F.C.: Tanto que nosotros, EPL, y las Farc, en la Coordinadora Guerrillera discutimos eso adecuadamente e hicimos una crítica pública sobre ese atentado, que lo hizo el ELN.

C.P.: Sí, pero luego el EPL se viene con el secuestro del exministro Argelino Durán Quintero, durante el cual muere, lo que acaba matando la tercera parte de esa negociación, que se estaba llevando a cabo en Tlaxcala, México.

F.C.: Cuando eso sucede ya los diálogos estaban en crisis. Un día, tras una sesión en la que se discutió el tema económico, se daba por hecho el rompimiento de las conversaciones, pero gracias a gestiones de la Coordinadora los pudimos prolongar. Ahí conocemos de la muerte de Argelino Durán, lo que el Gobierno aprovechó según su interés. Las Farc y el ELN criticaron con dureza al EPL por ese hecho del cual yo tampoco fui informado previamente.

C.P.: ¿Hace un *mea culpa* por ese secuestro?

F.C.: No, porque reconocimos nuestra responsabilidad a través de un comunicado.

C.P.: ¿Es cierto que fue un señor de apellido Botello, quien luego fue congresista y quien había trabajado con el exministro Argelino, quien le tiende un trampa para que el EPL lo secuestre?

F.C.: En su momento no supe nada, como ya le dije. Años más tarde se publicó una versión sobre eso en los medios.

C.P.: Usted se devuelve de Tlaxcala con un EPL ya minimizado...

F.C.: Seguí trabajando en la reconstrucción del EPL, con muchas posibilidades de crecimiento, dada la grave situación del país, la solidez de nuestra propuesta y la validez de nuestra lucha. Las perspectivas eran en realidad muy positivas, pero caí preso en junio del 94, me condenan como autor intelectual del secuestro de Argelino Durán Quintero, a catorce años de cárcel, me endilgan todo lo que se les ocurre. Desde la cárcel seguí cumpliendo actividades políticas, tenía radio con frecuencia fija, ayudé en la liberación de algunas personas, como Jorge Veloza y el arzobispo de Tibú, pero la organización se debilitó progresivamente.

C.P.: ¿Valió la pena la lucha armada?

F.C.: La historia no cambia de un año a otro, el movimiento revolucionario lleva años de lucha. Mucha gente se ha sacrificado sin cumplir los objetivos pero ha dejado un camino abierto, por eso es que **no es por orgullo que digo que hay cosas de las que no me arrepiento,** aunque quisiera que se pudiera cambiar la realidad sin que hubiera más víctimas. En la historia de Colombia ha estado presente la violencia en todas sus manifestaciones y las investigaciones de los académicos de la Comisión Histórica han de servir de base para profundizar las reflexiones sobre este asunto.

C.P.: ¿Qué les dice a sus víctimas?

F.C.: No tengo interés en sacarle el cuerpo al tema, pero considero que muchas veces se crea confusión al tratarlo como un tema que se resuelve solo con subsidios económicos individuales. Pienso que es un asunto de un profundo contenido social, por eso creo que la principal reivindicación, el respeto y la mejor atención a las víctimas consiste en contribuir a la construcción de una paz verdadera.

C.P.: En su caso personal, puede ser que algunas no se sientan reparadas...

F.C.: Si se quiere la verdad, eso se puede hacer sin necesidad de hacer propaganda ni escándalos. Para muchas víctimas, la mejor reparación se logrará cuando se afiance la verdad.

C.P.: ¿O sea que tiene verdades por revelar y quiere hacerlo?

F.C.: Mi vida y mis actividades, así como mi compromiso revolucionario, son de conocimiento público.

C.P.: ¿Volvería a tomar las armas?

F.C.: Soy un oficial retirado, eso sí, debo dejar claro que mis convicciones revolucionarias siguen intactas.

C.P.: ¿Qué es lo que usted puede aportar a la paz y a la reconciliación de este país?

F.C.: Sobre la paz, entendida como un esfuerzo por hacer efectivas las transformaciones económicas, políticas y sociales, hace más de treinta años vengo trabajando, junto con otros colombianos en propuestas y proyectos, algunos de los cuales continúan vigentes. Sobre las acciones en pro de la reconciliación observo que se dedican más esfuerzos a los aspectos individuales y a las relaciones interpersonales en los sectores pobres, a veces sin tomar en consideración los agudos problemas sociales, la superación de la discriminación y la reducción del amplio abismo que aumenta entre los que sufrimos todas las crisis y quienes gozan de todos los privilegios. Sin la atención a estas situaciones onerosas, no será posible la reconciliación.

C.P.: ¿Usted y su familia de qué viven?

F.C.: Sobrevivo en gran medida gracias a la colaboración de amigos que han conocido mi pasado revolucionario. Trabajo con varias fundaciones que se dedican a la defensa y la promoción de los derechos humanos. También participo en temas relativos a la construcción de la paz. Mis hijos no llevan el apellido Caraballo.

*

La gota que ha rebosado la copa de la paciencia de parte de los gobiernos que hicieron procesos de paz siempre ha estado relacionada con un acto violento que, para el caso de los diálogos en Tlaxcala, fue la muerte en cautiverio del exministro Argelino Durán Quintero. José Noé Ríos era uno de los enviados a negociar con la Coordinadora Guerrillera, dice que insistió en que el mejor honor que se le podía hacer a Durán Quintero era seguir la negociación, pero que no pudo convencer a las partes. Veinte años después, y aún trabajando para la paz, habla de esos momentos.

Claudia Palacios: ¿Cómo fue negociar con ellos como Coordinadora Guerrillera?

José Noé Ríos: Tenían una disciplina sorprendente y una admirable capacidad de trabajo. Cuando el presidente Gaviria suspendió las negociaciones en Tlaxcala a causa de la muerte en cautiverio del Dr. Argelino Durán Quintero hubo un largo receso que dejaba a la gente como sin oficio mientras se reabría la mesa. Pero en ese período ellos incrementaron su trabajo. La primera reunión la hacían a las seis de la mañana, a las siete desayunaban y seguían en reunión. A las tres era el almuerzo, de cuatro y treinta a seis más reuniones, a esa hora comían y luego se iban a preparar el material para el día siguiente. Hacían análisis político todo el día y estudiaban con detenimiento la estrategia de negociación, para la eventualidad de que las conversaciones se reanudaran. Tenían muy preciso su objetivo. Recuerdo que antes de irnos a Tlaxcala me reuní con un emisario de ellos en un OMA de la 85 con 15 en Bogotá. Me dijo que como gobierno teníamos que perder la capacidad de asombro porque ellos iban a promover grandes reformas, y que no debíamos buscar retaliación con la gente del sector público y privado que les había colaborado, que en su momento se iban a conocer, y que la paz debía implicar borrón y cuenta nueva para generar un ambiente de unidad, con respeto por la diferencia, pero con decisión de trabajar en democracia por el desarrollo del país.

C.P.: Si la negociación en Caracas se había suspendido por el atentado a Iragorri, el presidente del Senado, ¿cómo es que deciden reanudarla en Tlaxcala si para entonces ya el EPL tenía secuestrado al exministro Argelino Durán Quintero?

J.N.R.: Esa duda la teníamos, pero decidimos que estando allá podíamos presionar para que lo liberaran, y así empezaba Horacio Serpa cada día las sesiones, haciendo una exhortación a que lo pusieran en libertad. Pero el doctor Argelino se les murió estando en manos del EPL. Esa fatal circunstancia trajo consigo la suspensión de las negociaciones porque el presidente Gaviria ordenó que la Comisión Negociadora del Gobierno regresara a Bogotá, con excepción de este servidor. Hubo un sentimiento nacional de frustración y de indignación, para la delegación del Gobierno fue traumático. La verdad es que había llegado a la Mesa un rumor en el sentido de que el doctor Durán había fallecido, el Gobierno exigió una respuesta en la Mesa y, después de un día de receso, la Coordinadora Guerrillera expidió una declaración en la cual manifestó su disposición para que un delegado negociador del EPL y otro del Gobierno viajaran al departamento de Norte de Santander, con las debidas garantías, para solucionar el tema del doctor Argelino. Íbamos a sacar un comunicado conjunto a la opinión pública para informar eso, pero Antonio García, de las Farc, no dejó porque dijo que qué tal que ya estuviera muerto; y justo ahí nos llaman a decirnos que habían visto el cadáver. Quedó la sensación de que el EPL engañó a las delegaciones, incluyendo las de las Farc y el ELN. Hicimos varios esfuerzos por reiniciar la Mesa. De común acuerdo, se acudió a la intermediación del padre Nel Beltrán, posteriormente designado obispo. La guerrilla no le prestó mucha atención, en la sede de Tlaxcala aparecieron varias caricaturas, atribuidas a Antonio García —del ELN— en las que dibujaban al padre Nel con la cara de Serpa, como quien dice aquí no avanzamos nada. El 4 de mayo se produjo un comunicado aplazando la reunión de la Mesa para el 30 de octubre y la verdad es que nunca nos volvimos a reunir.

C.P.: Ustedes habían decidido que para seguir negociando había que cambiar el orden de los temas a discutir, para que el tema de los derechos humanos estuviera en primer lugar, pero en eso tampoco se pusieron de acuerdo...

J.N.R.: Estaba imponiéndose en Colombia el neoliberalismo y la apertura económica, y por eso la guerrilla propuso que el económico tenía que ser el primer punto a negociar, y el Gobierno aceptó. Varios funcionarios de alto nivel —viceministros— viajaron a Tlaxcala a explicarles la política económica del Gobierno. Cuando muere Argelino todo se desbarata, el tema de los derechos humanos vuelve al primer lugar. Alfonso Cano me dice que las Farc y el ELN están dispuestos, incluso, a marginar los delegados del EPL de la Coordinadora, porque el EPL fue el que secuestró a Argelino y me pide incidir para que la negociación se reanude. Pero Serpa me dice que por lo que ha conversado con el presidente Gaviria ya no hay condiciones porque el país estaba muy conmovido, entre otras cosas, acababa de pasar la muerte de Diana Turbay. Yo insistía en que el mejor homenaje que se le podía hacer a Argelino era seguir en el proceso de paz y que era un error suspenderlo. Recuerdo que como yo me quedé en Tlaxcala con la guerrilla mientras en Colombia decidían si reanudábamos las conversaciones, me cogió el día de mi cumpleaños, y para evitar que estos me hicieran una torta y me tomaran una foto con la que de pronto terminara armándose un escándalo en Colombia, me fui a pasar el día a donde Ligia María Fadul una periodista colombiana que estaba radicada en México. Con ella entré a una librería y vi un libro de Octavio Paz que tenía una frase que tomé como un mensaje y que decía algo así como que los muertos se mueren. Me dolió mucho no poder convencer al Gobierno de no terminar los diálogos. Y fíjese que la consecuencia fue que la guerrilla fortaleció su ofensiva militar de manera impresionante, con Samper hicieron las tomas de Las Delicias, El Billar. Yo fui uno de los garantes de la traída de algunos de ellos desde México hasta dejarlos en el monte; íbamos con unos embajadores. Los recibió la mujer de Jacobo Arenas en algún sitio rural de Caquetá, les entregó las armas, se despidieron, se montaron en una barca en el río, cogieron camino y no volvieron a mirar hacia atrás.

*

Me advierte que es posible que cada uno de sus hermanos tenga una postura diferente, y que por eso habla solo en nombre propio. No obstante, José Antonio Durán, hijo del exministro Argelino Durán Quintero, plantea una interesante propuesta.

Claudia Palacios: Don José Antonio Durán, ¿cree que fue una decisión correcta romper el proceso de paz en Tlaxcala por la muerte de su padre?

José Antonio Durán: Fue una decisión acertada, son técnicas de negociación, a veces hay que pararse de la mesa de conversaciones, sabiendo que se va a volver después. Cuando eso pasó nosotros estábamos en el duelo de la muerte de mi padre, recuerdo que sí pensé ¡cómo van a negociar con tipos que hacen estas cosas!, pero también estábamos de acuerdo con el proceso de paz, mi papá lo estaba. Uno entiende que un proceso de paz tenga altibajos, por eso un proceso demanda tiempo. Y es como en el póquer, si uno tiene buena mano juega, o caña y juega, pero el juego de Colombia antes del Plan Colombia no era bueno y a pesar de eso había que jugar. Yo creo que todo el mundo ha tenido buena fe en la búsqueda de la paz.

C.P.: Por la muerte de su padre fue condenado Francisco Caraballo como autor intelectual, pero no el señor Botello, un antiguo amigo de su padre a quien él despide del trabajo porque descubrió un turbio manejo en el caso de unos tiquetes aéreos, quien es quien lo invita a que vaya a Ocaña el día que lo secuestran. ¿Estos hechos cómo han jugado en su vida para perdonar la muerte de su padre?

J.A.D.: A mí me da lo mismo que al señor Botello lo metan a la cárcel, eso sí, cuando él se lanzó a la Cámara de Representantes y el Partido Conservador le dio el aval, yo llamé al presidente del partido y le retiraron el aval. Él ha negado su participación en el secuestro de mi padre, pero nosotros sabemos que del mismo teléfono que nos llamaban los de la guerrilla nos llamó él, y con solo minutos de diferencia. Un desmovilizado ratificó esa versión, por eso yo no estaría dispuesto a hablar con él, uno no olvida esas cosas. Pero yo aprendí de mi papá que sentir odio solo perjudica al que odia, quizá esa sea una manera de darle un perdón antes de que lo pida. En todo caso eso es algo personal, y yo estoy de acuerdo con este nuevo proceso de paz pero con lo que no estoy de acuerdo es con que sea el Estado el que perdone porque eso atropella la dignidad de las víctimas.

C.P.: No le entiendo, ¿usted está dispuesto a perdonar, o quizá ya lo hizo, pero no quiere que el Estado lo haga?

J.A.D.: El Estado no puede perdonar a nombre mío, tendría que haber un mecanismo de consulta popular en el **que nos pregunten a las víctimas si estamos de acuerdo con hacer borrón y cuenta nueva. Y yo votaría que sí estoy de acuerdo, pero me lo tienen que preguntar.**

C.P.: ¿Ha recibido alguna reparación por la muerte de su padre?

J.A.D.: Me inscribí en el Registro Único de Víctimas, como era mi deber, pero no me reconocieron porque no adjunté la cédula y el certificado de defunción de mi padre. Cuando presenté el recurso de reposición en una oficina que parecía un galpón, lleno de desplazados con sus hijos, al cabo de un rato esperando pregunté cuándo me iban a atender, y me respondieron que de qué me quejaba si llevaba dos horas esperando y ahí había gente que llevaba una semana. Después de casi dos años aún no han decidido el recurso.

*

A Horacio Serpa Uribe lo conocen los colombianos como un hombre que defiende sus ideas con vehemencia aunque sean impopulares. La idea de la paz ha sido la razón de ser de todos los cargos que ha ocupado en su carrera: juez, concejal, diputado, alcalde, senador, procurador, gobernador, consejero, embajador, ministro y candidato presidencial. Además, fue compañero de colegio y universidad de quienes luego serían líderes guerrilleros, en su natal Barrancabermeja, cuna de parte de la subversión de Colombia. Por todo lo anterior, su nombre ha sido protagonista de los más destacados intentos de paz, pero la paz le ha sido esquiva a este colombiano que la ha buscado de manera incansable.

Claudia Palacios: Cuando se rompen los diálogos en Caracas hay cambio de consejero de paz, y Chucho Bejarano le entrega el testigo a usted...

Horacio Serpa: Chucho Bejarano me dijo que se le había secado el cerebro, que ya no tenía más ideas para la paz. Mi primera misión fue buscar dónde continuar los diálogos. El presidente Carlos

Andrés Pérez, que acababa de sufrir un intento de golpe de Estado, nos ofreció que nos fuéramos para la represa de El Guri, pero ni las Farc ni el Gobierno quisimos porque era muy retirada. Así fue que terminamos en Tlaxcala. Yo era el consejero presidencial de paz, y estuve en Tlaxcala. El delegado fue José Noé Ríos, yo me comunicaba con Alfonso Cano, de las Farc, a través de casetes que José Noé llevaba, pero ahí ya había mucha presión por el secuestro del exministro Argelino Durán Quintero, que lo hizo el EPL. Cuando nos enteramos de que murió en cautiverio yo fui partidario de suspender la negociación pero no de terminarla, sin embargo, y aunque fui un día al D.F. a reunirme con Cano, y también logré que intermediaria el padre Nel Beltrán para cambiar el orden de los puntos a discutir en la agenda de negociación, no logramos mantener esos diálogos.

C.P.: ¿Cuál era el desacuerdo?

H.S.: La guerrilla quería empezar por el tema económico, y nosotros por el de derechos humanos, al final ellos se movieron a que empezáramos por lo social y nosotros a que fuera el secuestro, pero no llegamos a un acuerdo. El EPL y el ELN estaban amangualados en eso. Todo el equipo se devolvió, y se quedó solo José Noé Ríos.

C.P.: ¿Por algo tan sencillo como el orden de la agenda no se pudo avanzar en esa negociación?

H.S.: Había un contexto que conspiraba contra el proceso. Muchas cosas que creo que llevaron a las Farc a pensar que se podían tomar el poder sin negociarlo, a pensar que para qué lo iban a compartir si lo podían disfrutar solos. Por un lado, la fuga de Pablo Escobar de la cárcel La Catedral, que debilitó al Gobierno; hubo además un paro grandísimo en el nororiente del país, que hizo el ELN; de otra parte, estaba el famoso apagón por el fenómeno de El Niño, que tenía a la gente furiosa; y aparte de eso había paro de Telecom, tanto que me acuerdo que Rosita y yo no podíamos hablar por teléfono y nos tocaba hablar por los radios de las Farc, ella iba al Batallón de Barranca, y así nos comunicábamos, como radioaficionados.

C.P.: Entonces ustedes interpretaron la opinión pública, que terminó jugando un papel importante en el fin de ese proceso...

H.S.: Pensábamos equivocadamente que la forma de preparar a la opinión pública para el proceso era a través de los medios. Salían Alfonso Cano y Antonio García a hablar en la radio y yo a responderles.

Con eso destruíamos lo que habíamos trabajado en el día. Y al día siguiente los negociadores estábamos casi para agarrarnos a trompadas.

C.P.: ¿Y ese regreso de la guerrilla desde México cómo fue?

H.S.: Alfonso Cano, con quien yo tenía una buena relación desde que él era de las Juventudes Comunistas, me dijo que yo les tenía que garantizar el regreso, le dije que claro. Pero como teníamos que parar en el aeropuerto de Villavicencio, el director del DAS, que era Fernando Brito, dijo que si Cano paraba ahí lo cogían preso. Yo dije que sobre mi cadáver porque yo había empeñado mi palabra, y el presidente Gaviria me respaldó.

C.P.: Senador Serpa, usted anda en esto de la paz desde el gobierno de Betancur...

H.S.: Mi principal punto de acción ha sido La paz en manos de quien esté, a pesar de no estar de acuerdo en algunas cosas. Mire, en esa época nos citan a una reunión con el M-19 en el corregimiento de San Francisco, en Toribio, Cauca. Fuimos con monseñor Castrillón, con Laura Restrepo y con el entonces ministro de Comunicaciones, Bernardo Ramírez, cuando vemos a hombres armados, y nos sorprendimos porque se suponía que el ejército no debería estar ahí. Fue una odisea lograr comunicación con el presidente Betancur para que diera la orden de que el batallón saliera, además a Belisario le daba como angustia. Pero resulta que cuando salía el ejército entraba la guerrilla y se agarraron a bala. A pesar de eso aterrizamos en un barranco, el piloto se quitó una camisa blanca que usamos como bandera, y como insuflados por el espíritu de paz prendimos unos chamizos y gritábamos que pararan el fuego que éramos la Comisión de Paz. Recuerdo que monseñor dijo: "Dios mío, si nuestra muerte contribuye a que se haga la paz en Colombia, hágase tu voluntad". Yo lo cogí de la sotana y le dije que no me metiera en ese paseo porque yo era ateo. En fin... lo que nos hubiéramos ahorrado si hubiéramos manejado a las guerrillas como en México manejaron a los zapatistas bajo el subcomandante Marcos.

C.P.: ¿Cómo es que usted no termina en la guerrilla si desde muy joven estaba participando en las discusiones sobre la falta de participación y democracia, y en una zona que fue cuna de la subversión?

H.S.: Yo participé en la huelga de la UIS del 64, promovida por Jaime Arenas, que era de mi colegio. Marchamos hacia Bogotá mientras discutíamos si al final de la marcha nos íbamos para el ELN, yo dije que yo no. Uno no puede juzgar a esta guerrilla si no sabe qué pasó hace sesenta años. Yo no excuso los actos que han generado violencia, pero quienes se fueron a la guerrilla eran personas absolutamente honradas, profesionales, que no tenían espacio en este país. En esa época para ser juez había que ser liberal o conservador, el Consejo de Ministros podía ordenar la captura de personas que estuvieran en la oposición, sin que mediara un juicio; a los civiles los juzgaban en consejos de guerra. Eran épocas en que no estudiábamos inglés por no darle ventajas al imperialismo, que respaldaba al Frente Nacional, contra el que nosotros luchábamos.

C.P: Luego de Tlaxcala pasaron casi diez años para iniciar un nuevo proceso de paz en serio...

H.S.: Un día me llamó María Emma Mejía muy contenta a decirme que habían logrado una agenda para negociar con las Farc, y ¡eran los mismos diez puntos que las Farc querían negociar en Tlaxcala! O sea, pasaron diez años y las Farc lograron imponer su agenda. Yo fui jefe de debate de Samper y convoqué a la izquierda para gestionar la paz pero ellos no quisieron. Y cuando me lancé de candidato presidencial mi propuesta era la paz y gané en primera vuelta, aunque no logré que la guerrilla se montara en ese plan. Pero en segunda vuelta Álvaro Leyva metió su mano para acabar con mi propuesta y ahí es que gana Pastrana con la famosa foto de Tirofijo usando el reloj de la campaña de Pastrana.

C.P.: ¿Alguna vez le reclamó a las Farc que le hubieran dado el triunfo a su contrincante, siendo que usted era pionero en la propuesta de paz y tenía más experiencia en el tema?

H.S.: Cuando estaban en el proceso del Caguán un día en un almuerzo con Marulanda y el Mono Jojoy, me dijeron que por qué nunca les había puesto ese tema, les respondí que eso era el pasado. Me dijeron que la paz no la podían hacer con gente como yo, que soy un socialdemócrata, sino con la burguesía a la que Pastrana representaba.

C.P.: Ese proceso también se desgastó y se acabó cuando el secuestro de Géchem...

H.S.: Me pareció una barbaridad que se acabaran las conversaciones por el secuestro del senador. Para uno que es amigo, por supuesto que duele, pero se hubieran podido seguir las negociaciones a pesar del secuestro.

C.P.: ¿Cuáles han sido los enemigos de la paz en las diferentes épocas?

H.S.: El conservatismo doctrinario, que es filosóficamente elitista y cree que hay un sector llamado a dirigir y otro a obedecer, y que cree que no se puede pactar con el enemigo ilegal. Por eso están las Fuerzas Militares, para destruir a ese enemigo, que creen que cuando haya paz ellas no van a ser necesarias. Las fuerzas se han opuesto siempre, desde Belisario, cuando todas eran enemigas de ese proceso, incluido el alto generalato, hasta hoy donde de teniente coronel para abajo no apoyan el proceso. También ha sido enemigo el empresariado, que cree que un acuerdo político con la guerrilla es un triunfo contra el capitalismo. Recuerdo que cuando me reuní con Castaño para buscar la liberación de Piedad Córdoba, le propuse que se sometiera a la justicia y me dijo que no porque su misión era acabar hasta con el último guerrillero, que habláramos después de que se tomara el Urabá. Y luego, cuando lo contacté a través de monseñor Isaías Duarte Cancino, con la autorización del presidente Samper, me dijo que aún no porque se iba a tomar el Catabumbo para mandarles todos esos guerrilleros a mi amigo Chávez. Ahí ya los financiaban los empresarios. Y de eso tenemos que olvidarnos, así como con dolor en el alma digo que tenemos que olvidarnos de los falsos positivos, si no, no hay paz.

C.P.: ¿Usted que conoce desde hace tantos años a Álvaro Uribe, diría que él es un enemigo de la paz?

H.S.: Él era un tipo progresista y ha tenido una metamorfosis, siempre ha sido estudioso, terco y bravo, y se ha ido amparando en la democracia interpretada a su amaño. Antes era un demócrata pero luego le fue apostando a todo lo que fuera. Dice que es del Centro Democrático pero él es un hombre totalmente de derecha.

C.P.: Usted también ha ido ajustando su ideología...

H.S.: Sí, antes no era partidario de negociar con paramilitares, es que yo fui la primera persona que denunció un falso positivo. Siendo representante a la Cámara un campesino me dijo que habían secuestrado a su hijo Josías Landazábal en San Vicente de Chucurí. Fuimos al batallón de Yarima, y vimos cuatro tipos al sol, les hicimos señas, y nos reconocieron, uno de ellos era Josías. Pedí hablar con el comandante del batallón y me negó que tuvieran presos políticos, yo le dije que los acababa de ver. ¡A los tres días, en *Vanguardia Liberal* sale que había muerto Josías Landazábal y otros en combates entre Farc y el ELN! Pero hoy soy partidario de negociar con guerrilla, paramilitares y Fuerzas Militares, dejando por fuera a narcos y bacrim. Soy partidario de que a todos se les aplique justicia transicional porque no hay forma de investigar todo, y de que se les suspendan las condenas. **Cero cárcel no es un costo muy alto si se acaba la guerra.**

*

Pero acabar la guerra es lo más difícil, la experiencia de José Noé Ríos está llena de anécdotas que confirman los tropiezos y zancadillas que enfrenta un proceso de paz.

Claudia Palacios: José Noé, antes de esa negociación en Tlaxcala usted ya le había ayudado a Rafael Pardo, asesor de paz en el gobierno de Barco...

José Noé Ríos: Sí, señora. Fuimos varias veces a Casa Verde y a otros sitios en los que compartí varias veces con "Timochenko". Me comentó que le gustaban los tangos y que los escuchaba en El Rincón de los Recuerdos, en la plaza de la Tebaida, Quindío, sitio que yo conocía. Alguna vez le cedí una colección completa de tangos que me habían regalado.

C.P.: Negociaban también con el M-19, cuénteme alguno de los momentos más difíciles de esa negociación.

J.N.R.: Uno de los puntos centrales de la negociación con el M-19 era la creación de una circunscripción electoral especial de paz, para facilitar el acceso al Congreso de los desmovilizados. El trámite legislativo se estaba desarrollando en el Congreso, pero el presidente Barco retiró el correspondiente proyecto de reforma constitucional debido a que un parlamentario le incluyó un mico para suspender la extradición. Entonces fuimos a explicarles lo que había pasado a los del M-19, que ya estaban agrupados en Santo Domingo, Cauca, y les ofrecimos que propusieran un nuevo proyecto para poder participar en política, o que les ofrecíamos las condiciones para que pudieran regresar al monte. Navarro y Pizarro, que ya estaban comprometidos con la paz, nos dijeron que aceptaban que no hubiera circunscripciones a cambio de que les permitiéramos hacer proselitismo político antes de concluir el proceso de negociación y firmar los acuerdos. Así lo hicimos acudiendo a respaldos jurídicos fundamentados en decretos de Estado de sitio. La llegada de ellos a Bogotá generó un especial entusiasmo de apoyo político y la negociación tuvo un importante impulso hacia la firma final y la desmovilización.

C.P.: ¿Cómo se portó el Ejército durante esas gestiones?

J.N.R.: El doctor Rafael Pardo mantenía un contacto permanente con las Fuerzas Militares y los mantenía adecuadamente informados del proceso. Ellos siempre han cumplido su función constitucional.

C.P.: Pero después de la desmovilización del M-19 hubo varias muertes violentas de algunos de sus miembros.

J.N.R: Sí, el más notorio fue el asesinato a sangre fría de Carlos Pizarro. Y uno que me dolió mucho fue el de uno que le decían "el Mocho", de quien en algunos círculos se dudaba que se fuera a desmovilizar porque era quien manejaba las finanzas del M-19 en esa zona.

C.P.: ¿Cómo es lo del teléfono rojo con el que todos los días se hablaban desde el Palacio de Nariño con la guerrilla?

J.N.R.: Existió desde el gobierno de Belisario, todos los días nos comunicábamos con la guerrilla así fuera pa saludarnos. Ese teléfono en el gobierno de Gaviria lo manejaba Tomás Concha, que era funcionario de la Consejería de Paz, y yo trabajaba con él. Ese teléfono ordenaron suspenderlo en la época que era consejero el doctor Horacio Serpa. Resulta que estaba por tramitarse en el Congreso un proyecto de ley que reformaba la Policía. Por solicitud de la guerrilla, cada día les leíamos por ese teléfono algunos artículos del proyecto. En alguna ocasión Inteligencia interceptó una llamada en la que estábamos leyendo apartes del proyecto de ley y esa circunstancia generó un problema tenaz. Casi lo consideran una traición a la patria. El teléfono fue suspendido, lo que a mi juicio constituyó una equivocación porque después comunicarse con ellos era tan difícil como ellos quisieran, uno mandaba una razón y no sabía si le respondían en un día, en un mes o en un año.

C.P.: Entre todos los exnegociadores de paz, uno ve que usted es de los que sigue creyendo que con las Farc sí se puede negociar...

J.N.R.: Mire, no es que yo crea en ellos o sea su amigo, ni mucho menos, lo que pasa es que cuando uno está de negociador no los ve como los tipos que han cometido todas las barbaridades, sino como los que se han sentado a negociar y tienen la mitad de la solución en sus manos.

C.P.: Pero se tiene la idea de que los procesos de paz han fracasado porque la guerrilla incumple...

J.N.R.: No siempre, en ocasiones ha habido actitudes no acertadas de algunos gobernantes, y la ciudadanía no ha sido preparada para aceptar al otro, para que vea a las personas como seres humanos y no como exparamilitares, exguerrilleros o excriminales. Y tampoco hemos entendido que el discurso de ellos, sin violencia, es una base política de la cual es posible que surja un partido político.

C.P.: Luego Samper empezó tendiéndoles la mano...

J.N.R.: En su discurso de posesión reconoció el conflicto, dijo que él se encargaría de dirigir eventuales conversaciones de paz y anunció la creación de la figura del alto comisionado para la paz, el primero fue Carlos Holmes Trujillo. Con él organizamos a una reunión en La Uribe con las Farc para coordinar un despeje de un día; el general Harold Bedoya se enteró y dijo que no se despejaría ni un milímetro de la patria y que si eso se hacía acusaría a Samper por traición a la patria.

C.P.: Y tampoco debió ser fácil empujar el tema de la paz mientras el presidente estaba defendiéndose del proceso 8.000...

J.N.R.: Sí, pero creamos el Consejo Nacional de Paz, el Fondo para la Paz y le dimos base jurídica a eventuales procesos. Nos reunimos varias veces con la guerrilla en México e hicimos importantes avances de aproximación con el ELN. Además, el presidente Samper dirigió el proceso para liberar los sesenta soldados y diez infantes de marina en Cartagena del Chairá. Recuerdo que como viceministro de Trabajo estaba negociando el fin de un paro camionero, y el presidente Samper me llamó a las cuatro de la mañana, en plena negociación, y me dijo que le apurara porque tenía que dedicarme a lo de los soldados; ya Carlos Vicente de Roux había iniciado ese proceso para liberarlos. Yo les dije eso a los sindicalistas y en dos horas terminamos esa negociación, me salió bien jugarme esa carta, los camioneros pusieron de su parte.

C.P.: A ese grupo de soldados e infantes de marina los liberaron haciendo un despeje, ¿cómo es que no se les alborotó el Ejército?

J.N.R.: ¿Qué no?, las Farc estaban pidiendo seis meses de despeje, logramos que se transaran por treinta y dos días, pero cuando le dije al presidente Samper, él llamó a Gilberto Echeverri, quien era ministro de Defensa, y pidió que redujéramos eso a diez o quince días.

Yo dije que no daban los tiempos y Samper citó a la cúpula militar a Casa de Nariño a las nueve de la noche de ese mismo día. Samper me dijo que bajáramos juntos a la reunión y en el camino me preguntó que si estaba asustado. Le dije que no, que yo le explicaba lo que fuera a los generales. Samper me dijo: "No se preocupe, que el general Bedoya dice que sí". Le dije: "Seguro?" Y me respondió: "Sí, no hay ningún general al que le guste ser exgeneral".

C.P.: Samper con su humor... ¿y qué dijo el general Bedoya?

J.N.R.: Pues no estaba muy a gusto y, entre otras, dijo algo medio estúpido. Que tenían información de que a uno o varios de los soldados secuestrados los habían asesinado y que la guerrilla iba a presentar a niños que habían reclutado como si fueran los soldados. Entonces Samper le dice: "No se preocupe, general, que nosotros no conocemos a los soldados pero las mamás de ellos sí, y las vamos a llevar". Así fue como el 15 de junio de 1997 fueron liberados los sesenta soldados y diez infantes de marina. Allá los militares no fueron generosos con nosotros. Yo iba con Alfredo Molano, que era mi asesor, y no nos facilitaron un carro para que nos llevara hasta el batallón, y cuando llegamos nos dejaron entrar pero no nos hicieron pasar, nos quedamos sentados en un andén. El lunes siguiente me llama Julio Sánchez Cristo a preguntarme qué opinaba de la portada de la revista *Semana*, en la que salía el general Bedoya diciendo que lo que hubo en Cartagena del Chairá fue un circo. Le respondí que Bedoya era un desagradecido y no un general victorioso, eso me trajo muchos problemas.

C.P.: En esa época ya habían capturado a Francisco Caraballo, del EPL, y usted lo busca para que ayude a abrir una negociación...

J.N.R.: Le cogí a ese viejo especial aprecio porque mientras estuvo en la cárcel de Itagüí fue dando una transformación hacia la importancia de la paz. El presidente Samper me dijo que hablara con él y le pidiera que nos ayudara con la paz, que dijera que la lucha armada ya no tenía sentido en esos tiempos, pero el viejo dijo que "los Manueles" (Marulanda de las Farc, y Pérez del ELN) y él habían acordado que solo les servía un acuerdo negociado.

C.P.: José Noé, ahora se ve como el punto más difícil de la negociación el de justicia porque la Corte Penal Internacional ya no acepta acuerdos con impunidad o con amnistías, pero en la época que usted negoció, que la CPI aún no existía, tampoco se pudo negociar la paz...

J.N.R.: Es que la paz negociada es un tema muy complejo. El poder del establecimiento es muy fuerte, siempre hay militares, empresarios, políticos y distintos sectores de la sociedad que se oponen. Mi convicción ha sido que para hacer la paz no es suficiente negociar solo con la guerrilla, lo que de por sí ya es difícil dada su lógica de guerra, sino convencer y casi negociar también con los diferentes sectores de la sociedad. Esa es la importante tarea que hoy está cumpliendo el presidente Santos.

*

No todos los personajes consultados para hacer este libro aceptaron hacerlo. El expresidente Álvaro Uribe contestó a un mensaje de Twitter en el que le expliqué que este era un libro sobre perdón y reconciliación, que "cree no serme útil", me respondió y agregó: "en algún momento". Unas semanas después le insistí, pero respondió que estaba en reuniones en municipios del suroeste antioqueño, y días después contestó que estaba en labores del Congreso, y reiteró que "poco puedo aportar". Luego no contestó más. También rechazó la invitación el general en retiro Harold Bedoya, recordado por su oposición al despeje militar tanto para realizar diálogos de paz durante el gobierno de Ernesto Samper, como para la liberación de soldados, durante el mismo período presidencial. Quien lo sucedió es el general, ahora retirado, Manuel José Bonett Locarno, un general sui generis *porque dice que la vía militar debe ser la última solución al conflicto. Y quien también revela que sí hubo influencias sobre su antecesor para que le diera un golpe de Estado al presidente Samper.*

Claudia Palacios: ¿Cuando el general Harold Bedoya dice que lo del despeje de Cartagena del Chairá para la entrega de los soldados secuestrados en Las Delicias es un circo, estaba pensando en dar un golpe de Estado?

General Manuel José Bonett: Él dice que eso era un circo, pero no había una línea bedoyista que pensara lo mismo. Yo era comandante del Ejército y tenía todo el apoyo de los comandantes de fuerza, entonces lo convencimos de que cambiara de posición, por eso lo único que exigió fue una orden escrita del presidente de la República. A él sí le hablaron mucho sobre esa posibilidad del golpe, sobre todo empresarios. Siempre hay un sector reducido pero muy poderoso en

Colombia, como en todos los países, que pide soluciones de fuerza. Estoy seguro de que ni en el Ejército ni en la Armada ni en la Fuerza Aérea había ningún apoyo para una locura de esas. Me contaron que el general Bedoya recibía visitas e iba a desayunos de trabajo en clubes, pero eso no me consta, y la verdad es que la posibilidad de violar la Constitución era muy remota. Cuando el presidente Samper me nombró en reemplazo de mi general Bedoya, hubo algunos malestares muy reducidos de personas ya reconocidas que no tenían ninguna influencia en el frente militar. La Escuela Superior de Guerra expresó su descontento pero yo les hablé y las cosas no pasaron de ahí. Siempre fue mi costumbre enfrentar y resolver las crisis de manera personal, sin intermediarios ni mensajeros. Así fue la solución del problema ese día.

C.P.: ¿Cómo fue el día en que a Samper se le rebosa la copa y saca al general Bedoya y lo pone a usted?

G.M.J.B.: El general Bedoya y yo habíamos almorzado juntos en el Ministerio de Defensa. Cuando yo regresaba a mi oficina, como a las dos de la tarde, me llamó Juan Mesa, quien me dijo que el presidente me esperaba a las tres de la tarde. Yo le pregunté la razón y si tenía que llevar alguna información, y me dijo que no había nada en particular, enseguida pensé que habría cambio de mando militar. Llamé al general Bedoya y le informé que no podía asistir a una reunión que teníamos con el ministro porque estaba citado a la misma hora a Presidencia. Le pregunté si él estaba informado, o si lo habían citado a él, y me contestó que no, lo que nunca había pasado porque los presidentes siempre respetan el conducto regular. Cuando llegué a Presidencia tuve que hacer una larga espera, y para mi sorpresa, me informa el jefe de Casa Militar que acababa de salir mi general Bedoya furioso. Cuando entré a la cita con el presidente, estaba el ministro de Defensa, el ambiente era tenso. El presidente me informó que había decidido cambiar al comandante general y nombrarme a mí. Hubo una larga conversación con visos de discusión muy respetuosa, y yo acepté el cargo. El presidente siempre ha cambiado al mando militar y nunca habíamos tenido problemas, uno no puede sentirse como dueño del cargo. Cuando regresé a mi oficina, como a las siete de la noche, lo primero que hice fue preguntarle al general Bedoya por qué no me contó que él iba para el Palacio, no me contestó nada. Estaba con unas tres personas, uno de ellos un general de mucho prestigio que me increpó por haber recibido el cargo y me dijo que yo debía ordenar que ningún oficial del Ejército ni de las Fuerzas Militares debía cumplir las órdenes del Gobierno. No le contesté, por el inmenso respeto que le tenía, y porque observé que él estaba fuera de control. Finalmente, nos quedamos solos con el general Bedoya y conversamos en mucha confianza las razones de su despido. Quedamos en que él conservaría todas sus prerrogativas como escoltas, residencia fiscal, vehículos y su estatus de general. Yo reuní a los comandantes de fuerza y todos me dieron su apoyo. En ese nivel nosotros sospechábamos que eso iba a ocurrir porque mi general Bedoya ya estaba muy díscolo con el presidente. Las razones eran tal vez ideológicas, sin embargo conmigo nunca tuvo la menor discusión, y yo le tenía, y le tengo, gran respeto y estimación. Para mí no fue sorpresivo que de manera inmediata se lanzara a la presidencia.

C.P.: Y cuando llega Pastrana con el plan de despejar el Caguán, siendo usted ya comandante de las fuerzas, ¿usted cómo lo toma?

G.M.J.B.: Yo era amigo del doctor Pastrana desde que él estaba en el *Noticiero TV Hoy* y yo era jefe de prensa del Ministerio de Defensa. Siempre le tuve confianza. Tan pronto lo eligieron lo invité al comando para darle una información sobre la situación general del país. Ya se sabía de su intención de iniciar conversaciones de paz con las Farc y de despejar cinco municipios. A él y a los doctores Guillermo Fernández de Soto —que iba a ser su canciller— y Víctor G. Ricardo —su comisionado para la paz— les hicimos una amplia explicación sobre las consecuencias de despejar esa área estratégica, sobre todo San Vicente del Caguán. El doctor Pastrana nos escuchó con mucha atención pero no hizo comentarios y nos despedimos con mucha cordialidad. El 7 de agosto de 1998 presenté mi renuncia y él me dijo que su deseo era que yo continuara en su gobierno. Así quedamos, yo entregué el cargo al general Tapias y me retiré. A los pocos días me llamó el canciller a informarme que me nombraría como embajador en Grecia. Eso para mí era un sueño porque la cultura clásica griega siempre fue mi afición. No lo podía creer y por eso mi eterno agradecimiento al doctor Pastrana.

C.P.: Claro, todos sabemos de su gusto por el teatro y la tragedia griega, pero se retiró sin ver terminar la tragedia colombiana, que le tocó desde el primer día que usó el uniforme...

G.M.J.B.: Sí, empecé en los años sesenta con operaciones contra los llamados bandoleros que habían quedado como residuo de los grupos armados, y que no se sometieron a lo del Frente Nacional. En Santander combatíamos a Efraín González, un mito porque decían que se volvía mata de plátano y que tenía poderes mágicos. La verdad es que, durante unos tres años, resultó ser un tipo muy hábil y nos dio mucho trabajo para neutralizarlo.

C.P.: Vamos más adelante, me interesa saber sobre la relación de las FF.MM. con el paramilitarismo...

G.M.J.B.: La gente entendía muy bien la razón de ese surgimiento de las autodefensas porque la guerrilla tenía asfixiada a la población, los consejos municipales de la zona —Magdalena Medio— eran con diez miembros del Partido Comunista y uno del Liberal. El presidente Betancur tomó la decisión de enviar tropas al Magdalena Medio, pero como no quería incrementar la guerra decidió crear un batallón de ingenieros para obras de infraestructura que ha servido para construir las carreteras del área. La mentalidad del presidente Betancur era la del desarrollo social, **lo que se podría llamar el Soft Power; no obstante, aunque yo tenía un rango relativamente bajo en la época, no recuerdo haber oído que él haya limitado en algún momento las operaciones militares.** Pero yendo al punto, las AUC de la zona del Magdalena Medio eran una organización de campesinos totalmente cívica, que se entregó, y Puerto Boyacá, donde había un letrero que decía "Bienvenido a la capital antisubversiva de Colombia", se pacificó. Lo que pasa es que los que quedaron, Ariel Otero y otros, fueron contactados por Yair Klein (mercenario israelí) y por los carteles de la droga que los pusieron a trabajar en su beneficio, especialmente el cartel de Medellín. Ahí comenzaron las masacres y la disminución del poder del Estado colombiano en esa región.

C.P.: Luego le tocó el proceso con el M-19 en el 88, siendo comandante de la Tercera Brigada, cuando el grupo de los llamados Doce Apóstoles, los negociadores, con Rafael Pardo a la cabeza, le dicen que debe parar operaciones contra el M-19.

G.M.J.B.: Yo les dije que no porque no tenía la orden de la autoridad competente, aunque le tenía confianza al doctor Pardo. Parar las operaciones en una situación de ventaja estratégica, como la que teníamos en esa época, no es cosa menor para ningún comandante operativo. A los pocos días recibimos la visita del doctor Pardo, pero acompañado por el general Guerrero Paz, ministro de Defensa, y del general Arias Cabrales, comandante del Ejército, y nos informaron a los comandantes de la zona que la decisión del presidente Barco era iniciar conversaciones con el M-19 y como tal ordenaba suspender operaciones contra esa guerrilla. Así lo hicimos

C.P.: Después le toca la desmovilización del Quintín Lame, y más adelante la de la Corriente de Renovación Socialista, que lideraba León Valencia en la disidencia del ELN...

G.M.J.B.: Sí, por eso fui nombrado en el Consejo Nacional de Normalización, con el que armamos cooperativas de trabajo para los reinsertados. Se armaron las Casas de Paz, en Cali, allá me invitaban a dar charlas de resocialización. Un día Otty Patiño y Rosemberg Pabón, desmovilizados del M-19, me dijeron que estaban preparando la vista de Pizarro para lanzar la campaña presidencial. Eso iba a ser en la plaza de Caicedo, esperaban cincuenta mil personas. Les dije que todo transparente, sin alias y sin secretos, porque ya ellos estaban en la legalidad y todo debería ser de acuerdo con la ley. Ocho días antes de eso mataron a Pizarro en el avión.

C.P.: La teoría de que la guerra no se acaba porque genera muchas ganancias por la venta de armas, ¿qué tan cierta es?

G.M.J.B.: Esa es una parte de las razones, pero esos negocios no son de los militares, sino de civiles muy poderosos. En todos los países es igual, y Colombia no es la excepción. Los contratos de material de guerra son muy grandes y solo la gente de mucha influencia y cercanía al poder tienen acceso a ellos.

C.P.: A las FF.MM. se les critica porque en anteriores procesos de paz no han aceptado que se les den los mismos beneficios que a los insurgentes, argumentan que eso va contra su honor militar. Pero si hubieran aceptado los mismos indultos y amnistías no habría exguerrilleros gobernando y militares presos...

G.M.J.B.: Es cierto, es que tener en la cárcel a oficiales como el general Arias, el coronel Plazas, el general Rito Alejo del Río, el coronel Mejía, el general Uscátegui y muchos otros es una cosa muy pesada para nosotros porque sabemos que son inocentes y son víctimas de una estrategia política y jurídica. Hay mucha plata de por medio con eso de las reparaciones y turbios intereses de algunos colectivos y de organizaciones no gubernamentales. En Acore hay grupos de apoyo jurídico vigilando los temas de las decisiones jurídicas en el proceso de paz. No podemos aceptar que se nos compare con ejércitos de otros países, donde estos fueron gobierno y sí hubo una represión sistemática. Nosotros hemos combatido, dentro de la ley, y eso es reconocido en otros países. Si hay personas que se han desviado del rumbo están siendo juzgadas o han sido sancionadas. Creo que estamos al día con la justicia, salvo en los casos contra los oficiales y suboficiales que acabo de citar. No estamos de acuerdo con leyes de punto final ni amnistías porque esas cosas serán derogadas en el futuro. También hemos considerado la posibilidad de que el estatuto jurídico que salga del proceso de paz sea igual para todos los que tuvieron que ver con el conflicto, de lo contrario, dejaremos problemas pendientes y "muertos en el clóset", y así nunca tendremos posconflicto. No podemos permitir tampoco que suceda lo del resto de países de América, donde los guerrilleros están gobernando y los militares en la cárcel. No puede volver a suceder lo del Palacio de Justicia, eso fue una aberración.

C.P.: ¿Cree que también los responsables de los llamados falsos positivos deben recibir beneficios jurídicos?

G.M.J.B.: Todavía no sabemos qué va a resolver la justicia en estos casos que son atípicos y se salen del régimen de combate. Todo se resolverá con el estatuto jurídico que salga del proceso de paz. Hay cosas que van contra mi conciencia pero pienso que por el bien nacional deben aceptarse.

C.P.: ¿Y las FF.MM. deben pedir perdón por esos delitos o por otras cosas?

G.M.J.B.: No, porque ni venimos de un régimen militar ni esos crímenes han sido sistemáticos, sino responsabilidad de cada persona. **El hecho es que las Fuerzas Militares ni por asomo deben pedir perdón, que pida perdón el Gobierno, que es el que da las órdenes; y la guerrilla y otras organizaciones armadas ilegales, que son las verdaderas causantes del problema y autoras de crímenes de lesa humanidad y de guerra.**

C.P.: ¿Pero, entonces, cuál es el aporte de las fuerzas a la paz y a la reconciliación?

G.M.J.B.: Si un hombre no es capaz, al final de un conflicto, de desarmar el espíritu, no merece conducir ese conflicto. Yo, por ejemplo, no tenía una razón personal para odiar al M-19, la tenía institucional y por eso lo combatí, pero cuando entregaron las armas desarmé el espíritu. ¿Cómo lo hice?, pues hablando con las sociedades de Cali, Popayán, Pasto y con las tropas. Es más difícil la paz pero es más costosa la guerra, ninguna guerra irregular ha tenido ni tendrá solución militar. Los líderes piden solución militar para lavar sus culpas, a mí en el Congreso me preguntaron cuando era comandante que qué necesitaba para ganar la guerra, les respondí que solo que ellos ayudaran. Las soluciones son integrales, las Fuerzas Militares apoyan la labor del Estado y de alguna manera se sienten utilizadas, pero la solución militar debe ser la última después de la económica y política. Históricamente se ha desconocido la inequidad como generadora y aceleradora del conflicto, por eso si se logra este proceso con las Farc se va a desactivar un veinte por ciento del conflicto, pero quedan las Bacrim, el ELN, el tráfico de armas y de personas, la minería ilegal, ¡así que no hagamos cuentas alegres con el posconflicto!

*

Ernesto Samper Pizano tuvo uno de los gobiernos más convulsionados de la historia de Colombia por el hecho de que se probó que dineros del narcotráfico financiaron su campaña a la presidencia. Y aunque él siempre ha dicho que todo fue a sus espaldas, y el Congreso lo exoneró porque no encontró pruebas para enjuiciarlo, ese argumento no fue suficiente para que pudiera tener una gobernabilidad plena. Hoy se sabe que ni siquiera las Farc le daban la legitimidad como para negociar la paz con él. Samper revela quiénes más, a parte del general Bedoya y el embajador de los Estados Unidos, Myles Frechette, conspiraron contra su gobierno. En esa lista está el actual presidente Santos.

Ernesto Samper: Las Farc nunca entendieron que la mejor manera de cambiar la agenda para que no girara alrededor de los temas que querían la derecha y los Estados Unidos era abriendo otra agenda alternativa para la paz. Creo que las Farc pensaron que mi gobierno se iba a caer y que ellos podrían subir al poder sin negociar. El ELN sí entendió perfectamente, con esa guerrilla firmamos un acuerdo en el Palacio Viana en Alemania, que establecía la realización de una Asamblea Constituyente con participación de la sociedad civil para darle fundamento a la paz, algo que le ha faltado a este proceso. Durante mi gobierno trabajamos en el diseño de instrumentos para la paz. Se creó la figura del Comisionado para la Paz, abrimos la oficina del Alto Comisionado de la ONU para los Derechos Humanos, firmamos los Protocolos I y II de Ginebra, establecimos las normas para permitir las garantías de los combatientes que debían firmar la paz.

C.P.: ¿Y por qué lo del ELN tampoco llegó a feliz término?

E.S.: Ese proceso lo saboteó Álvaro Leyva desde La Habana, seguramente porque, para entonces, Juan Manuel Santos había iniciado un proceso de paz paralelo que, como la opinión lo supo, tenía como premisa que yo renunciara a la Presidencia. Supongo que luego Pastrana no retomó lo avanzado en mi gobierno con el ELN porque pensaría que eso podría afectar su negociación con las Farc, ya que para entonces ambas guerrillas no se podían ver, habían tenido enfrentamientos, e incluso habían firmado un pacto de no agresión.

C.P.: ¿Por qué nombra al general Harold Bedoya como comandante del Ejército y luego como comandante de las Fuerzas Militares, si él no era amigo de los acercamientos suyos con la guerrilla para negociar la liberación de soldados?

E.S.: La persona que me recomendó poner a Bedoya fue Fernando Botero Zea con el argumento de que yo generaba desconfianza entre los militares por mis posiciones progresistas y que Bedoya podía ser una buena señal para los de línea dura. Me di cuenta de que fue un error nombrarlo cuando se rebeló contra la posibilidad de despejar La Uribe para una posible negociación de paz con las Farc, y luego cuando se negó a un despeje en el Caguán para facilitar la liberación de los soldados de la toma de Las Delicias. Él fue un conspirador contra mi gobierno en todo sentido. **Varias veces me tocó recordarle al general Bedoya que el presidente tenía autonomía para tomar decisiones de orden público.** Hasta me llegó a pedir que le dijera eso por escrito, y le respondí que lo viera por televisión en una alocución que yo haría. Él utilizó su influencia de manera negativa con las bases de las fuerzas. Me equivoqué al nombrarlo, un problema que tenemos los presidentes, sobre todo los jóvenes, es que llegamos al cargo muy bisoños en temas militares.

C.P.: Él fue el que dijo que las Fuerzas Militares no respaldaban al presidente como persona sino a la Presidencia como institución, pero su único problema en contra de la paz no fue Bedoya...

E.S.: Es verdad, el otro gran conspirador fue Myles Frechette, el embajador de Estados Unidos quien, con el nuncio de entonces, que había sido conspirador en Haití, tenían una alianza diabólica contra mi gobierno.

C.P.: Le critican que la guerrilla se fortaleció en su gobierno y que no le dio suficiente presupuesto al Ejército...

E.S.: Falso. **El plan de modernización del Ejército del que tanto se jacta Andrés Pastrana se inició en mi gobierno con los famosos bonos de paz,** que fueron el antecedente del impuesto al patrimonio. Con esa platica creamos la Aviación del Ejército, recuperamos las corbetas, dotamos la Policía, entre otras cosas. Por eso dije días antes de llamar a calificar servicios a Bedoya, que las Fuerzas Militares no necesitaban más hombres sino más eficacia. **Bedoya llevó al máximo durante su gestión la teoría del "golpe pasivo militar": los militares no actuaban donde debían ni cuando debían para mostrar fortalecida la guerrilla y debilitado el Gobierno.**

C.P.: ¿Cuál cree entonces que es su responsabilidad en que su gobierno no haya sido el de la paz?

E.S.: Todos hemos tenido responsabilidad en no haber conseguido mayor presencia del Estado en las zonas de violencia donde nació y se alimentaron la guerrilla y el narcotráfico. A mí me faltó conocer más de estrategia militar para tomar decisiones que hubieran ayudado a trancar la guerra o acercarnos a la paz. Lo de la toma de Miraflores, faltando solo días para terminar mi gobierno, sucedió por una cadena de errores de inteligencia. El apoyo aéreo y abastecimiento oportuno que no se dieron porque no se habían puesto aún en funcionamiento los equipos que se compraron con los bonos de paz. Reconozco que también debí salir de Frechette, como me lo pidieron con vehemencia García Márquez y Hernando Santos durante un almuerzo en Palacio.

C.P.: ¿Quedarse en la presidencia no fue un error?

E.S.: El error hubiera sido irme dejando el país al garete o en manos de mis enemigos que entonces andaban buscando al vicepresidente para que asumiera a nombre del otro bando. No, a mí me tocó bailar con la más fea que era la narcocorrupción, que solo tocó a unos cuantos políticos liberales cuando todo el mundo sabía que desde mucho antes estaban ahí metidos otros partidos, bancos, periodistas, empresarios y hasta jueces. **El proceso 8.000 fue la punta del iceberg de una larga convivencia de la sociedad colombiana con los dineros de la droga que aún está por sacarse a la luz.** Me he preguntado si frente a este fenómeno no he debido haber propiciado una especie de expiación colectiva, pero creo que hubiera sometido al país a un estigmatización internacional que no se merecían los colombianos.

C.P.: ¿Pero ahora que se habla de la necesidad de reconciliarnos y de que todos los responsables pidan perdón, usted no siente que debe pedir perdón?

E.S.: Como persona tengo mi conciencia tranquila, como mandatario sí tengo necesidad de hacerlo. Me faltó hacer mucho en el tema social, por ejemplo. Pequé de ingenuo frente a algunos conspiradores. Dejé que la prensa trapeara hasta con mi honra.

C.P.: ¿Y pedir perdón porque "todo fue a sus espaldas"?

E.S.: Asumo la responsabilidad que es distinto a pedir perdón. El perdón lo pido como parte de un colectivo. El perdón si no es colectivo, lleva a la revancha, es la sociedad la que tiene que reflexionar sobre por qué llegamos a donde llegamos y cómo podemos evitar repetir esta historia.

C.P.: Ahora que está en Unasur, algunos dicen que flaco favor le hace a Colombia, incluyendo a la paz de Colombia, su falta de crítica a lo que pasa en Venezuela *(entrevista hecha antes de la crisis fronteriza con Venezuela)*.

E.S.: Como Secretario de Unasur, elegido por los presidentes de doce países, no represento a Colombia, represento a una comunidad de doce gobiernos. Claro que tengo diferencias con algunos países, incluido Venezuela, pero la solución no es que salga a cuestionarlos en público. Lo hago por los canales discretos de la diplomacia que a veces son mucho más efectivos que los gritos mediáticos de algunos de mis excolegas.

*

Monseñor Luis Augusto Castro era obispo en San Vicente del Caguán cuando las Farc secuestraron a los sesenta soldados y diez infantes de marina que sobrevivieron a la toma de Las Delicias, en el Putumayo; y a hechos ocurridos en el Chocó, respectivamente. Ante la falta de avances del Gobierno y del Ejército para liberarlos, es él quien, tras solicitárselo la comunidad, da los primeros pasos que hicieron posible el regreso de esos jóvenes a la libertad. A partir de entonces, monseñor Castro descubre y revela facetas desconocidas de la guerrilla, que incluso evidencian "su lado bueno", y deja claro al país católico que para perdonar no hace falta que el perdón sea pedido, pero que el perdón no elimina la justicia. Es contundente además en rechazar que los curas guerrilleros hayan tenido la bendición de la Iglesia.

Monseñor Luis Augusto Castro: Antes de la toma de Las Delicias hice una visita a la zona, en donde había sido instalada recientemente una base militar. La población estaba preocupada por las consecuencias que eso pudiera llevar para la seguridad de sus hijos, por lo que me pidieron construir un internado para evitar ese peligro, además de que temían que los tigres que había por ahí se comieran a los niños, o que se ahogaran en las quebradas cuando estas crecían por las lluvias. Luego me dicen que quieren una reunión "secreta", a mí me dio risa porque era como con doscientas personas y ahí reiteran su incomodidad por la presencia militar. Meses después ocurre la toma de Las Delicias, en la que mueren muchos soldados y quedan sesenta secuestrados, y ese proyecto del internado se frustra. Un día dicen que llegó un cadáver de uno de los soldados secuestrados durante esa toma, yo hice la homilía de la misa de exequias y por la tarde llegó la mamá a decirme: "Monseñor, yo hasta lo lloré, pero ese no es mi hijo". Por eso fue que decidí entrar en contacto con la guerrilla y averiguar sobre ese joven y los demás.

Claudia Palacios: ¿Eso fue antes de que José Noé Ríos entrara a la misión de liberar a esos soldados?

Mons.: Sí, los encuentros con Joaquín Gómez, de las Farc, llevaban como seis meses, y paralelamente yo hablaba con Carlos Vicente de Roux, que estaba a cargo de la oficina de Derechos Humanos del Gobierno; pero un día me desesperé y pedí que me comunicaran con el presidente Samper, quien me dio todo el apoyo para negociar con la guerrilla, que estaba pidiendo un despeje de territorio enorme y prolongado. Yo logré que fuera un despeje chiquitico, solo por el río y regiones aledañas. Le mandé un fax al presidente diciéndole eso y me contestó como a los tres días con un mensaje en el que me invitaba a desayunar el ministro de Defensa, Gilberto Echeverri. En esa cita me presentó a José Noé Ríos, quien acababa de ser nombrado para encargarse de la logística de la liberación de los secuestrados, que yo ya había negociado con la guerrilla.

C.P.: Ese despeje o minidespeje tuvo fuerte oposición del general Bedoya, comandante del Ejército...

Mons.: Nosotros percibíamos una oposición del general Bedoya y en general del Ejército con lo que se estaba haciendo.

C.P.: Debió haber sido muy difícil juntar a los dos grupos de secuestrados, unos en el Chocó y otros en Caquetá.

Mons.: Sí, porque a los del Chocó había que llevarlos hasta el Caquetá en un vuelo que por razones obvias no hacía parte de la programación de ninguna parte. Cada uno de los infantes secuestrados en el Chocó venía acompañado por dos guerrilleros, y nos pasó que no alcanzaron a llegar al sitio despejado para la liberación. Entonces le tocó al padre Darío Echeverri quedarse con ellos en el aeropuerto de Neiva, pero durmiendo dentro de los helicópteros para que nadie se diera cuenta. Afortunadamente lo logramos.

C.P.: Después de eso usted se convierte en "el liberador"...

Mons.: Eso es como mucho decir, pero sí siguieron políticos, líderes comunales, y civiles. Un día, yendo de Florencia a San Vicente del Caguán, un comandante de la guerrilla me paró y me dijo que me iba a llevar, yo le dije que más bien me entregara a todos los que tenía secuestrados. No se atrevió a llevarme. Dos días después, en la noche, llegaron como diez personas muy destacadas a la parroquia de San Vicente del Caguán, que habían estado secuestradas y que al ser liberadas recibieron la orden de presentarse en mi oficina. Tuvieron que caminar mucho.

C.P.: Terminó entonces teniendo una relación con las Farc...

Mons.: Era una relación para proteger a las poblaciones de la región. Una vez pasó que llegaron a la parroquia unas señoras diciendo que les habían secuestrado a la mamá y mostraron una carta escrita por gente que yo supe que no eran de las Farc porque era una carta tan pobre que se notaba que los que la escribieron nunca habían puesto un pie en una escuela. Contacté a las señoras con el batallón pero allá no las ayudaron que porque no había Gaula; les dije que cogieran un bote y que se fueran río abajo hasta que les saliera la guerrilla, me hicieron caso. La guerrilla les dijo que no tenía a la mamá pero que les iban a ayudar a ubicar a la gente que sí la tenía y que estaba suplantando a las Farc. Después de un largo tiempo de búsqueda la encontraron, la rescataron en un operativo complejo y le entregaron la señora a sus familiares.

C.P.: Usted ha seguido siendo un interlocutor legítimo para las Farc, viajó a La Habana con los grupos de víctimas y ha hecho más gestiones para la participación de la Iglesia en el proceso. ¿Ha visto algún cambio positivo en las Farc?

Mons.: Han tenido momentos, cuando hicieron la toma de Cartagena del Chairá en 1998 y me dijeron que habían dejado secuestrado al párroco fui hasta la zona y la guerrilla me dijo que tranquilo que nadie de la población civil iba a ser afectado, y así fue. Pero con los años se volvieron menos cuidadosas con los civiles, empezaron a usar cilindros bomba y a reclutar niños a los que enseñaban a matar antes de que adquirieran el sentido de respeto por la vida ajena, que es algo que se forma con la madurez. Eso fue en los tiempos de guerra, ahora que estamos en un proceso de paz, en uno de los viajes con las víctimas a La Habana, Iván Márquez dijo que la reconciliación y el perdón no tienen marcha atrás, luego yo le pregunté personalmente si había dicho eso porque de verdad lo pensaba y él me confirmó que sí.

C.P.: Monseñor, los que iniciaron una guerrilla con la que ha sido más difícil negociar que con las Farc fueron sacerdotes, Camilo Torres, Manuel Pérez, en el ELN. ¿Debe la Iglesia pedir perdón por eso?

Mons.: No, **la Iglesia jamás ha dado autorización a curas para ser guerrilleros.** A Camilo Torres el cardenal de entonces le dijo que no podía hacer eso. Los casos que ha habido son particulares pero la doctrina de la Iglesia no justifica las respuestas violentas, al contrario, habla de perdón y acciones de presión para cambiar las estructuras injustas por justas, en las que participen tanto ricos como pobres, en un sentido de solidaridad y no de acumular.

C.P.: Pero hay sacerdotes en zonas de conflicto que terminan tomando partido, incluso por las guerrillas...

Mons.: Puede pasar que un padrecito pierda la cabeza, pero nosotros entrenamos a los sacerdotes asignados a zonas de conflicto para que usen un lenguaje en sintonía con el Evangelio, no se trata de que adopten el lenguaje justiciero de la guerrilla que rechaza al capitalista porque los tilda a todos de insensibles.

C.P.: ¿Y tampoco le cabe una responsabilidad a la Iglesia en ese círculo vicioso de pobreza y guerra en el que se ven envueltas las familias más numerosas, por no apoyar los métodos de planificación familiar, y decir a esas familias que hay que aceptar los hijos que Dios mande?

Mons.: La Iglesia habla de paternidad responsable. Como dijo el papa Francisco: "Hay que tener los hijos que se puedan mantener y educar, no como los conejos".

C.P.: ¿Hay algo por lo que la Iglesia deba pedir perdón... ya que muchos coinciden en que todos tenemos una responsabilidad en el conflicto?

Mons.: La Iglesia también debe reconocer sus errores. Hay que ver cuáles son las responsabilidades, y es evidente que si uno revisa la historia encuentra que se cometieron errores. Pero la Iglesia hace mucho más de lo que se cree, lo que pasa es que no llegamos a las noticias pero sí al corazón de las miles de personas con las que trabajamos.

C.P.: La Iglesia también ha sido víctima en este conflicto colombiano...

Mons.: Nos han matado sacerdotes pero no estamos interesados en que nos reconozcan como víctimas porque ser víctima es lo peor que le puede pasar a una persona, el que se queda de víctima para siempre nunca recupera la felicidad. Al que supera su situación no se le debe llamar víctima, sino sobreviviente.

C.P.: Ayúdeme a entender cómo se compagina el perdón desde lo religioso con la justicia.

Mons.: Los seres humanos debemos saber que el primer sentimiento espontáneo de un violentado es el de la venganza, que es un sentimiento negativo, y eso es natural porque es la manera de recuperar la dignidad que el hecho violento les ha hecho perder. Pero hay que superar ese sentimiento porque tiene efectos terribles. La manera de superarlo es perdonando, y el perdón es incondicional, no depende de que al ofensor lo manden a la cárcel o de si se disculpa. Jesús perdonó desde la cruz sin esperar a que hubiera un juicio, o una fiscalía actuando. Solo el perdón permite recuperar la humanidad perdida por la violencia sufrida. Pero perdonar no es ser indiferente a la justicia, no la elimina, eso sería una alcahuetería. En lo que se parecen más el perdón y la justicia es en la penitencia, que no debe ir en proporción al acto cometido sino en lo que puede ayudar al ofensor a acercarse a Dios o a cambiar su corazón. Y Dios perdona incluso los crímenes más atroces, a sus autores en el confesionario se les convence de que respondan por sus actos, porque sí es posible para ellos recuperar el sentido de humanidad, igual que es posible para que las víctimas recuperen ese sentido de humanidad.

C.P.: Su lección aprendida tras tantas gestiones de paz...

Mons.: Es necesario que todo el mundo apoye más el proceso de paz, porque acabarlo no supone el fin de las tragedias sino que abre la puerta a nuevas tragedias. Y es insuficiente el número de personas que trabajan en ayudar a reincorporar a quienes han estado en la guerra, necesitamos unir todas las fuerzas.

*

El 9 de abril de 1994 la disidencia del ELN, bautizada Corriente de Renovación Socialista (CRS), firmó el acuerdo de Flor del Monte en el departamento de Sucre. Ochocientos setenta y cinco militantes de esa guerrilla dejaron las armas, de los cuales doscientos sesenta y ocho estaban presos; solo veinticinco de estos no fueron cobijados por el indulto. Uno de los líderes de ese grupo disidente fue León Valencia, hoy connotado politólogo al frente de la Fundación Paz y Reconciliación, y columnista de la revista Semana.

Claudia Palacios: León Valencia, ¿por qué decidió dejar la guerra?

León Valencia: No hice la paz porque pensara que no podía llegar al poder por la vía de las armas, sino porque vi que aún si triunfaba sería muy difícil o imposible construir democracia desde una victoria violenta, y resolver los problemas de la gente. Fue la desilusión que sufrí al ver lo que había pasado en otros países después de que los revolucionarios se tomaron el poder. También fue decisivo para mi salida de la guerrilla la masacre que hicieron los militares en alianza con los paramilitares en Segovia, Antioquia, en 1988, en la que murieron cuarenta y siete pobladores indefensos y fueron heridos cuarenta y cinco, solo porque ese municipio había tenido la osadía de elegir un alcalde de la Unión Patriótica. El Comando Central del ELN tenía su campamento muy cerca del pueblo. Le dije al cura

Pérez, comandante del grupo, que estaba desilusionado con el papel que podíamos jugar en esos casos, que no habíamos hecho nada para impedir lo ocurrido. En una de esas noches lloramos de impotencia con Martha, mi compañera. Igual de duro fue el asesinato de monseñor Jesús Emilio Jaramillo Monsalve, obispo de Arauca, perpetrado por el Frente Domingo Laín, del ELN. Era inconcebible que una guerrilla nacida de la mano de sacerdotes terminara asesinando a un obispo, con el argumento de que era un adversario ideológico que le hacía el juego a los militares. Nunca he eludido la responsabilidad política que tuve en el conflicto, a pesar de que no fui una persona operativa al interior de la guerrilla. En 1987 pasé de jugar un papel político y social en las ciudades al Comando Central del ELN, que no tenía la función de participar directamente en combates. No tuve participación directa en muertes y secuestros. Es más, ese año fui muy activo en la discusión en el ELN sobre el derecho internacional humanitario y abogué por la abolición del secuestro y por el respeto a la población civil en medio de la guerra.

C.P.: Y lo echan del Comando Central...

L.V.: Sí, en el 89. Y en el 91 participé en la conformación de un grupo disidente del ELN que se propuso negociar la paz con el Gobierno. A los que tenían procesos o estaban presos y condenados los indultaron, menos a los procesados por secuestro, que eran veinticinco. A quienes no teníamos procesos judiciales nos cobijó una amnistía, era mi caso, pude entonces salir a la vida civil.

C.P.: Le va bien entonces, y muchos años después lo llaman a hacer parte de la Comisión de Memoria Histórica en el gobierno de Uribe...

L.V.: Sí, Gonzalo Sánchez, el director de esa comisión me hace ese honor, y ante el dilema ético de haber participado en el conflicto y asumir el compromiso de hacer una memoria que tenía como centro a las víctimas, empecé por hacer mi propia memoria. Escribí el libro *Mis años de guerra*. Los libros de memorias casi siempre son heroicos pero el mío es el de una derrota. Después también he tenido muchas desilusiones con la izquierda legal y democrática, que en Colombia por años ha jugado al todo o nada, con esa idea de echar por tierra los cimientos de la sociedad, de abolir el Estado, la propiedad privada y la familia, en vez de promover cambios graduales. Hasta ahora los empiezan a aceptar. Además, las élites colombianas han sido demasiado hábiles, combinando violencia y pequeñas concertaciones y reformas para mantenerse en el poder durante el siglo XX, mientras que en el resto de América Latina se han producido grandes cambios políticos y sociales. Cómo habrá sido de negada para las grandes reformas la política colombiana que ahora el mayor reformista es Juan Manuel Santos, representante de una centro derecha que tiene la única virtud de atreverse a un proceso de paz.

C.P.: ¿Por qué no se ha podido negociar con el ELN?

L.V.: Creo que pronto llegarán a una negociación, pero se han demorado porque el ELN no fue capaz de mirar los cambios que se produjeron en la política del país con la llegada de Santos, quien la dividió en una extrema derecha, una extrema izquierda y el centro político que él representa, y señaló que su idea era negociar con esa extrema izquierda armada. Las Farc rápidamente, por iniciativa de Alfonso Cano, también redefinieron el enemigo, señalando a Uribe y a su grupo como el principal, y abriéndose a una concertación con Santos. En cambio, el ELN siguió considerando que Santos y Uribe eran iguales. Solo ahora empiezan a entrar en el aro de las negociaciones de paz.

C.P.: Ha habido varios procesos de paz y nada que llega la paz, ¿vale la pena hacer tantos intentos?

L.V.: El valor de las negociaciones de paz es inmenso. Este que lleva tres años, a pesar de no haber llegado al punto final, ya ha disminuido significativamente los niveles de violencia. Nos hemos ahorrado miles de muertos y desplazados y eso es muy pero muy importante para el país. Yo apoyo esta paz con todo el corazón, sé que los acuerdos no traerán en sus textos grandes reformas, serán acuerdos sobre mínimos, pero sé también que después de la firma, en el curso del posconflicto, las fuerzas que luchan por grandes reformas tendrán más posibilidades de llegar al poder y hacer las transformaciones que la sociedad colombiana requiere.

*

Una figura transversal a los procesos de paz en Colombia es Álvaro Leyva Durán, quien incluso sin ser invitado a participar en ellos ha estado presente de una manera controversial en todos, porque se ha puesto de facilitador de quienes son sus opositores ideológicos.

Claudia Palacios: Usted está trabajando en los temas de paz desde el gobierno de Belisario Betancur, o sea que conoció a don Otto Morales Benítez. ¿Sabe quiénes fueron los enemigos agazapados de la paz de los que él habló cuando renunció en el cargo de presidente de la Comisión de Paz?

Álvaro Leyva: Los de siempre. La derecha fanática, los que creen que la paz se logra exclusivamente a bala; sectores económicos inescrupulosos que hacen de la guerra su oportunidad; altos mandos de la fuerza pública que han considerado que su única misión, su único reto, es lograr la victoria tras más de cincuenta años de combatir a un mismo enemigo. Otto Morales sabía quiénes eran. En su momento conoció sus nombres. Los veía en la calle y se encontraba con ellos en los clubes sociales o cuando visitaba los cuarteles. En los propios despachos ministeriales y oficinas públicas se cruzó con los saboteadores del propósito presidencial de buscar la paz. Se cansó de tanta doble faz, del embuste, de la falsedad y la traición. Cualquier día dijo no más. Entonces, plenamente desengañado, le renunció a Betancur al cargo de presidente de la Comisión de Paz, y se fue.

C.P.: El expresidente Samper dice que usted boicoteó desde La Habana los esfuerzos de paz que él estaba haciendo con el ELN, y que además el hoy presidente Santos inició un proceso paralelo. ¿Cuáles es su versión de esa historia, y dígame si la motivación que tuvo fue ayudar a Pastrana a salir elegido presidente?

A.L.: A Samper le faltó información. Como se dice de manera llana: se dejó cuentear. Pasado los años me encontré con él. Lo acompañaba en ese momento José Noé Ríos. Le hice el reclamo por algunas afirmaciones que había hecho en su libro *Aquí estoy y aquí me quedo*, respecto de situaciones como las que usted me menciona, y particularmente en relación con algún proceso que alcancé a adelantar con la Farc para iniciar diálogos de paz durante su gobierno. Le aclaré algunas dudas que tenía. Entendí que estaba completamente desinformado sobre mi participación, toda vez que quien había tomado la iniciativa dirigida a que se pudieran encontrar las partes y había atendido directamente el desarrollo y manejo y de todo había sido yo. Me di cuenta de que Ríos y sus compañeros de trabajo, que sí eran testigos de lo yo venía preparando en compañía del delegado del CICR de la época y con quien tenía a su cargo los oficios de representante de la Conferencia

Episcopal Colombiana por aquel entonces, no le habían dicho ni mu a Samper. Ocurre esto en un momento en que estaba vacante la Consejería para la Paz (Carlos Holmes Trujillo había renunciado), y la oficina correspondiente estaba al cuidado de Daniel García-Peña y José Noé Ríos no tuvo alternativa distinta a confirmarle a Samper lo relatado por mí cuando el expresidente le inquirió sobre lo que yo le afirmaba. La verdad, le llamó severamente la atención.

Lo cierto es que la oficina de paz de la presidencia manejó pésimamente el asunto provocando la ira del general Harold Bedoya Pizarro, a la sazón comandante del Ejército. Se suscitó entonces el episodio recordado como "ruido de sables". Lo que se venía haciendo había cogido por sorpresa al general; faltó tino, precisamente porque los asesores no manejaban los pormenores y mucho menos los pormayores de lo que se venía programando. Incluía la estrategia un despeje parcial del municipio de la Uribe, y llegado esto a oídas de Bedoya, ¡quién dijo Troya!

Ahora, lo de los Elenos es otro cuento. Mis relaciones con esa agrupación guerrillera siempre fueron conocidas por Raimundo y todo el mundo. Tuve como interlocutor directo al cura Pérez, no una vez sino muchas veces. Tomé iniciativas valiosas para persuadir al ELN de que conversara. Sí hice parte de un grupo que finalmente logró acercamientos y se llevó a efectos una reunión secreta en Madrid, España, de la cual no tuve conocimiento por aquello de los celos malditos que tanto daño han hecho en el discurrir de los procesos de paz. La reunión se frustró y mucho más lo que de ella se habría podido lograr porque se filtró a través del diario ABC, de la capital española. La reserva de todo era piedra angular del acuerdo inicial con el ELN. Y como la piola se revienta por lo más delgado, se me señaló de ser el autor de la famosa filtración. Y nuevamente se dejó cuentear Samper. Unas semanas después me encontré con los Elenos en Cuba, entre ellos con Pablo Beltrán, quien puede dar testimonio de lo que le relato a continuación: por una parte, me hizo el cordial reclamo por no haber participado yo en la reunión de Madrid. Le dije que no se me había avisado nada sobre ella. No me llegó la invitación; a lo que me agregó que la había tramitado por conducto de alguien que no menciono acá porque falleció hace unos tres años y fungía de ser amigo cercano mío. Un hombre público importante. El mismo que el propio Pablo Beltrán me señaló como la persona que había filtrado la noticia al periódico de marras. Pablo me agregó: "Sabemos que usted fue ajeno a todo lo ocurrido". Le pongo de presente esto último porque iniciados los próximos diálogos con los Elenos, usted, Claudia, podrá hacer directamente las averiguaciones históricas de rigor.

Pero lo cierto es que lo que diga Samper no me mueve la aguja, y mucho menos a estas horas de la vida. Siento mucho que por aquellos días lo estuviera atrapando la telaraña de las millonarias sumas de dineros calientes que recibió para financiar su campaña presidencial, lo que finalmente lo descalificó en todos los sentidos y órdenes para adelantar procesos de paz con cualquier grupo alzado en armas. Terminó siendo víctima se su propio invento. Entonces, ¿que Leyva saboteó alguna vez lo adelantado con el ELN? Cuento chino. ¿Por qué habría de entrar yo en contradicción con lo que ha sido mi propósito de vida? Tras más de treinta años empujando el coche siempre engranado de la paz, siempre cuesta arriba, siempre con enemigos poco agazapados al frente, ¿qué argumento válido se puede esgrimir para afirmar que yo hubiera consentido en sabotear un proceso de paz? Ridículo siquiera pensarlo.

¿Que por qué ayudé a Andrés Pastrana? Se sorprenden cuando relato la historia que incluye el hecho de que nunca pertenecí al círculo cercano al hoy expresidente. Siempre, por razones que desconozco, fui excluido. Supongo que por aquel principio de que cada torero torea con su cuadrilla. Cierto es que fui colaborador y amigo cercano de su padre Misael Pastrana, con quien compartí el tema de la paz una y otra vez. Pensé entonces que quizá su hijo la podría alcanzar.

C.P.: Usted se va a Costa Rica cuando le abren un proceso por supuestos vínculos con el cartel de Cali, justo cuando estaba facilitando que Víctor G. Ricardo se reuniera con las Farc entre la primera y la segunda vuelta de la elección presidencial que Pastrana ganó. Usted resulta absuelto por ese caso, ¿sabe quién orquestó ese plan en su contra, cuál es el detrás de bambalinas de esa historia?

A.L.: Claro que sí sé quién estuvo orquestándolo todo y quiénes sirvieron de calanchines. Grabaciones y documentos presentados a la justicia abrieron el camino hacia mi libertad. Gané en todas las instancias judiciales. Se comprobó que yo tenía de mi lado la verdad, la razón y el derecho. Pero no es el momento para mencionar los nombres de quienes movieron desde el poder los hilos de la trama. Me parece que prender ese ventilador ahora no tiene sentido. Estoy trabajando en el proceso de paz que hoy se adelanta y no quiero contaminar con historias personales este nuevo compromiso. Cada día trae su afán.

C.P.: ¿Cómo se explica que un conservador como usted busque la paz negociando con las guerrillas y no combatiéndolas, como hacen los conservadores tradicionales?

A.L.: Hay un pseudoconservatismo en Colombia que contradice la historia y los principios de esta colectividad. José Eusebio Caro, fundador del partido, desde comienzos del siglo XIX puso de presente que el ejercicio de todos los derechos era la paz como derecho síntesis, y que este mensaje tenía que ser el más importante cometido de la nueva colectividad. Yo todavía creo en todo eso y en lo que a partir de estas definiciones fundamentales se logra elaborar como compromiso de vida y cometido político. Al partido que solo tiene como misión arrullarse en los brazos de quien detente el poder con el único propósito de mamar del presupuesto y hacerse a los puestos y contratos, no pertenezco. Al partido del péndulo: hoy con la guerra si el jefe dice guerra, hoy con la paz si el jefe dice paz, no pertenezco.

C.P.: ¿Qué responsabilidad tienen los líderes del Frente Nacional en la guerra de Colombia, Álvaro Gómez, de quien su padre, Jorge Leyva, fue tan cercano en la búsqueda de la paz?

A.L.: Mi padre entendió que el Frente Nacional, lleno de buenas intenciones en sus propósitos cortoplacistas, terminaría siendo excluyente y un detonante de futura violencia. Tuvo razón. Los partidos tradicionales claro que tienen responsabilidades históricas enormes por los episodios de violencia y desajustes sucedidos antes y después del Frente Nacional. Condujeron al Estado por la ruta de la exclusión. Creyeron los liberales y conservadores que repartiéndose el poder por igual lo solucionarían todo; crearon con ello la tesis del facilismo de Estado y la cultura del miti-miti. Sembraron la corrupción y terminaron cosechando el desbarajuste institucional. Aparecidos los dineros calientes se volcaron a saborearlos hasta llegar a convertirlos en nutrientes del quehacer político.

¿Álvaro Gómez? Denunció en el congreso la existencia de repúblicas independientes haciendo referencia a Marquetalia, como Víctor Mosquera Chaux denunció la república independiente de Riochiquito. De allí surge la operación de toma de Marquetalia efectuada durante la administración del presidente Guillermo León Valencia, comandada en el terreno por el coronel Joaquín Matallana, inicio de una guerra que hasta ahora busca su salida y terminación. Y le cuento de paso, Claudia, que pasados los años produje un encuentro entre el ya exgeneral Matallana y Manuel Marulanda Vélez. Terminó en un abrazo fraternal de reconciliación histórica, episodio celebrado como algo único por quienes presenciaron el hecho. De igual manera, puse a conversar a Álvaro Gómez Hurtado con Jacobo Arenas. Se cruzaron palabras amables con el augurio de no repetición, de terminarlo todo para el nunca más. Tal cual. Usé mi famoso radioteléfono, que guardo como reliquia de ingrata y grata recordación.

¿Jorge Leyva? ¿De qué puede ser responsable tras haber sido señalado por los historiadores como el autor de la Colombia moderna? No lo digo yo, lo registran ellos. Después sus puertas fueron cerradas y sus aspiraciones cercenadas. Entonces no puede ser referente de los fracasos nacionales.

C.P.: ¿Se debe pagar por esa responsabilidad?

A.L.: Claro que se debe pagar por esas responsabilidades. El gran responsable es el Estado por acción y por omisión; y su timonel histórico que es la clase dirigente siempre inferior a los retos de todos los momentos. Todos tendremos que pedir perdón sin consideración de partidos, clase, origen o condición: liberales, conservadores, comunistas, guerrilla, paras, sector privado con sus gremios, fuerza pública, medios de comunicación, gobernantes y exgobernantes, Iglesia y tantos otros estamentos sociales que auparon la violencia y el fracaso como forma de hacer vida y patria.

C.P.: ¿Y entonces las Farc cómo deben pagar lo que han hecho?

A.L.: Farc, y todos los demás, dirá usted. En eso se está. De eso se trata el proceso que se adelanta en La Habana y que continuará por un tiempo más en compañía también del ELN. No se piense en las Farc como exclusivos victimarios. Al examinarse cifras oficiales y de organismos internacionales se lleva uno la enorme sorpresa de que solo aproximadamente un 25% de las víctimas y los hechos corresponden al lado de los alzados en armas. En mi caso, entiendo que en este país se requiere fortaleza interior para decir las cosas como son y para hacer valer lo que se piensa al actuar en los escenarios del aquí y el ahora. Pero poco a poco se irá dibujando la verdad de lo ocurrido durante décadas. Para eso la Comisión de la Verdad y el llamado Sistema Integral de Justicia, Verdad, Reparación y no Repetición que se viene diseñando. Las sorpresas serán de una magnitud escalofriante en la medida en que inicien labores estos componentes de mecanismos de paz. Por eso me he atrevido a afirmar que la paz no es entre un gobierno y un grupo armado, sino con la historia.

C.P.: Pero eso no exime a la guerrilla de sus actos, ni satisface a una madre que ha perdido a su hijo a manos de las Farc.

A.L.: La respuesta la contiene lo que contesté a su última pregunta. Créame que es así.

C.P.: ¿Usted votaría por alguien de las Farc?

A.L.: He votado y voto conservador, y voto en blanco cuando entro en duda. Pero ahora, vaya uno a saber qué depara el porvenir. He votado por más de uno que hoy está en la cárcel. He sido víctima del engaño de la corrupción disfrazada de democracia. Cuarenta, cincuenta, sesenta, cien, ciento cincuenta o más, ya congresistas, ya funcionarios públicos, o gobernadores, o alcaldes, o concejales o diputados en la cárcel. Déjeme contrapreguntarle, Claudia: ¿ha votado usted por alguno de ellos para luego sentirse defraudada? Creo que con lo que le manifiesto no le estoy diciendo mucho pero le estoy diciendo todo.

*

Ha hecho carrera la frase de que las Farc han elegido los últimos presidentes en este país, por el hecho de que la mayoría de votos ha sido para el candidato que represente la emotividad nacional respecto a la forma como hay que llegar a la paz. Por eso se explica el vertiginoso ascenso de Álvaro Uribe en las encuestas cuando siendo candidato anunció que de ser elegido acabaría con el proceso de paz en el Caguán, que se adelantaba con las Farc y perseguiría a la guerrilla; y también por eso se explica que cuatro años antes, el país pasara de dejar perder a Pastrana en primera vuelta para hacerlo ganador en segunda vuelta, luego de que se conociera la foto en la que alias "Tirofijo" lució el reloj de la campaña del candidato de Alianza por el Cambio, que representaba las ideas conservadoras, y que a la postre llevó a cabo los diálogos de paz del Caguán. Su coordinador de campaña, Víctor G. Ricardo, fue el artífice de la estrategia.

Claudia Palacios: Víctor G., ¿cómo es que deciden que para ganarle a Serpa en segunda vuela hay que meterle al discurso el cuento de la paz, y así de un día para otro?

Víctor G. Ricardo: En la campaña había un comité de reacción integrado por los doctores Carlos Rodado Noriega, Humberto de La Calle Lombana, Alfonso Valdivieso y Luis Guillermo Giraldo, entre otros, en el que establecimos que era muy importante que el candidato presentara un plan de paz, en el que el contendor Horacio Serpa nos llevaba una ventaja. Convoqué entonces a los doctores Rafael Pardo, Augusto Ramírez Ocampo y a Álvaro Leyva, que al igual que yo, ya teníamos experiencia como negociadores de paz en los procesos de paz del presidente Betancur y del presidente Barco. Así proyecté el plan de paz para Pastrana, que fue el que pronunció el candidato en el Salón Rojo del Hotel Tequendama. Cuando se acabó el acto se me acercaron dos personas, Jairo Rojas y un estudiante de la Sergio Arboleda, y me preguntaron si yo estaba dispuesto a reunirme con el Secretariado de las Farc para explicarles esa propuesta. Les respondí de inmediato que sí, y me dijeron que coordinara el viaje con Álvaro Leyva. Por si acaso me pasaba algo, escribí una carta a mi esposa y a mis hijos contándoles de mis deudas y de mi deseo como colombiano de que tuviéramos un país en paz.

C.P.: ¡Muy precavido!, ¿y cómo fue ese viaje?

V.G.R.: Cuando llegamos a Florencia aparecieron cuatro señores que nos montaron en un camioncito. Al llegar a un campamento de las Farc que estaba bajo el mando de alias "Urías", me impresionó que entraban muchos camiones grandes llenos de alimentos, y salía una cantidad mayor de camiones más pequeños a distribuir lo que traían los grandes. Había como treinta señoras cociendo ropa militar, otras cocinando en cocinas subterráneas, una cancha con cerca de doscientas sillas en la que hacían actividades culturales a las seis de la tarde, y además daban adoctrinamiento y proyectaban películas. Tenían televisión por cable con acceso a medios internacionales. De un momento a otro vi que Álvaro Leyva estaba desencajado porque no nos autorizaban el paso para dirigirnos a donde estaba Marulanda ya que alias "Urías" decía que debíamos haber llegado dos días antes y que por eso Marulanda estaba molesto. Le había tocado pernoctar en distintos lugares mientras esperaba nuestra llegada. Cuando se solucionó el problema nos internamos por caminos hechos de eucalipto y con presencia de mucha guerrilla hasta donde estaba Jorge Briceño, alias "el Mono Jojoy". A ese lugar llegó luego Marulanda, quien estaba un poco serio y distante. Cuando terminé de contarles cuál era el plan de paz del candidato Pastrana miré mi reloj, por lo que Marulanda me preguntó que si tenía afán de regresar. Entendí que él sintió que yo no tenía suficiente tiempo para dedicarle al tema de la paz. Le respondí que yo tenía por costumbre mirar cuánto tiempo había utilizado en hacer cada intervención o conferencia, pero qué aprovechaba lo que me decía para regalarle el reloj que yo portaba, que era el que tenía los símbolos de la campaña. Me dijo que no porque yo necesitaba saber la hora y él tenía el suyo. Yo me paré de la mesa y le puse mi reloj en el pulso de su mano izquierda. Los guerrilleros, seguramente pensando que yo iba a hacer algo contra su comandante, montaron las armas. Marulanda me observaba desconcertado hasta que le dije que no se quitara ese reloj porque ese daría siempre la hora de la paz, lo que distensionó la reunión, y empezamos un intercambio de ideas.

C.P.: Ustedes firman esa noche un documento, ¿cómo acuerdan los puntos a tratar?

V.G.R.: Yo le pregunté qué pensaba de la propiedad privada, me dijo que no era enemigo de ella pero que estaba en desacuerdo con la estructura de impuestos porque consideraba que los ricos debían pagar más que los pobres; y que estos se destinaban siempre a los centros urbanos en abandono de los rurales. Le pregunté qué opinaba de la democracia, me contestó que creía en ella pero no en la que se practicaba actualmente en Colombia porque en una democracia de libertad de ideas no le habrían matado tres mil seiscientos miembros de la UP. Por último, le pregunté qué pensaba sobre la unidad del Estado, ya que en los resúmenes de sus conferencias ellos hablaban de liberación de territorios, lo que yo veía como un atentado contra la unidad del territorio. Él me respondió que esa era una apreciación errada, que ellos se referían al avance de la guerrilla y no a la división del país, pero que ellos querían gobernar la totalidad de la nación. Él también me hizo unas preguntas. La primera, que si de llegar a ser presidente Pastrana estaría dispuesto a desmilitarizar un territorio para las conversaciones. Le respondí que me parecía que no era necesario, pues podríamos llegar a un acuerdo de una metodología que les ofreciera la suficiente seguridad, pero él de inmediato dijo que no cometería el mismo error del pasado que llevó a que fuera bombardeado el campamento de Casa verde cuando se rompieron las conversaciones a comienzos del gobierno del presidente Gaviria, en el que ellos se habían salvado de milagro. Me dijo que además Samper ya había hablado de hacer una desmilitarización para llevar a cabo conversaciones. También me preguntó si Pastrana, de ser elegido, estaría dispuesto a reunirse con el Secretariado para formalizar las reglas del juego de las negociaciones. Le dije que estaba convencido de que eso era viable pero que le transmitiría su mensaje al doctor Pastrana. En tercer lugar, me preguntó si en caso de nosotros llegar al poder estábamos dispuestos a combatir el paramilitarismo. Le respondí de manera enérgica que claro, que con toda la fuerza del Estado, ya que era un movimiento al margen de la ley. Y que de igual manera si no llegábamos a un acuerdo con la guerrilla, con esa misma fuerza combatiríamos a la guerrilla.

C.P.: Pero él no quería firmar ese documento y usted lo necesitaba para crear un efecto favorable a la campaña de Pastrana...

V.G.R.: Sí, ellos querían sacarlo después de elecciones, pero yo les dije que el país creía que el hombre de la paz era el candidato Serpa porque él estaba hablando de una zona desmilitarizada para hacer conversaciones con la guerrilla. Marulanda me respondió que no me preocupara, que en la zona de la que estaba hablando Serpa no iba a aparecer ni un solo guerrillero. Le dije entonces que por eso era importante que firmáramos el documento ahí porque si no en las elecciones el país iba a votar pensando que la viabilidad de la paz era con Serpa. El hecho es que él me dice que él redacta el comunicado y que lo tendré en mi casa antes de que yo regrese a Bogotá.

C.P.: Y usted angustiado porque no tenía pruebas para mostrar...

V.G.R.: Ahí es que le digo que nos tomemos una foto, Jojoy dijo que no, pero yo convencí a Marulanda, y Leyva nos toma la foto en la que Tirofijo, por la pose natural que hace, muestra el reloj de la campaña de Pastrana. El regreso es tortuoso porque el río estaba crecido y arrastró el carro, nos tocó salir nadando; la cámara de fotos se mojó y yo pensé que había perdido la prueba. El caso es que cuando llegué a la sede de campaña y revelamos las fotos no se habían dañado. Y aunque el documento no había llegado dimos una rueda de prensa en la que informamos al país lo sucedido, durante la cual el periodista de Caracol Radio comentó que el comunicado del que yo hablaba ya había llegado a su emisora.

C.P.: Y con eso Pastrana logra ganar la presidencia en segunda vuelta. Pero para entonces le emiten la orden de captura a Álvaro Leyva y él se va asilado a Costa Rica, y usted se queda sin cómo volver a comunicarse con las Farc...

V.G.R.: Eso fue complejo porque además yo tenía que coordinar la reunión entre Pastrana y Marulanda. Entonces me tocó moverme para ubicar la gente de las Farc en México, y hacer otros contactos. Le propuse a Pastrana que anunciara ya el nombre de quien iba a ser su canciller, Guillermo Fernández de Soto, con el propósito de que el día del encuentro entre Pastrana y Marulanda, el canciller pudiera estar reunido con la plana mayor de los generales para que estos le explicaran la situación de orden público y de narcotráfico. Esa reunión en el fondo servía para que en caso de alguna emergencia durante la reunión secreta tuviéramos un contacto directo con la cúpula militar. El día anterior al encuentro me vi con el jefe de inteligencia del Ejército para indagar qué operativos militares se estaban haciendo en la zona a donde viajaríamos y advertirlo de que íbamos a realizar algunas acciones que nos hubiera gustado compartir con ellos, pero le dije que para respetar la lealtad que ellos le debían tener al presidente en ejercicio no lo íbamos a hacer. Mandé mi carro personal al Caguán para tener en qué movilizarnos y solicité el avión de la Cruz Roja Colombiana al Dr. Alberto Bejarano Laverde, presidente de esa organización, quien no sabía que en el avión viajaría el presidente electo. También le pedí a un amigo que trabajaba en AeroRepública que ubicara unas coordenadas de la zona donde necesitábamos aterrizar, que no tuvieran influencia del operador del aeropuerto. Como tenía que justificar la ausencia de un presidente electo durante un día, organicé un coctel en mi residencia personal con la clase política dirigente, que duró hasta casi las cuatro de la mañana, y que nos permitió instruir a la seguridad de que al día siguiente descansaríamos por la mañana, para que así no levantáramos sospechas con nuestra ausencia. La única persona de seguridad que viajó con nosotros fue el coronel Jaramillo, jefe de seguridad del presidente electo. Nohra, la esposa de Pastrana, me pidió angustiada que le diera mi palabra de que a Andrés no le pasaría nada. Yo le respondí que le juraba que yo no quería que nos pasara nada, y que yo estaría siempre al lado de su marido.

C.P.: Eso es el 9 de julio del 98, ese día Pastrana regresó con un acuerdo en el que se pactaba el despeje, la creación de la Policía Cívica para esa zona, la libre locomoción y otras cosas. Y usted empieza como alto comisionado para la paz pero se le acaba la batería a la mitad del camino...

V.G.R.: No solo se acordaron los puntos que usted menciona sino el respeto por la autoridad de los alcaldes de cada municipio, y del derecho de sus gentes. A mí no se me acabó la batería a la mitad del camino, lo que sucedió fue que por construir confianza en la interlocución con la guerrilla y haber tenido que vivir momentos muy difíciles en la negociación, destruí la confianza con algunos miembros de las Fuerzas Militares, y era conveniente para el buen suceso del proceso que yo me retirara como se lo planteé al presidente de la República. El día que salí de ser alto comisionado, un periodista me preguntó qué me había faltado por hacer. Le respondí que mi error había sido no darme cuenta de que primero teníamos que hacer la paz entre los líderes del Estado antes de hacer una interlocución con la guerrilla, porque esa división fortalece a la guerrilla. Mire, un día el presidente me dijo que los militares estaban muy disgustados conmigo y cuadramos una reunión para que ellos mismos expresaran qué pasaba. Me dijeron que un grupo de la guerrilla había salido de la zona de distensión, había hecho varios retenes, quemado un camión, pintado las paredes de la Caja Agraria, y que se habían vuelto a meter a la zona de distensión. Yo les dije que yo tenía el poder de la lengua, no el de las armas, y que para poder avanzar necesitaba que las Fuerzas Armadas fueran eficientes. Me dijeron que los estaba irrespetando, pero la verdad es que **las fuerzas fueron ineficientes, ya fuera por decepción, por no tener control sobre la zona de distensión, o por estrategia.**

C.P.: Entonces las Fuerzas presionando por un lado y las Farc siguiendo con sus atentados, por el otro...

V.G.R.: Un día le dije a Marulanda que no íbamos para ninguna parte porque ellos seguían echando bala, la respuesta que me dio me impactó y me entristeció. Me dijo: "Si yo dejo de echar bala, ¿usted vuelve a conversar con nosotros?". Cada cosa era muy compleja, cuando el Ejército se fue del Batallón Cazadores de San Vicente del Caguán acordamos que esa sede militar la iba a manejar la Cruz Roja, pero a los tres días el presidente de esa organización fue a mi oficina, y en un acto simbólico me devolvió las llaves del batallón y me dijo que la Cruz Roja no podía tener a cargo unas instalaciones donde había tres mil granadas, mil doscientos fusiles, y donde el personal que los militares le dijeron que era experto en gastronomía y mantenimiento era en realidad de oficiales de inteligencia. Entonces resolvimos entregarle el batallón a la Iglesia; el secretario de la Conferencia Episcopal, monseñor Alberto Giraldo, designó a monseñor Santamaría como responsable de la administración del batallón. Se hizo un acto en el que las Fuerzas Militares retiraron del lugar el material bélico y cambiamos el personal militar por personal del SENA. Con los mandos militares acordamos que se le advertiría a la guerrilla que no podía ingresar a las instalaciones militares aunque estuvieran desmilitarizadas, cosa que yo ya le había dicho a la guerrilla. Me fui a Bogotá y al día siguiente regresé para decirle a la guerrilla que ya estaban dadas todas las condiciones para sentarnos a la mesa. Cuál sería mi sorpresa y disgusto cuando al llegar al Batallón Cazadores encontré a miembros de la guerrilla en el casino de oficiales. De inmediato les reclamé que ellos habían incumplido el pacto y que prácticamente no habían dejado empezar el proceso. Monseñor Santamaría, hombre bueno y de fe, me dijo que no estuviera tan alterado, que me diera cuenta de que ellos —la guerrilla— habían aceptado participar de una eucaristía y que incluso estaban cantando villancicos; dijo que esa era la prueba de que estábamos caminando hacia la paz. Alias "Joaquín Gómez", comandante del Bloque Sur, que estaba en el lugar, también me dijo que no estuviera tan enojado, que ellos no habían incumplido el pacto sino que habían aceptado una invitación radial que monseñor Santamaría les había hecho para que fueran a verificar que ya el batallón estaba desmilitarizado, y que incluso habían pedido permiso para ingresar. Les exigí que se retiraran de inmediato y ellos accedieron diciendo algunas ironías, como que ya habían aprovechado para verificar lo de la desmilitarización del batallón. Esas cosas me desgastaban mucho y además generaban noticias confusas, ya que yo no podía salir a aclarar todo públicamente.

C.P.: Con todo eso, usted debía estar en el ojo de los enemigos del proceso...

V.G.R.: Sí, no solo tenía que soportar las injurias y las críticas amañadas, sino que además me hicieron varios intentos de atentados de los cuales nunca hablé. Desde el que derivó en que en Marulanda dejara la silla vacía porque tres paramilitares habían entrado a la zona de distensión días antes de esa cita, con el propósito de asesinarme y hacer creer que lo había hecho la guerrilla. Y supimos que de no lograr ese objetivo tenían el plan de matar a Marulanda el día de la instalación de los diálogos, lo que ocasionó que él me comunicara su decisión de no ir ese día. Yo le insistí de la importancia de su presencia como símbolo, a lo que él me respondió que allá estarían los negociadores de la guerrilla y que habría un alto dispositivo de seguridad, pero que él no "daría papaya". Le comuniqué todo eso al presidente, quien me dijo que el pacto que él había hecho con Marulanda era que los dos iban a esa instalación y que él cumpliría su palabra. Nunca dije eso ante los medios porque iba a sonar como si estuviera justificando la ausencia de Marulanda. Fueron varios los que me advirtieron que había planes para asesinarme, entre ellos el fiscal Alfonso Gómez Méndez; el general Jorge Mora Rangel, comandante del Ejército, quien en una carta me escribió que una disidencia de la guerrilla estaba preparando mi asesinato. También el director de *El Meridiano*, de Córdoba, me manifestó que Castaño y Mancuso habían ordenado asesinarme.

C.P.: Renuncia y se va de embajador en Londres sin haber logrado el acuerdo...

V.G.R.: La paz no se decreta ni se hace de un día para otro. En ese momento iban cuarenta años de conflicto armado que requerían de un proceso, más aún cuando las condiciones de esa época eran muy distintas a las de hoy. Teníamos tres mil seiscientos secuestrados en manos de las guerrillas, quinientos de ellos soldados y policías en manos de las Farc por las tomas a Patascoy, Las Delicias y El Billar. Más de doscientos municipios sin presencia de fuerza pública ni de Estado, unas Fuerzas Armadas desmoralizadas, sin equipo adecuado, y no teníamos soldados profesionales. La guerrilla era considerada internacionalmente como un Robin Hood, y en los centros urbanos más importantes no había conciencia del conflicto. Ni siquiera teníamos la suficiente información de inteligencia sobre quiénes integraban la estructura de las guerrillas. Una prueba de eso es que en un encuentro con Alfonso Cano, después comandante de las Farc, me preguntó qué era lo que yo le había hecho a sus camaradas miembros del Secretariado para sentarlos a la mesa. ¡Me preguntó si los había embrujado!, y dijo que él se había opuesto a eso porque aún les faltaba hacer una serie de acciones que les permitirían estar más cerca de la obtención del poder, y que yo las había congelado al sentarlos a la mesa. Le manifesté mi sorpresa porque no sabía que dentro de las Farc había disidentes de la negociación. Cuando hice la gira a Europa con miembros de la guerrilla para mostrarle a la comunidad internacional los esfuerzos de paz que estaba haciendo el Gobierno, y a su vez aprovechar para que la Cruz Roja Internacional les explicara su responsabilidad en el cumplimiento del derecho internacional humanitario, o que el presidente de la Asamblea Constituyente de Italia, que era el presidente del Partido Comunista, les dijera que el secuestro y el boleteo no eran caminos revolucionarios, o que las autoridades españolas manifestaran su identidad con el Estado colombiano y respaldo a la paz negociada, o que Noruega y Suecia les mostraran su modelo político, económico y social, me impresionó que en varias de las ciudades europeas, parlamentarios y dirigentes políticos recibieran a Raúl Reyes con un saludo afectuoso y manifestándole su alegría por verlo de nuevo. Por eso es que siempre digo frente a las derrotas que ha tenido las Farc que Marulanda no se murió de muerte natural sino de muerte moral, por la muerte de sus compañeros del Secretariado en combate.

C.P.: ¿Cómo les cayó a las Farc su renuncia?

V.G.R.: Cuando le conté a Marulanda me dijo que si yo me iba eso se acababa porque ellos confiaban era en mí. El presidente le ofreció el cargo de alto comisionado al doctor Carlos Rodado Noriega, quien aceptó, pero ese mismo día tuvo un enfrentamiento con miembros del Gobierno, en su condición de presidente de Ecopetrol, con lo cual el presidente Pastrana desistió de su nombramiento como alto comisionado. Entonces le ofreció el cargo al doctor Nicanor Restrepo, quien no aceptó; y al entonces presidente de la ANDI, Luis Carlos Villegas, quien tampoco aceptó, aduciendo que dos días atrás lo habían reelegido como presidente de la ANDI por cinco años más. Allí fue que el presidente Pastrana resolvió designar a su secretario privado, Camilo Gómez, diciendo que así enviaba el mensaje a la guerrilla de que sería él mismo quien estaría al frente del proceso. Cuando me alistaba para viajar de embajador ante el Reino Unido ocurrió el atentado con el famoso collar bomba a una señora en Boyacá. Al presidente le dieron información de que eso era obra de las Farc y él y el nuevo alto comisionado dieron duras declaraciones en rechazo a las Farc. Yo me atreví a llamar al presidente y aclarándole que no era mi costumbre intervenir en temas a los cuales ya no estaba vinculado, le dije que creía que era mi responsabilidad comentarle que en mi concepto las Farc no eran las responsables de ese atentado sino grupos vinculados al paramilitarismo, que eran los que hacían presencia en la zona donde ocurrió el hecho. Agregué que además no me parecía que la técnica del collar bomba fuera de las Farc, porque este era un mecanismo utilizado en la explotación de esmeraldas cuando estaban empotradas en la montaña. Él me respondió que por lo que yo le estaba diciendo parecía que la guerrilla me había capturado la mente, cosa que me molestó profundamente y por eso terminé la conversación. Dos días después el presidente me llamó a decirme que había puesto al director del DAS a investigar el hecho y que en efecto yo tenía razón. Él aclaró públicamente con un discurso que hizo en la escuela General Santander los resultados de la investigación del DAS, pero la guerrilla consideró que todo había sido obra del Gobierno para desprestigiarla, y durante casi dos meses no quiso reunirse con el nuevo alto comisionado. Cuando Pastrana decide romper el proceso en 2002, las Farc me mandan una carta a Londres en la que me dicen que por favor vaya al Caguán porque ellos acordaron la iniciación del proceso conmigo y me recordaron que cuando eso sucedió se planteó que si el proceso se acababa sería con las mismas personas con las que había iniciado. Yo le hice conocer esa carta al presidente pero él estuvo en desacuerdo con que yo fuera al Caguán y yo por supuesto obedecí su instrucción. En todo caso, yo pienso que antes de que pasara lo del secuestro de Géchem ya había razones para al menos suspender el proceso, como cuando la guerrilla también lo suspendió un par de veces con el argumento de que el Gobierno no estaba combatiendo a los grupos paramilitares.

C.P.: ¿Destaca algo bueno de esto proceso? Mucha gente ha dicho que es bueno que en esta negociación no se esté trabajando sobre cien puntos como en la del Caguán, sino solo sobre seis...

V.G.R.: Eso no corresponde a la verdad, la agenda del Caguán era de doce puntos que se subdividían por áreas, que son muy similares a los puntos de la actual negociación. Fíjese que el Gobierno dice que ya ha llegado a un acuerdo en tres puntos, pero entre los tres hay veintiocho subtítulos aún no acordados. Por tanto, si se sumaran los subtítulos acordados y los no acordados de esos tres puntos llegamos a que se han discutido más de sesenta subpuntos en solo tres de los grandes puntos de la agenda inicial. Lo que pasó en El Caguán fue que hice el ejercicio de pedirles a los diez negociadores de gobierno y guerrilla que escribieran cada uno lo que en su concepto podría ser la agenda de discusión. Ese ejercicio sumó ciento veinte puntos, muchos repetitivos. Desafortunadamente, uno de los miembros de la Comisión de Gobierno, por congraciarse con un periodista, le filtró el ejercicio, y ese periodista sacó una noticia nacional incorrecta, que tuvo mayor difusión que mi posterior rectificación. Por eso hoy en día mucha gente sigue creyendo que fueron ciento veinte puntos. Son tantas las desinformaciones que mi última experiencia en un foro sobre la paz fue escuchar a un general de la Policía decir que la Policía Cívica que operó en El Caguán durante la zona de distensión la había creado la guerrilla, y que incluso les había puesto un uniforme distinto. De inmediato le interrumpí y le dije que me preocupaba esa falsa afirmación y que él estuviera tan desinformado de su propia institución, ya que la Policía Cívica fue creada durante el Gobierno con un decreto, y cada alcalde de la zona de distensión escogió a sus miembros. Los uniformes los entregó el propio director general de la Policía. Esta ha sido una sola negociación en varias etapas, los negociadores de parte de la guerrilla son los mismos casi desde Belisario, ellos son los que llevan la secuencia de la negociación, porque del lado del Gobierno ha cambiado la gente ya que no se ha asumido la paz como una política de Estado. Solamente en los últimos períodos podríamos decir que, en algunos aspectos, uno y otro proceso han estado ligados. El proceso del Caguán fracasó pero triunfó la construcción del Plan Colombia, que hizo viable el proyecto de seguridad democrática de Uribe, y por ende el actual proceso de paz. O sea, sin Pastrana no hubiera habido Uribe y sin Uribe no hubiera habido Santos.

*

La versión de Víctor G. Ricardo la complementa el presidente Pastrana, quien hace poco negó en público que supiera de la posibilidad de que Tirofijo iba a faltar a la cita de inauguración de los diálogos, con el argumento de que podrían matarlo unos paramilitares infiltrados en la zona de distensión. Andrés Pastrana es señalado ante cada coyuntura noticiosa sobre la paz como quien le dio "medio país" a las Farc, pero quienes conocen de la historia de la búsqueda de la paz en Colombia, como el fallecido Otto Morales Benítez, aseguran que Pastrana hizo mucho por la paz, y que nadie se lo ha agradecido. En esta entrevista el presidente también revela cuáles fueron los errores que cometió en su proceso de paz.

Claudia Palacios: Expresidente Andrés Pastrana, ¿cuando el presidente Santos destaca que él no ha entregado el territorio nacional para el actual proceso de paz, en clara alusión a que usted en su gobierno despejó cinco municipios para los diálogos de paz, usted qué piensa?

Andrés Pastrana: Hay que hacer una observación legal. El despeje era una figura legal y constitucional que autorizaba al Gobierno para aplicarla en casos como el de los diálogos con grupos al margen de la ley. Ya en el gobierno Samper, que de paso fue el inspirador de los despejes, se había aplicado para una liberación de soldados. Creo que el comandante de las Fuerzas Militares, para ese entonces, era el general Harold Bedoya. El Plan de Naciones Unidas para el Desarrollo reunió a un grupo muy importante de colombianos para que hicieran una propuesta al nuevo Gobierno, una de ellas fue la del despeje como una de las posibilidades para iniciar un diálogo con las Farc. Dentro de ese grupo ilustre de colombianos estaba el hoy presidente Juan Manuel Santos.

C.P.: ¿Y fue un error?

A.P.: No, aunque también pensamos en la posibilidad de hacerlo en el exterior. El presidente Aznar ofreció hacer los diálogos en España, pero Marulanda (alias "Tirofijo") no quiso porque temía que capturaran a la guerrilla al salir de Colombia. Pero además las Farc piden esos cinco municipios porque siempre habían estado ahí, conocían el terreno y sabían que podían replegarse fácilmente en caso de que las cosas no salieran bien. El común denominador de las Farc era la desconfianza, y por eso desde el primer encuentro Marulanda me dijo: "La paz la hacemos en Colombia los colombianos". Y otra cosa, el despeje militar nunca significó renuncia a la soberanía ni a la presencia de Estado. Incluso le recuerdo que como presidente tuve oportunidad de visitar varios municipios en compañía del entonces ministro del Interior, Humberto de La Calle; el canciller, Guillermo Fernández de Soto; y Camilo Gómez, comisionado de paz. Una de mis preocupaciones en la zona de despeje era la inversión social, a la cual le dedicamos recursos importantes para hacer obras en esos municipios. Nunca antes el Estado había hecho inversiones tan importantes en esa zona.

C.P.: Pero era *vox populi* que eso se volvió una zona para llevar secuestrados, y además para cultivar coca.

A.P.: Si eso que usted dice hubiera sido verdad, el general Mora, hoy sentado en la mesa de La Habana, y para ese entonces comandante del Ejército, estaría hoy en problemas con la justicia porque el día que se declara la zona de distensión le di una orden por escrito, también firmada por el comandante de las FF.MM., dándole instrucciones claras y precisas de que nadie podía salir ni entrar de la zona. **Había comentarios de ese tipo pero nunca se tuvieron pruebas reales, y solo cuando las tuvimos fue que rompí los diálogos.** Ese fue el día que salí en televisión mostrando esas pruebas, como la de las pistas que ellos usaban o carreteras que se estaban construyendo. Es más, le cuento una anécdota, comenzado el proceso, el general Rosso José Serrano me dijo que había cultivos de coca en la zona de despeje. Me preguntó qué debía hacer, me dijo que si los destruía podía romperse el proceso, y yo le dije, general, cumpla con la ley, entre y destrúyalos.

C.P.: Yo no entiendo que usted sea tan crítico del actual proceso de paz en La Habana, cuando como presidente supo lo difícil que es hacer un proceso de paz, y eso que el suyo lo apoyaron más que a este.

A.P.: Tiene razón, porque un año antes de que yo fuera elegido fue la votación del Mandato Ciudadano por la Paz, que obtuvo diez millones de votos para apoyar la solución negociada. Este tema fue un eje central de mi campaña. Ya como presidente electo me reuní con Marulanda y ahí le pregunté que por qué no había hecho la paz con Samper y me respondió que porque Samper era un presidente ilegítimo. Le pregunté también que si estaría dispuesto a hablar con los norteamericanos, a lo que me responde que sí; recuerde usted que esa reunión se hizo en Costa Rica. Como anécdota, ese día en las selvas de Colombia Jojoy le dice a Tirofijo: "¿Se imagina, comandante, yo con visa para los Estados Unidos y Samper sin visa?". El hecho es que mi contrincante, que era Serpa, había estado en todos los cargos posibles para hacer la paz y había fracasado, así que yo tenía una ventaja sobre él en ese tema. Y en todo caso le dije a Marulanda: "Yo voy a hacer la paz con usted, pero voy a fortalecer a las Fuerzas Militares", que estaban tan desprestigiadas que les habían cancelado un curso a los generales en la Escuela de Guerra en Europa y en Estados Unidos. El Plan Colombia se convierte en el instrumento principal de ese fortalecimiento.

C.P.: Ahora hablamos de eso, pero no me dijo por qué ataca tanto la paz de Santos...

A.P.: ¡Si hay un colombiano que se la jugó toda por la paz, ese soy yo! Sacrifiqué hasta mi capital político por ella y haría lo mismo ahora. Yo no estoy en contra de la paz, sino que soy un crítico de la forma como hasta ahora se está manejando. Yo no firmé el tratado de la Corte Penal Internacional que prohibió amnistías e indultos. Acudí a la excepción de su aplicación por siete años, precisamente para dejar la puerta abierta para la paz a mis sucesores y le advertí a Marulanda que el mundo estaba cambiado y que después, por las normas internacionales, iba a ser más difícil hacer un acuerdo de paz. Pero no creo en aspectos ya acordados en La Habana como el sistema de circunscripciones especiales, no tengo claro el tema del narcotráfico, o el tema de justicia y entrega de armas, porque las Farc solo hablan de dejación. Yo diría que la diferencia con mi proceso es que toda la clase política y los sectores sociales fueron tenidos en cuenta. Recuerde que todos los sábados iban al Caguán políticos, empresarios, ONG, la misma guerrilla, y a todos se les abría el micrófono, ¡en directo por televisión!, para que expresaran sus puntos de vista. Mire, yo tengo diferencias con Samper pero mandaba a mi canciller o al comisionado de paz a que se reuniera con él o con su gente para tener en cuenta sus ideas y comentarios en el proceso de paz y en política internacional. Además, lo más difícil es negociar en medio del conflicto, yo se lo dije al presidente Santos. Mis críticas al proceso no se deben a un tema personal, es un tema político, pues veo que la paz está siendo excluyente, eso lo demuestran las encuestas en las que más del setenta por ciento no está de acuerdo con el proceso. Yo sé que no hay paz perfecta ni unánime, pero si la paz no se hace teniendo en cuenta al país entero, esta no será una paz real ni duradera. Es más, le he pedido al presidente que lidere a todos los sectores políticos, Iglesia, sindicatos, empresarios, para que nos pongamos de acuerdo de este lado de la mesa y le lleve una posición unificada a las Farc en La Habana. O la toman o la dejan, pero ellos van a saber de una vez por todas qué pensamos y qué queremos los colombianos. Como decía mi padre, el expresidente Misael Pastrana, no hay paz mala ni guerra buena. La paz es de todos los colombianos, no de unos pocos, y menos de un gobierno. Soy el único expresidente en la Comisión Asesora de Paz, al interior de la cual expreso mis opiniones.

C.P.: En su mandato se inventan el Plan Colombia pero eso mismo jugó en contra de la confianza de las Farc hacia su gobierno, porque criticaban que era un plan militarista...

A.P.: La filosofía del Plan Colombia no era mendigar ayuda internacional, sino aplicar el principio de corresponsabilidad en la lucha contra el problema mundial de las drogas: nosotros producimos ellos consumen. Reiteré que esa lucha debía ser una política de Estado, no de gobierno, tanto en Colombia como en los Estados Unidos. El plan se diseñó con 25% para el fortalecimiento de las Fuerzas Armadas y 75% para la política social, pero en el Congreso de Estados Unidos invirtieron los porcentajes. Desde mi primera reunión le comenté a Tirofijo del plan, es más, le dije que yo iba a construir un ejército para la guerra o para la paz, y que ellos serían los encargados de definir para qué sería utilizado. El hecho es que pasamos de ser un país descertificado, de tener un presidente de Colombia sin visa, a ser el tercer receptor mundial de la ayuda estadounidense después de Israel y Egipto. Creo que es uno de los éxitos más importantes de la diplomacia colombiana. A los europeos, que teníamos que quitarles esa imagen de Robin Hood que tenían de las Farc, les presentamos programas sociales y no los apoyaron de la forma que hubiéramos querido. ¡Es que en el año 2000 ellos creían que el problema de las drogas no les iba a llegar y mire, hoy Reino Unido es el mayor consumidor per cápita, seguido de España!

C.P.: ¿Por qué su gobierno no le da continuidad a lo que el gobierno de Samper había avanzado con el ELN en Maguncia? Una teoría dice que las Farc y el ELN estaban tan enfrentadas en ese momento que usted temió que si adelantaba un proceso con el ELN se le dañara el proceso con las Farc...

A.P.: En Maguncia, el ELN pretendía negociar con la sociedad desconociendo al Estado. Yo adelanté también un proceso con el ELN en el Sur de Bolívar y en La Habana. Este avanzó en muchos aspectos y llegamos a tener acuerdos negociados pero el ELN siempre se arrepentía a último momento, de eso incluso fue testigo Fidel Castro.

C.P.: ¿Por qué es que en su gobierno se hace una apuesta por los cultivos de palma africana?

A.P.: Yo me puse a estudiar qué país del mundo había tenido los mismos problemas de Colombia y había salido adelante, y ese era Malasia. En los años cincuenta ese país logró superar su problema de violencia a través de cultivos de palma africana, involucrando a los campesinos con el sector privado. Con esa experiencia diseñamos un programa de asociaciones público-privadas para desarrollar ese cultivo en el país. Por su cercanía a Estados Unidos, Colombia es muy competitiva en esta siembra. Teníamos cerca de ciento cincuenta mil hectáreas de palma, hoy estamos cerca de quinientas mil, y podemos llegar a alrededor de un millón y medio. Fui a Malasia a reunirme con el primer ministro, Mahathir Bin Mohamad, para que nos vendieran las semillas, pues no la hacían. Y fue la primera vez que le vendieron a un extranjero. Este es un cultivo sostenible a largo plazo, lo que era bueno para los campesinos. Además, por sus ganancias, competía con los cultivos de coca. Hoy hay experiencias muy positivas en el Caribe colombiano, donde hay cooperativas de campesinos en las cuales estos no tuvieron que poner el dinero sino que lo hizo el Estado, y esos proyectos hoy pueden valer más de cien millones de dólares.

C.P.: Le pregunto sobre eso porque hay una relación entre esos cultivos y las tierras despojadas por el paramilitarismo, algo que alimenta los argumentos de quienes dicen que el paramilitarismo también se fortaleció durante su gobierno...

A.P.: En relación con la palma, me tocó solo darle un impulso inicial que continuó mi sucesor. Recién tomé posesión como presidente retiré ocho generales para llegar al general Fernando Tapias, y nombrarlo comandante de las Fuerzas Armadas. Él me acompañó durante todo mi gobierno. En la primera reunión que tuvimos lo primero que me dijo fue que estábamos perdiendo la guerra, que había más de mil soldados y policías secuestrados, que de siete helicópteros de combate solo funcionaban tres, que nos faltaban helicópteros de transporte, que los soldados tenían que arreglar la suela de las botas pegándoles pedazos de llantas. No había bombas, no había tiros, no había aviones, no había lanchas para controlar los ríos. Le respondí que yo iba a fortalecer las Fuerzas Militares como nunca antes en la historia de Colombia, pero que para lograrlo, además de equipos y armas, el respeto a los derechos humanos era fundamental. Y le dije que iba a combatir con todos los instrumentos el fenómeno del paramilitarismo. Les dije a mis Fuerzas Armadas en varias ocasiones que si queríamos derrotar a la guerrilla no podíamos tocar el cielo sobre los hombros del diablo, refiriéndome a eventuales vínculos de algunos militares con el paramilitarismo. Mi gobierno generó los instrumentos legales e institucionales que permitieron dar la más fuerte batalla contra los paramilitares, en buena parte gracias al esfuerzo y el entusiasmo del vicepresidente Gustavo Bell.

C.P: ¿Por qué no funcionó su proceso de paz?

A.P.: Es difícil decir por qué, un proceso de paz es algo muy complejo, como lo está viviendo hoy Santos. Creo que un posible error fue que yo no logré convencer a Marulanda de empezar discutiendo el tema político y no el económico, ya que estábamos en tasas de interés por encima del 60%, desempleo e inflación del 20%, y nos tomó tiempo que la guerrilla entendiera que cualquier propuesta en el tema económico no sería fácil de implementar. Ellos proponían, o se imaginaban, cosas irrealizables en el área económica. Para que entendieran las dificultades los llevamos a la gira por Europa para que vieran cómo se hizo el Acuerdo de la Moncloa, cómo funciona la seguridad social en Francia, y especialmente los países nórdicos. Y para que conocieran en Suiza, en la Cruz Roja, todos los temas de derecho internacional humanitario. Y ellos no aprovecharon la ayuda que la comunidad internacional podía darles porque creyeron que si los países eran amigos de Colombia no eran amigos de ellos. Yo le decía a Marulanda que teníamos treinta países garantes, pero él estaba preocupado de que yo no me pudiera reelegir y que quien me sucediera no garantizara el cumplimiento de los acuerdos. En fin, si hubiéramos empezado por el tema político creo que hubiéramos avanzado. En todo caso, la paz no me atropella a mí, atropella a las Farc. Creo que las Farc se asustaron con la paz. Pero no todo fue un fracaso en mi proceso de paz, se lograron cosas impensables hasta ese momento. Lo más importante fue haber deslegitimado a las Farc internacionalmente, lo que fue la base para el inicio del actual proceso.

C.P.: También se le critica que usted no tenía un plan para negociar con ellos porque fue todo una improvisación entre primera y segunda vuelta electoral para poder ganar la presidencia...

A.P.: No podíamos tener diseñado el proceso porque no sabíamos si las Farc iban a sentarse a la mesa o no, pero a pesar de esto me acompañaron las personas que más conocían de paz en ese momento en el país: Álvaro Leyva, Rafael Pardo y un grupo importante de académicos. Pero una vez definimos la posibilidad de iniciar negociaciones hubo una estrategia clara. Por ejemplo, el acuerdo de San Francisco de la Sombra, que firmamos el 5 de octubre de 2001, contiene las bases de lo que se está negociando en La Habana.

C.P.: Si las Farc iban a presentar su propuesta de cese al fuego veinte días después del secuestro del avión, cuando se llevaron al senador Géchem, ¿por qué romper los diálogos por esa razón, en vez de esperar a la propuesta y su cumplimiento?

A.P.: Las propuestas de cese de fuegos y de hostilidades se habían presentado en julio de 2001. Existía una hoja de ruta contenida en el llamado Documento de los Notables, y las discusiones estaban avanzando, pero el secuestro del senador y de otros políticos, el secuestro del avión y la ola de violencia desatada por las Farc hicieron inviable el proceso de paz. Le cerraron todo el espacio político al Gobierno. Además, el secuestro del avión no era un delito cualquiera, sino uno castigado muy fuerte por la comunidad internacional. La responsabilidad del rompimiento es exclusiva de las Farc, por ellos y sus actos perdimos la oportunidad de hacer la paz hace quince años. ¡Cuántos muertos, cuántos secuestros, cuánta violencia nos habríamos evitado!

*

Camilo Gómez fue el segundo alto comisionado para la paz para los diálogos del Caguán. Estuvo al frente la mitad del proceso hasta que el presidente Pastrana toma la decisión de acabarlos.

Claudia Palacios: Camilo Gómez, ¿cómo es que si el proceso del Caguán prácticamente no tenía oposición política, como sí pasa ahora, ese proceso no fue exitoso?

Camilo Gómez: No logramos explicarle a la gente la importancia que tenía el proceso hacia futuro, porque aunque no teníamos oposición política, la oposición social sí era fuerte, pues la gente no entendía que negociáramos en medio de las acciones violentas. Y los grupos de la sociedad civil que había eran incipientes, uno conformado por empresarios, liderado por Nicanor Restrepo; y otro de la sociedad civil, por un grupo de ciudadanos y el procurador, Jaime Bernal Cuéllar. Pero iniciar ese proceso de paz y desarrollarlo fue un acierto, porque si no las Farc no estarían negociando hoy en La Habana. Quedaron expuestas a las preguntas de los medios de comunicación y de la sociedad por sus acciones violentas, lo que derivó en el inicio de su decadencia política. Y la decadencia militar comienza con la toma a Mitú en noviembre del 98, cuando logramos retomar la población al cabo de tres días, en parte gracias a que el presidente Cardozo, de Brasil, en una decisión brillante, nos presta una pista para defender a la población de Mitú y repeler a las Farc. Y eso que ya las Farc habían movido sus fichas en el Partido de los Trabajadores de Brasil, pero Cardozo se cubrió políticamente al sacar un comunicado en el que limitó el apoyo a veinticuatro horas.

C.P.: Uno de sus caballitos de batalla fue cambiarle el nombre al "canje" que proponían las Farc entre guerrilleros presos y soldados y policías secuestrados por el de "intercambio humanitario"...

C.G.: Fue una posición ideológica que ellos adoptaron apoyados por alguien del Partido Comunista italiano, que les dijo que lo que ellos tenían se llamaba "prisioneros de guerra". Mientras que las mamás de los soldados y policías secuestrados me pegaban sombrillazos, y los militares decían que el canje era inviable porque iba a desmoralizar a las tropas, construimos diferentes alternativas como la del acuerdo humanitario, la extraterritorialidad de la cárcel en un país amigo para los guerrilleros que salieran, o una cárcel en la zona de distensión. Al final, logramos que mediante un acuerdo humanitario basado en el derecho internacional humanitario ellos liberaran a trescientos cincuenta soldados y policías que tenían secuestrados y nosotros a trece guerrilleros enfermos que no habían cometido crímenes de lesa humanidad. Incluso, después de roto el proceso intentamos negociar otro acuerdo para la liberación de los diputados del Valle y de los demás secuestrados.

C.P.: ¿Por qué en ese momento no se les daba importancia a las víctimas ni a la justicia?

C.G.: Me sorprende que se diga que este es el primer proceso en el que se habla de las víctimas. Colombia estaba negociando con las Farc, y paralelamente, siendo redactora de la conformación de la Corte Penal Internacional, que prohibió amnistías e indultos, protegiendo a las víctimas. Nuestro representante era Augusto Ibáñez. Entonces, por una parte logramos que Colombia pospusiera la aplicación del tratado de la Corte Penal Internacional hasta 2008, para no cerrarle las puertas a la paz; y por otra parte recibíamos a grupos de víctimas entre los que estaban los de los secuestros masivos, de los pueblos tomados, de los robos y extorsiones; y de las minas antipersona. Lo que pasa es que no teníamos un punto de víctimas dentro de la discusión con las Farc porque estábamos enfocados en evitar más víctimas del conflicto de ese momento en adelante, por eso buscábamos el cese al fuego, y en el 2000 alcanzamos a tener una propuesta de cese al fuego y hostilidades que iba a ser bilateral.

C.P.: ¿Y por qué nunca se aplicó?

C.G.: Logramos avances sustanciales, dos días antes de la ruptura del proceso habíamos logrado avanzar muchísimo. Yo creo que las Farc se asustan de ver el nivel al que habíamos llegado en la negociación. Jojoy un día se queja de que los tenemos encerrados, llenos de gringos, refiriéndose a la presencia de los representantes de los países que apoyaban el proceso. Creo que llegaron a la mesa de conversaciones pensando en que eso iba a durar los dos años que necesitaban para fortalecerse. A manera de ejemplo, después de que secuestran y matan a La Cacica, cuando negociábamos el Acuerdo de San Francisco, Marulanda me entrega una hoja en blanco, firmada por él, y su gente le reclama por no dársela a ellos; **Marulanda les responde que lo tienen mamado de que le digan que le está entregando todo a Camilo, como si yo lo tuviera embrujado.** Yo tajantemente y, con algo de humor, le contesté que no se preocupara que a mí me decían también lo mismo en Bogotá.

Agradecimientos

Pablo, confío en que los testimonios de este libro enriquezcan tu vida y llenen así mis ausencias por cuenta de las horas que te quité para poder hacerlo. Gracias, porque a pesar de eso me sigues diciendo que soy la mejor mamá del mundo.

Jorge, algo bueno debí haber hecho para ganarme tu amor tan generoso. Gracias por hacer de cada detalle de este libro una prioridad para nuestra última "sociedad".

Príncipe (Rodrigo), no puedo imaginar un mejor coequipero que tú para esta aventura periodística. Gracias por compartirme tu vasta experiencia, tu prodigiosa memoria y tu grata compañía.

Al Centro de Memoria Histórica, Centro de Memoria, Paz y Reconciliación, la ACR, la Unidad para las Víctimas, Reconciliación Colombia, Corporación Matamoros, Ruta Pacífica de las Mujeres, Bienestar Familar, ONU Colombia, Fundación Paz y Bien, Fundación Para la Reconciliación, Inpec, Confraternidad Carcelaria y todas las instituciones y personas que me ayudaron a conseguir los casos escritos para este libro y a contactar a sus protagonistas. Gracias por el entusiasmo mostrado ante este proyecto, por considerarlo un documento necesario.

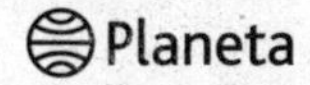

España
Av. Diagonal, 662-664
08034 Barcelona (España)
Tel. (34) 93 492 80 00
Fax (34) 93 492 85 65
Mail: info@planetaint.com
www.planeta.es

Paseo Recoletos, 4, 3.ª planta
28001 Madrid (España)
Tel. (34) 91 423 03 00
Fax (34) 91 423 03 25
Mail: info@planetaint.com
www.planeta.es

Argentina
Av. Independencia, 1668
C1100 Buenos Aires
(Argentina)
Tel. (5411) 4124 91 00
Fax (5411) 4124 91 90
Mail: info@eplaneta.com.ar
www.editorialplaneta.com.ar

Brasil
Av. Francisco Matarazzo,
1500, 3.° andar, Conj. 32
Edificio New York
05001-100 São Paulo (Brasil)
Tel. (5511) 3087 88 88
Fax (5511) 3087 88 90
Mail: ventas@editoraplaneta.com.br
www.editoriaplaneta.com.br

Chile
Av. 11 de Septiembre, 2353, piso 16
Torre San Ramón, Providencia
Santiago (Chile)
Tel. Gerencia (562) 652 29 43
Fax (562) 652 29 12
www.planeta.cl

Colombia
Calle 73, 7-60, pisos 7 al 11
Bogotá, D.C. (Colombia)
Tel. (571) 607 99 97
Fax (571) 607 99 76
Mail: info@planeta.com.co
www.editorialplaneta.com.co

Ecuador
Whymper, N27-166,
y Francisco de Orellana
Quito (Ecuador)
Tel. (5932) 290 89 99
Fax (5932) 250 72 34
Mail: planeta@access.net.ec

México
Masaryk 111, piso 2.°
Colonia Chapultepec Morales
Delegación Miguel Hidalgo 11560
México, D.F. (México)
Tel. (52) 55 3000 62 00
Fax (52) 55 5002 91 54
Mail: info@planeta.com.mx
www.editorialplaneta.com.mx
www.planeta.com.mx

Perú
Av. Santa Cruz, 244
San Isidro, Lima (Perú)
Tel. (511) 440 98 98
Fax (511) 422 46 50
Mail: rrosales@eplaneta.com.pe

Portugal
Planeta Manuscrito
Rua do Loreto, 16-1.° Frte.
1200-242 Lisboa (Portugal)
Tel. (351) 21 370 43061
Fax (351) 21 370 43061

Uruguay
Cuareim, 1647
11100 Montevideo (Uruguay)
Tel. (5982) 901 40 26
Fax (5982) 902 25 50
Mail: info@planeta.com.uy
www.editorialplaneta.com.uy

Venezuela
Final Av. Libertador con calle Alameda,
Edificio Exa, piso 3.°, of. 301
El Rosal Chacao, Caracas (Venezuela)
Tel. (58212) 952 35 33
Fax (58212) 953 05 29
Mail: info@planeta.com.ve
www.editorialplaneta.com.ve

Grupo Planeta

Planeta es un sello editorial del Grupo Planeta www.planeta.es